Thirty-

Марк Леви

MARC LEVY

L'HORIZON À L'ENVERS

МАРК ЛЕВИ

Опрокинутый горизонт

РОМАН

Издательство "Иностранка"

Москва

УДК 821.133.1-ЗЛеви
ББК 84(4Фра)-44
    Л36

Marc Levy
L'HORIZON À L'ENVERS

Перевод с французского
Аркадия Кабалкина

Леви М.
Л36 Опрокинутый горизонт : Роман / Марк Леви ; Пер. с фр.
    А. Кабалкина. — М. : Иностранка, Азбука-Аттикус, 2016. —
    512 с.
    ISBN 978-5-389-11301-5

Три студента крупного американского университета, занимающиеся нейробиологией, находятся на пороге большого научного открытия. В самый разгар работы одного из них настигает неизлечимый недуг. Не желая смириться с судьбой, друзья решают воспользоваться своими научными достижениями и приступают к рискованному эксперименту, результат которого непредсказуем.

                              УДК 821.133.1-ЗЛеви
                              ББК 84(4Фра)-44

ISBN 978-5-389-11301-5

Моим родителям,
сестре,
детям,
жене
и Сюзанне

Нет ничего неотвратимее,
чем невозможное.
Виктор Гюго

ХОУП

Вдали послышался вой сирены.

Джош глубоко дышал, прижимаясь лицом к стеклу. Его взгляд скользил по кирпичным фасадам квартала, где они с Хоуп поселились год назад. По пустой улице заметались синие и красные блики, озаряя комнату, перед дверью дома остановился маленький фургон.

На счету была каждая секунда.

— Джош, мне пора сделать... — послышался умоляющий голос Люка.

Обернуться и взглянуть в лицо любимой женщины было выше его сил.

— Джош, — прошептала Хоуп, когда ей в вену вошла игла, — не смотри, не нужно, нам с тобой всегда хватало молчания.

Джош подошел к кровати, наклонился к Хоуп и поцеловал ее. Она приоткрыла бескровные губы.

— Мне так повезло, что я познакомилась с тобой, Джош, — произнесла она с улыбкой и закрыла глаза.

В дверь постучали. Люк встал и впустил бригаду: двух санитаров с носилками и врача, который сразу бросился к изголовью Хоуп и стал мерить ей пульс. Потом, вытянув из чемоданчика ворох шнуров и электродов, он принялся прилаживать их к ее груди, запястьям и лодыжкам.

Взглянув на бумажную ленту с кардиограммой, врач подал знак санитарам. Они подставили носилки, подняли Хоуп и уложили ее на ледяной матрас.

— Надо торопиться, — сказал врач.

Джош смотрел, как уносят Хоуп. Он хотел ехать с ними, но Люк его удержал и, не выпуская его руку, подвел к окну.

— Ты действительно считаешь, что все получится? — спросил Джош еле слышно.

— За будущее не поручусь, — ответил Люк, — но сегодня вечером мы совершили невозможное.

12

Джош смотрел сверху на улицу. Санитары задвинули носилки в фургончик, следом за ними туда залез врач. Дверцы захлопнулись.

— Если этот доктор о чем-то догадался... Я никогда не смогу тебя отблагодарить.

— Это вы двое — ученики чародея, а у меня скромная роль. То немногое, что я сделал, было ради нее.

— Ты сделал самое главное.

— Только если ее теория верна... Будущее покажет, так ли это.

13

1

14 — Почему ты вечно на себя наговариваешь? Поразительно, что такая девушка, как ты, настолько в себя не верит. Или это военная хитрость?

— При чем здесь хитрость? Только ты и мог сказать такую глупость!

— Может, ты просто напрашиваешься на комплименты?

— Ага, значит, я права! Если бы я была красавицей, тебе бы в голову не пришло, что я нуждаюсь в комплиментах.

— Ты меня достала, Хоуп. Самое неотразимое в тебе — твой ум. Таких странных девушек я еще не встречал.

— Когда парень называет девушку странной, обычно это означает, что она дурнушка.

— Как будто нельзя быть одновременно красивой и странной! Если бы я посмел такое утверждать, ты обвинила бы меня в сексизме и в мачизме.

— А еще в том, что ты законченный кретин. Ничего, у меня есть право так говорить. Эта Анита, как она тебе?

— Кто такая Анита?

— Не прикидывайся!

— Она была не со мной! Мы оказались на соседних местах, вот и обменялись мнениями о фильме.

— Какие мнения можно составить о фильме, сюжет которого сводится к погоне продолжительностью в час двадцать и к трогательным объятиям в конце?

— Ты мешаешь мне работать!

— Ты битый час таращишься на ту брюнетку, что сидит в дальнем конце читального зала. Хочешь, я тебе помогу? Попрошу у нее номер телефона, спрошу, не замужем ли она, скажу, что мой приятель мечтает сводить ее на архаусный фильм. «Великая красота» Паоло Соррентино, шедевр Висконти, старая лента Фрэнка Капры... Что ты выберешь?

— Я правда работаю, Хоуп, и не моя вина в том, что эта девушка попадает в поле моего зрения, когда я думаю.

— Тут я с тобой согласна: когда человека настигает любовь, глупо винить в этом попутный ветер. Кстати, о чем ты думаешь?

— О нейромедиаторах.

— А, о всяких норадреналинах, серотонинах, допаминах... — принялась насмешливо перечислять Хоуп.

— Помолчи немного и послушай меня. Уже признано, что они способны мобилизовать мозг на определенные действия, усиливать внимание, память, влиять на циклы нашего сна, на наше пищевое и сексуальное поведение... Например, мелатонин играет важнейшую роль в возникновении зимней депрессии.

— Лучше подскажи, какой нейромедиатор вызывает летнюю депрессию в тот момент, когда надеваешь купальник. Я сразу же выдвину тебя на Нобелевку!

— Что, если молекулы действуют двояко? Предположим, нейромедиаторы накапливают информацию о том, как они воздействуют на нас в течение жизни. Представь, а вдруг они играют роль частиц живой памяти и накапливают все наши достижения, формируя и меняя наш характер? Никто не знает, где именно в мозгу гнездится наше самосознание — то, что превращает каждого из нас в уникальное существо. А теперь предположим, что нейромедиаторы, совсем как сеть информационных серверов, тоже образуют сеть, а она и есть человеческая личность!

— Блестяще! Даже гениально! Как же ты намерен это доказать?

— Зачем, по-твоему, я занимаюсь наукой о нейронах?

— Чтобы соблазнять девушек! Уверена, первый же профессор, которому ты поведаешь о своих революционных идеях, предложит тебе переквалифицироваться в юриста, филолога, в кого угодно, лишь бы ты больше не болтался среди его студентов!

— А вдруг я прав? Ты понимаешь, какие могут быть последствия?

— Если представить, что твою туманную теорию удастся обосновать, а в один прекрасный день расшифровать содержащуюся в этих молекулах информацию, это обеспечит мгновенный доступ к человеческой памяти.

— И не только: еще можно будет ее переписывать и — почему нет? — воспроизводить человеческое сознание в компьютере.

— По-моему, кошмарная идея! Собственно, зачем ты со мной об этом толкуешь?

17

— Чтобы ты подключилась к моему проекту.

Хоуп расхохоталась так громко, что соседи по читальному залу укоризненно на нее покосились. Смех Хоуп всегда улучшал Джошу настроение. Даже когда она поднимала на смех его самого, что случалось нередко.

— Для начала угости меня ужином, — зашептала она. — Только чтобы никакой несъедобной дряни с доставкой на дом! Я про настоящий ресторан.

— Давай ненадолго отложим, а? Сейчас я на мели, но к концу недели ожидаются коекакие поступления.

— От твоего отца?

— Нет, я подрабатываю репетитором, натаскиваю одного балбеса, родители которого воображают, что он в конце концов возьмется за ум.

— Ты злобный сноб. Ладно, я сама заплачу.

— На таких условиях я, так и быть, согласен пригласить тебя на ужин.

Джош и Хоуп познакомились на первом курсе. Дело было ранней осенью, Джош и Люк курили на краю лужайки не очень законную сигарету, одну на двоих, и делились своими любовными разочарованиями. В нескольких метрах от них, прислонившись к стволу вишни, сидела Хоуп и готовилась к занятиям.

Внезапно она громко и отчетливо осведомилась, кто это поблизости страдает неизлечимым недугом, оправдывающим применение на свежем воздухе психотропного средства.

Люк встал и попытался определить, кто говорит: преподаватель или студентка. Заметив озабоченно озиравшегося Люка, Хоуп помахала рукой и сдула со лба челку, упавшую ей на глаза. Люк был очарован.

19

— На вид ты вроде не болен. Получается, при смерти твой дружок, считающий звезды средь бела дня. Тут явно замешан ваш ямайский табачок, даже меня от него мутит.

— Хочешь с нами? — спросил Люк.

— Спасибо, но мне и так трудно сосредоточиться. Из-за вашей искрометной беседы на тему женского пола я уже полчаса перечитываю одну и ту же строчку. С ума сойти, сколько глупостей способы нагородить про женщин парни вашего возраста!

— Что такое интересное ты читаешь?

— Профессор Юджин Фердинанд Олгенбрук, «Врожденные нарушения центральной нервной системы».

— «Хорошенькая девушка, тоненькая и непринужденная, с головы до ног сотворенная для того, чтобы выжить...» Раймонд Карвер, «О чем мы говорим, когда говорим о любви». У каждого своя культовая книжка, верно? Не хочешь просветить нас насчет женского пола? Этот предмет загадочнее любых патологий коры головного мозга и куда более захватывающий.

Хоуп бросила беглый взгляд на Люка, захлопнула книгу и встала.

— Первый курс? — спросила она, подходя к нему.

20

Джош поднялся ей навстречу, она замолчала, уставившись на его протянутую руку. Удивившись, что она не намерена ее пожимать, он снова сел.

Люк заметил, как они друг на друга смотрят, заметил огонек в глазах у Хоуп. Незнакомка успела его околдовать, но он понял, что свой выбор она остановила не на нем.

Хоуп всегда отрицала, что сразу же почувствовала влечение к Джошу, но Люк не верил ни одному ее слову и всякий раз, когда всплывала эта тема, вспоминал, что последующие события подтвердили его догадку.

Джош тоже клялся, что в тот день не заметил в Хоуп ничего соблазнительного, и добавлял, что она — из тех девушек, чья красота раскрывается, только когда узнаешь их поближе. Хоуп так и не сумела заставить его признаться, комплимент это или насмешка.

Познакомившись, они с удовольствием провели вместе этот теплый вечер бабьего лета. Джош был неразговорчив, а потому на вопросы Хоуп вместо него отвечал Люк. Джош тихо злорадствовал, наблюдая, как его лучший друг лезет из кожи вон.

———————

К середине осени Хоуп, Джош и Люк превратились в неразлучную троицу. После занятий они встречались на площади перед библиотекой, если позволяла погода, или в читальном зале, если было холодно или дождливо.

Из них троих Джош работал меньше всех, но получал самые высокие оценки. После каждого экзамена Люк, сравнив результаты, признавал, что Джош превосходит их обоих интеллектом. Хоуп была более сдержанна в оценках: у Джоша, конечно, блестящий ум, но слишком уж часто он пользуется своей способностью очаровывать, причем жертвами его становятся и преподаватели, и многочисленные особы женского пола. Единственное, что она признавала за ним, — это более развитое воображение, зато считала его слишком несобранным.

Люк, по крайней мере, не позволял себе отвлекаться на любую семенящую впереди пару стройных ножек и, как она, был ориентирован на академический успех.

Однажды вечером в кафетерии — они штудировали конспекты — девушка за соседним столиком так нагло уставилась на Джоша, что он тоже стал коситься на нее. Хоуп, потеряв терпение, предложила ему не тянуть время, а просто отвести эту гусыню к себе в комнату и там ее поиметь, вместо того чтобы изображать усердие, прикрывшись тетрадкой.

— Какая реплика! Сколько изящества! — огрызнулся Джош.

— Счет один-один, — подвел итог Люк. — Можно вопрос? Почему вы все время друг друга подкалываете? Пора бы заняться чем-нибудь еще.

Оба промолчали, и Люк добавил:

— Например, сходить куда-то вместе.

Тут оба впали в замешательство, о котором они потом долго вспоминали. Вскоре Хоуп удалилась, заявив, что ей нужно готовиться к экзаменам, а в компании таких двух кретинов, как они, это невозможно.

— Что на тебя нашло? — спросил Люка Джош.

— Устал смотреть, как вы ходите кругами, словно подростки. Надоело, правда.

— А я-то тут при чем? Кстати, между мной и Хоуп ничего нет, мы просто друзья.

— Ты гораздо глупее, чем кажешься. Или совсем слепой, раз не замечаешь очевидного.

Джош пожал плечами и тоже ушел.

Вернувшись в квартиру-студию, которую они делили с Люком, он уселся перед ноутбуком и занялся непривычными для себя поисками. Перебрав все псевдонимы, которые пришли ему на ум, он был вынужден признать очевидное: Хоуп оказалась единственной из известных ему людей, не фигурировавшей в Сети. Такая скрытность его заинтриговала.

На следующий день он решил дождаться ее после занятий. Они долго бродили по дорожкам кампуса, однако ему так и не удалось заговорить с ней на эту тему. Хоуп водила его вокруг здания библиотеки, забавляясь тем, что Джош не замечает, как они раз за разом

23

возвращаются в одну и ту же точку. Наконец она зашагала в сторону корпуса, где находилась ее комната, а он увязался за ней.

— Чего тебе, собственно, надо, Джош? — не вытерпела она.

— Составить тебе компанию.

— Ты отстал и хочешь, чтобы я помогла тебе с заданиями?

— Я никогда не отстаю.

— Как тебе это удается, если ты постоянно куришь косячки? Научная загадка!

— Я концентрируюсь на главном и оптимизирую рабочий процесс.

— А мне кажется, тебе помогает целая армия лаборанточек.

— Хоуп, меня раздражает, что ты постоянно меня в чем-то обвиняешь. По-твоему, кто я такой?

— Человек исключительных способностей, но мне трудно это признать, а это самое обидное.

Джош так и не понял, сказала она это искренне или чтобы над ним посмеяться.

У входа в корпус Хоуп напомнила ему, что молодых людей туда не пускают. Единственный способ войти — нацепить парик.

Только теперь Джош осмелился задать вопрос, из-за которого сюда притащился.

— Откуда ты знаешь, что меня нет в социальных сетях? — ответила Хоуп вопросом на вопрос.

— Я ничего не нашел.

— Значит, ты искал!

Джош промолчал, что было равносильно утвердительному ответу.

— Так ничего и не скажешь? — не отставал он.

— Нет. Мне тоже любопытно, что подвигло тебя терять драгоценное время и выискивать сведения обо мне в Интернете. Не проще ли было бы спросить меня саму?

— Проще. Спрашиваю.

— Афишировать все, что делаешь, значит доказывать другим, что твоя жизнь лучше, чем у них. Моя жизнь — просто другая, это же моя жизнь, а не чья-нибудь еще, поэтому я приберегу ее для себя. Кстати, тебя тоже нет на фейсбуке.

— Правда? Откуда ты знаешь? — спросил Джош с той самой улыбкой, которая бесила Хоуп сильнее всего.

— Один-один, как сказал бы Люк, — признала она.

— Не люблю социальные сети, как и сети вообще, — процедил Джош. — И вообще, я одиночка.

— Чем ты намерен заняться после колледжа?

— Дрессировать слонов в цирке.

— Это тот самый ответ, который заставляет меня думать, что мы никогда не переспим, — заявила Хоуп, даже не подумав о том, как ужасно это прозвучало.

Джош, застигнутый врасплох, оторопел.

— Ты что, никогда об этом не думал? — не унималась Хоуп.

— Думал, но знал, что ты никогда не пустишь к себе в постель дрессировщика слонов, поэтому ничего не предпринимал.

— Ничего не имею против слонов... Учти, ты стал бы очередным трофеем в моем списке охотничьих трофеев. — Она откровенно над ним издевалась. — А еще представь себе утро после. Слишком тяжело было бы объяснять тебе, что не следует питать иллюзий и надеяться, что у нас все всерьез. Так и вижу, как, сгорая от стыда, тайком ухожу на заре, пока ты спишь. Поверь, ты достоин кого-то гораздо лучшего, чем я, и...

— Вот каким ты меня считаешь? — не дал ей договорить Джош. — Вульгарным, развязным типом, так ведь?

— Вульгарным — ни в коем случае, развязным — безусловно.

26

Джош понуро удалился, а Хоуп спохвати-
лась, что, кажется, переборщила. И бросилась за ним вдогонку.

— Посмотри мне в глаза и поклянись, что
ты не такой.

— Ты вольна думать что хочешь.

Джош ускорил шаг, но Хоуп обогнала его
и преградила ему дорогу.

— Дай мне поколдовать ночью в лаборатории — и я изготовлю снадобье, которое незаметно подмешаю завтра утром тебе в кофе.

— Как подействует это снадобье? — спросил Джош, пытавшийся справиться с обидой.

— Оно сотрет все твои воспоминания за
последние сутки, а главное, все, что я наговори-
рила, мои неуклюжие шуточки и... все мои недостатки. Но не беспокойся: как меня зовут,
ты вспомнишь.

Она улыбнулась, и на щеках у нее появились две ямочки. Потрясенному Джошу они
показались двумя скобками, в которые она отныне заключила всю его жизнь. На лице Хоуп
появилось какое-то странное выражение. То
ли такого раньше не было, то ли он его просто не замечал, но в тот момент он почувствовал, что теперь между ними все будет совсем
не так, как раньше. Ни одна из прежних возлюбленных не сумела пробить его панцирь,

27

но слова Хоуп в тот вечер поразили его в самое сердце.

Он поцеловал ее в щеку, тут же пожалел о своем порыве, который счел нелепостью, и с ужасом понял, что не может связать двух слов, чтобы пожелать ей приятного вечера.

— Хочешь, чтобы мы и дальше считали освещенные окна? — пришла ему на помощь Хоуп. — Я бы предложила звезды, знаю, ты их любишь, вот только сегодня облачно.

Хоуп сама удивлялась, почему ее все время тянет позлить Джоша. У нее тоже появилось ощущение, будто в воздухе витает смущение. Пришло время ослабить оборону. Отталкивая Джоша, она могла окончательно его потерять. Держать глухую оборону было уже бесполезно, она влюбилась в него — напрасно это отрицать. Конечно, она не придавала сексу такого значения, как ее подруги, однако не могла не признать: после встречи с Джошем ей не очень-то хотелось — а если по правде, то вовсе не хотелось, — встречаться с другими мужчинами, и вряд ли это было простым совпадением. Неужели она так наивна, чтобы хранить верность тому, с кем у нее ничего нет? Что за безумная молекула побуждает мозг к такому самоограничению?

Джош в растерянности наблюдал за ней. Хоуп сгорала от желания позвать его к себе. В этот поздний час в холле общежития не было ни души. Подняться по лестнице, пройти по коридору до двери ее комнаты — ничего сложного при соблюдении некоторых предосторожностей. В худшем случае они столкнутся с какой-нибудь студенткой, причем вероятность, что та окажется образцом морали и решит донести на Хоуп, крайне мала. Ее соседки часто шли на такой риск, и она не раз их за этим заставала. Все эти мысли пронеслись у нее в голове в один миг, но самым трудным было поведать о них Джошу, который пристально смотрел на нее. Разве трудно просто сказать: «Хочешь зайти на минутку и выпить глоток вина на прощанье?» Правда, в ее комнате нет ни спиртного, ни посуды, только стакан для чистки зубов. Таким же компрометирующим, хотя более правдивым, было бы предложение «продолжить разговор наверху». Она трижды пыталась заговорить, и каждый раз слова застревали в горле.

Джош все смотрел и смотрел на нее, время шло, и пора было переходить к делу... или не переходить. Она изобразила улыбку, еще более безмятежную, чем раньше, пожала плечами и вошла в холл. Одна.

29

Джош впал в задумчивость, пытаясь оценить размер ущерба, нанесенного их дружбе, а также серьезность возникших у него мыслей о моногамии. Вторая проблема не на шутку его встревожила, и он дал себе слово до утра не делать окончательных выводов, да и никаких выводов вообще, если снова почувствует себя нормально, и уж точно никогда больше не смотреть на губы Хоуп.

───────────

30

Хоуп растянулась на кровати, уставилась в потолок, схватила один из учебников и стала его листать, не в силах сосредоточиться. В кои-то веки она пожалела, что у нее нет соседки по комнате и, чувствуя, что уснуть все равно не удастся, встала и отправилась в лабораторию.

Когда у нее случалась бессонница, она любила там работать. Студенческая лаборатория, огромное помещение с розовыми стенами — это цветовое решение казалось Хоуп загадочным, — располагала всем, о чем только мог мечтать студент. Микроскопы, центрифуги, холодильные шкафы, стерильные контейнеры и десятка три столов, на каждом из которых размещалась раковина с подставкой для химической посуды и стоял компьютер. Правда, чтобы туда попасть, надо было пройти по коридору, всегда вселявшему в нее страх. Она глубоко вздохнула и с мыслью, что могла бы провести остаток вечера с Джошем, если бы сумела выразить свои чувства, вышла из комнаты.

Короткий коридорчик вывел ее в холл. Поскольку ее экологические принципы велели ей экономить электроэнергию, она не стала включать свет и в потемках заторопилась в сторону лаборатории, напевая себе под нос для пущей смелости.

За дверью ее ждал сюрприз: в лаборатории сидел Люк. Он прильнул к микроскопу и как будто не услышал, что она вошла. Хоуп приблизилась к нему на цыпочках, решив напугать его до полусмерти.

— Не дури, Хоуп, — приглушенно прорычал он из-под защитной маски, закрывавшей почти все лицо. — У меня тут тонкие манипуляции.

— Что за манипуляции в такой поздний час? — спросила Хоуп, огорченная тем, что ее затея не удалась.

— Клетки в процессе разогрева.

— Что за работа?

— Какая может быть работа, когда ты меня отвлекаешь? Полагаю, если ты явилась сюда на ночь глядя, то тоже с целью поработать?

— Очаровательно! — ответила она, не двинувшись с места.

Люк оторвался от микроскопа, резко крутанул табурет и уставился на нее:

— Тебе чего, Хоуп?

— Как у Джоша с юмором? Я имею в виду: улыбка-то у него сногсшибательная, а вот есть ли чувство юмора, неизвестно.

Люк окинул Хоуп суровым взглядом и снова приник к микроскопу.

— Могу, конечно, и со спиной твоей поговорить, — не сдавалась Хоуп, — но ты бы мог быть повежливее.

Люк послушно развернул табурет.

— Джош — мой лучший друг, а ты в нашей компании новенькая. Ты ошибаешься, если думаешь, что я стану обсуждать его с тобой в его отсутствие.

— Зачем греть клетки?

— Я правильно понял, что этот вопрос не связан с предыдущим?

— Я сочла эту тему исчерпанной и перешла к следующей.

— Хорошо. Это способ их разбудить.

— Раньше ты их усыплял?

— Да, методом охлаждения.

— Зачем?

Люк понял, что от нее просто так не избавиться. Он устал, работы у его оставалось еще на несколько часов. Порывшись в кармане, он достал две монеты по 25 центов и протянул Хоуп.

— В коридоре стоит кофейный автомат. Мне большой стакан, со сливками, с двойной порцией сахара. Себе возьми какой хочешь.

Хоуп весело смотрела на него, не вынимая рук из карманов.

— За кого ты меня принимаешь?

Он молча воззрился на нее.

— Постыдился бы! — бросила она и направилась к автомату.

Вернувшись, она поставила перед ним бумажный стакан.

— Так над чем ты тут трудишься?

— Сначала обещай, что не скажешь Джошу.

Хоуп обрадовалась: у них с Люком будет общая тайна, в которую они не посвятят Джоша. Она согласно закивала и приготовилась внимательно слушать.

— Слыхала про биостаз?

— Это что, зимняя спячка?

— Почти. Состояние, схожее с зимней спячкой, только более протяженное. Его еще называют «обратимая остановка жизни».

Хоуп взяла стул и села.

— Некоторые млекопитающие способны замедлять свой обмен веществ до состояния, близкого к смерти. Для этого они постепенно понижают температуру тела почти до нуля. При такой летаргии у животного резко снижается потребление кислорода, в сто раз сокращается сердечный ритм и скорость кровообращения. Сердцебиения почти не расслышать. Для выживания организм вырабатывает сильные антикоагулянты, препятствующие образованию в крови сгустков. Клеточные процессы, можно сказать, останавливаются. Очаровательно, ты согласна? Задача в том, чтобы выяснить, обладают ли другие млекопитающие этой способностью, не умея ею пользоваться. Ты наверняка слышала о редчайших случаях, когда люди, угодившие в ледяную воду или заблудившиеся в горах и спасенные спустя продолжительное время, выживают без осложнений для нервной системы, несмотря на тяжелую и длительную гипотермию. Организм у них реагирует схожим образом — можно сказать, отключается для защиты жизненно важных органов, совсем как у тех животных, о которых я говорил.

— Хорошо, все это я знаю. Но почему ты занимаешься биостазом?

— Не торопись. Теоретически — тут я настаиваю на слове «теоретически» — состояние биостаза может позволить организму застыть и законсервироваться на неопределенное время.

— Разве не так поступают уже теперь со сперматозоидами для экстракорпорального оплодотворения?

— Не только, еще и с эмбрионами на ранней стадии деления. Максимальное количество клеток при этом равняется восьми, но это единственные, так сказать, организмы, которые удается таким способом законсервировать, а главное, при необходимости оживить. Сохранение — это одно, возвращение к жизни — совсем другое. Наука в своем нынешнем состоянии столкнулась с физической проблемой. При очень сильном понижении температуры внутри тканей образуются кристаллы льда, разрушающие или повреждающие клетки.

— Что ты, собственно, пытаешься доказать?

— Ничего, мне хватает изучения явления, это занятие меня очаровывает. Криогенизация находится на пересечении нескольких дисциплин: медицины, физики низких температур, химии. Самое трудное —

35

найти человека, способного все это совмещать.

— И ты стремишься стать таким «совместителем», дирижировать всем этим оркестром?

— Может быть, когда-нибудь... Имеет человек право на мечту?

— Зачем скрывать это от Джоша?

— У меня есть на то свои причины. Ты дала мне слово и, надеюсь, сдержишь его.

— Откровенно говоря, я не вижу ничего удивительного в том, чтобы посвятить ночь наблюдению за замороженными клетками. Можешь на меня положиться, я не подведу.

Люк, опять припав к микроскопу, пожал плечами.

— Брось! Ты принимаешь меня за фантазера. Не мешай работать.

Хоуп внимательно за ним наблюдала. Здесь была какая-то странность, она не сомневалась, что Люк что-то скрывает не только от Джоша.

— Знаешь, почему я выбрала эту специализацию? — спросила она, немного помолчав.

— Не знаю и знать не хочу.

— Чтобы синтезировать молекулу, которая воспрепятствовала бы развитию нейродегенеративных заболеваний.

— Гляди-ка! Вздумала покуситься на болезнь Альцгеймера, не больше и не меньше?

— На Альцгеймера и на всю его родню. Как видишь, я тоже занимаю место в когорте великих фантазеров.

Люк повернулся к Хоуп. От его проницательного взгляда ей стало не по себе.

— Когда-нибудь я тебе все объясню, но не сейчас. А пока оставь меня в покое. Раз ты сюда явилась, значит, у тебя тоже есть дела.

Почувствовав, что больше из Люка ничего не вытянуть, Хоуп отошла от него и села за другой стол.

В голове у нее беспорядочно роились мысли. Цепляясь за скудные знания, приобретенные на первом курсе, она силилась постичь, чем способна одарить медицину криогенизация. Однажды ей попалась статья об некоем эпизоде, зафиксированном в приемном отделении больницы в Питтсбурге. Там раненых в критическом состоянии подвергли глубокой гипотермии, чтобы дать хирургам время заняться их травмами. Температуру тела понижали до 10 градусов, погружая организм в состояние на грани клинической смерти, а потом раненого приводили в чувство. На основе холода, рассуждала Хоуп, в будущем можно будет создавать новые методы лечения. Ей хотелось понять, что именно заставило Люка тайком от Джоша укрыться в лаборатории на всю ночь.

Когда она подняла голову, оказалось, что Люк так и не отлип от микроскопа.

— А нельзя применить холод как технику маркировки при борьбе с раковыми клетками? — спросила она. — Предположим, перед сеансом химиотерапии понижаем температуру тела. По логике вещей, злокачественные клетки в спящем состоянии более уязвимы.

— Как и доброкачественные, — отозвался Люк. — Выскажи это предположение завтра на занятии. Посмотрим, как отреагирует профессор.

— Держи карман шире! Сначала я сама обкатаю свою гениальную идею.

— Гениальность заключается в том, чтобы додуматься до чего-то раньше всех остальных, — бросил Люк безразличным тоном. — Если, прежде чем сделать очередное гениальное открытие, ты дашь себе труд воспользоваться серверами, которые факультет предоставляет в твое полное распоряжение, то узнаешь, что уже несколько лет назад в небольшие опухоли стали вводить криозонды для снижения их температуры до минус сорока градусов. Внутри злокачественных клеток образуются кристаллы льда, взрывающиеся при нагреве. Просто поразительно, как далеко может уйти медицина за то время, что ты мешаешь мне работать.

— А вот грубить необязательно. Мне просто хотелось поболтать.

— Нет, ты докапываешься, чем я тут занимаюсь, а у меня нет на это ответа. Просто эксперименты, вот и все.

— Эксперименты какого рода?

— Такого рода, что мне, может быть, придется из-за них переходить на другой факультет. Потому я и тружусь ночью, потому и не хочу о них распространяться. Поняла?

— Поняла только, что теперь буду умирать от любопытства. Видимо, ты меня и вправду плохо знаешь. Ну, будешь говорить? Да или нет?

Люк перешел к ней за стол, взял ее за плечи и притянул к себе.

— Советую тебе хорошенько подумать. Если я поделюсь с тобой этой тайной, то ты волей-неволей станешь моей сообщницей.

— Уже подумала!

Но Люк вернулся на свое место, и Хоуп поняла, что сейчас больше ничего от него не

MARC LEVY ★ L'horizon à l'envers

добьется. Собрав свои вещи, она вышла из лаборатории. На сей раз она была слишком взбудоражена, чтобы бояться темного коридора.

У себя в комнате она опять растянулась на кровати и взяла смартфон, чтобы написать письмо. Прочитав написанное, она, поколебавшись, нажала на клавишу «отправить».

2

MARC LEVY • L'horizon à l'envers

Зазвонил будильник. Джош открыл глаза, потянулся и нехотя вылез из кровати. Набрал в ладони холодной воды, потер щеки и, полюбовавшись в зеркале своей мятой физиономией, решил побриться под душем. Следовало применить все имеющие средства, чтобы выйти из сонного оцепенения.

После бритья он тщательно вытерся, посмотрел на часы и стал торопливо одеваться. Приближались экзамены, предстоял длинный день.

Он проверил, все ли собрано для занятий, заряжен ли телефон, в кармане ли часы, и выбежал из студии, захлопнув за собой дверь.

По пути он забрал из газетного ящика бесплатную университетскую газету и заторопился в кафетерий.

Устроившись за столом, чтобы позавтракать, он открыл в смартфоне свою почту. Взгляд сразу упал на единственное письмо, заслуживавшее прочтения на голодный желудок.

«Дорогой Джош,
не буду ходить кругами. Часть моей мозговой коры подбивает сказать тебе: «Не обижайся за вчерашнее», а другая недоумевает, зачем я вообще тебе пишу.
Целую (в щеку, конечно).

Хоуп».

42

Он боялся, что не сумеет написать такой ответ, чтобы она улыбнулась. Занятия были в разгаре, а он думал только об этом.

В ответ на вопрос Люка, почему он уже битый час таращится в потолок и что-то бормочет себе под нос, Джош ответил:

— Кажется, вчера вечером я нагородил Хоуп чепухи.

Только оказавшись вместе с ним в лаборатории, Люк задал второй вопрос:

— Ты рассказал ей о нашей работе?

— Нет, это здесь ни при чем. Я проводил ее до общежития, и у нас произошел странный разговор. Я думал, она пригласит меня к себе. Не знаю, как мне быть.

— Немудрено растеряться, когда у тебя целая толпа девушек!

— Хоуп не такая, и вообще хватит сказки рассказывать: романов у меня было всего ничего. Я ухаживаю за многими девушками, но не тащу их всех в постель.

— Это как посмотреть. Кому, как не мне, приходится потом выслушивать жалобы отвергнутых тобой красоток?

— В том-то и дело, что я их отвергаю! Скажешь, тебя это не устраивает? А кстати, где ты ночевал?

— Коротал ночь в лаборатории. Должен же кто-то заботиться о продвижении нашего проекта! Скажи честно, ты намерен все ей откровенно рассказать?

Джош сделал вид, будто обдумывает вопрос друга. Если бы он все решал сам, то давно уже уговорил бы Хоуп к ним присоединиться: ее помощь была бы неоценима. Но, зная Люка, он понимал, что спокойнее будет предоставить решение ему.

— Почему нет? Она умная, с воображением, пытливая и...

— Думаю, ты понимаешь, какие у вас с ней отношения, но предупреждаю: если мы во все это ее посвятим, тебе придется забыть о своих чувствах. Нельзя допустить, чтобы

43

из-за любовного разочарования она сошла с поезда на полпути. Если она согласится, то без всяких условий.

———————

Целую неделю Хоуп не показывалась в лаборатории. Каждую свободную минуту она штудировала работы по криогенизации. Ей была свойственна состязательность: стоило Люку ее поманить — и она сразу решила освоить тему не хуже, чем он.

Что же до Джоша, то он напряженно размышлял о выдвинутом Люком условии ее приема в их команду. Оно представлялось ему достаточной причиной, чтобы ничего не менять в своей жизни, хотя это, как ни странно, совершенно его не устраивало.

В субботу, получив деньги за репетиторство, Джош попросил у Люка разрешения взять его машину.

— Куда ты собрался?

— Это как-то повлияет на твой ответ?

— Нет, просто интересно.

— Мне надо подышать воздухом, немного поколесить по сельской местности. Вечером вернусь.

— Поехали вместе, мне тоже не мешает развеяться.

— Мне хочется побыть одному.

— Собрался колесить по сельской местности в пиджаке и приличной рубашке? Можно узнать ее имя?

— Ты дашь мне ключи?

Люк достал из кармана брюк ключи и бросил ему.

— Заправиться не забудь!

Джош спустился по лестнице, сел за руль «Шевроле-Камаро» и только тогда позвонил Хоуп. Пригласив ее, он предложил встретиться у ворот кампуса, перед станцией метро «Вассар-стрит». Хоуп не соглашалась из принципа, отговариваясь необходимостью заниматься. Но Джош только сказал: «Через десять минут» — и нажал отбой.

— Ладно! — буркнула она и бросила телефон на кровать.

Она причесалась перед зеркалом, натянула свитер, поменяла его на другой, еще раз причесалась, сунула в сумочку телефон и выбежала из комнаты.

На месте свидания она дождалась, когда поток машин остановится на красный свет, и поискала взглядом Джоша на тротуаре на-

45

против. Потом она заметила «Камаро», припаркованный во втором ряду, в нескольких метрах от перекрестка.

— В чем дело? — спросила она, сев в машину.

— Надо поговорить. Приглашаю тебя на ужин. В этот раз плачу я. Что предпочитаешь?

Хоуп гадала, что он задумал. Ей ужасно захотелось опустить щиток и посмотреть на себя в зеркальце, но она переборола себя.

— Итак?

— У меня карт-бланш?

— В пределах моих финансов.

— Как насчет устриц на морском берегу? Свози меня на Нантакет.

— Туда три часа пути, не считая парома. Придумай что-нибудь поближе.

— Что-то ничего не придумывается... Ладно, сойдет и пицца. Сэкономленные средства пойдут на бензин.

Взглянув на нее, Джош повернул ключ зажигания и тронулся с места.

— Нам надо было ехать на юг, а ты повернул на север, — заметила она, когда они выехали из города.

— Отсюда всего сорок пять минут до Салема: там будут и твои устрицы, и берег моря.

— Чудесно, пусть будет Салем. Ты мне расскажешь о ведьмах. Так о чем ты хотел со мной поговорить?

— В общем, тоже о колдовстве, только другого рода. Приедем на место, тогда и обсудим.

Джош включил кассету, край которой торчал из магнитолы под приемником, и повернул регулятор громкости.

Они переглянулись, словно заговорщики, услышав голоса Саймона и Ганфанкела: оказывается, их друг любил музыку шестидесятых. Хоуп снова и снова перематывала пленку и слушала «Mrs. Robinson»[1], подпевая во весь голос, и Джош подумал, что до Нантакета он бы так, пожалуй, не дотянул.

Вскоре на горизонте показался Салем. Джош знал там хороший рыбный ресторанчик в маленьком порту, в историческом центре. Собственно, само место заслуживало того, чтобы проделать неблизкий путь. Однако Хоуп хотела полакомиться морепродуктами и подышать морским воздухом, а достопримечательности ее вроде бы не интересовали. Он

47

---

[1] Эта песня стала саундтреком фильма Майка Николса «Выпускник» с Дастином Хоффманом в главной роли и получила в 1968 году премию «Грэмми». (*Прим. ред.*)

оставил машину на стоянке и повел ее в ресторан.

Очаровав даму-метрдотеля, он получил столик у окна.

— Сколько мы можем себе позволить? — шепотом спросила Хоуп, глядя в меню.

— Сколько хочешь.

— Так, чтобы потом не пришлось отрабатывать мытьем посуды.

— Дюжину.

Хоуп устремила взгляд на маленький аквариум с тремя омарами, клешни которых были стянуты резинками.

48

— Подожди, — сказала она, снова забирая у него меню, — у меня другая идея. Забудь про устриц.

— Разве не они были целью поездки?

— Нет, цель — услышать твое важное сообщение.

Она поймала за руку официанта, повела его к аквариуму, показала пальцем на самого мелкого из ракообразных и попросила подать его в пластиковом пакете. Джош не вмешивался.

— Не желаете, чтобы его сначала сварили? — осведомился официант, недаром работавший в городке ведьм: он воображал, что уже все повидал, но с такой причудой еще не сталкивался.

— Нет, прямо так. И счет, пожалуйста.

Джош расплатился и последовал за Хоуп, которая, получив своего омара, торопливо зашагала к пристани, где покачивались на спокойной воде несколько лодочек с убранными парусами.

Там она плюхнулась животом на доски причала, опустила пакет в воду, снова вытащила, встала, обвела взглядом горизонт и воскликнула:

— Туда! Мыс на полуострове — это то, что надо!

— Можно узнать, что ты задумала, Хоуп?

Она, не отвечая, заторопилась вперед, и за ней потянулся тонкий мокрый след: из худого пакета подтекала вода.

Минут десять спустя она, запыхавшись, добежала до края пирса. Там она вынула из пакета омара и попросила Джона крепко его держать. Аккуратно сняв с клешней резинку, она заглянула в черные рачьи глазки.

— Ты встретишь омаршу своей мечты, вместе вы наплодите кучу маленьких омарчиков, и ты научишь их не попадаться в рыбачьи сети. Они тебя послушаются, потому что тебе удалось выжить. А когда состаришься, расскажи им, как некая Хоуп спасла тебе жизнь.

49

И она попросила Джоша забросить счастливчика как можно дальше.

Описав впечатляющую дугу, омар исчез в водах Атлантики.

— У тебя явно не все дома! — воскликнул Джош, следя, как лопаются пузырьки на воде.

— В твоих устах это звучит как похвала. Устриц было уже не спасти, их успели вскрыть.

— Что ж, будем надеяться, что твоему избраннику повезет и он доберется до открытого океана. Не знаю, сколько времени он томился в неволе, в кандалах. Наверняка у него сильно затекли клешни.

— У него все получится, я уверена! У него был вид настоящего бойца.

— Поверю тебе на слово. Что же мы будем теперь есть?

— Сэндвич, если у тебя хватит денег.

Они побрели обратно по пляжу. Хоуп разулась и с наслаждением шлепала по мокрому песку.

— Что такого срочного ты намеревался мне сообщить? — спросила она на полпути.

Джош остановился и вздохнул.

— Просто я хотел поговорить с тобой раньше, чем Люк.

— О чем?

— Кто оплачивает твою учебу, Хоуп?

Надежда, что Джош привез ее сюда, чтобы поговорить о них, отхлынула стремительно, как океан во время отлива.

— Отец, — ответила она, скрывая разочарование.

— А мою — лаборатория, в форме займа. Обзаведясь дипломом, я должен буду все им возместить или десять лет на них вкалывать.

— А ты еще говорил про моего омара, что он слишком долго томился в кандалах!

— Не всем студентам могут помочь родители.

— Как ты поступил?

— По конкурсу. Нужно было предложить инновационную концепцию, пока что утопическую, но осуществимую в будущем.

— Какая странная затея!

— Большую часть технологических новшеств, кардинально изменивших наш образ жизни, еще тридцать лет назад сочли бы фантастичными. Это заставляет задуматься, разве нет?

— Возможно, смотря что тебя интересует. Люк тоже продал душу?

— Мы шли на конкурс вместе.

51

— И какой инновационный проект вы придумали?

— Составить цифровую карту всех мозговых связей.

— Ну конечно... И вы совершаете этот подвиг вдвоем, попутно занимаясь по общей программе. По-моему, тебе лучше отложить свое сенсационное заявление.

— Это очень серьезно. Мы работаем в составе огромной команды исследователей, на проект выделены крупные суммы. Нам с Люком удалось попасть в яблочко: они взяли нас к себе.

— Кто бы сомневался! Как вам удалось сделать такой меткий выстрел? — спросила Хоуп с сомнением и с ноткой зависти.

— Поклянись, что это останется между нами! Ни слова Люку! Если он сам с тобой об этом заговорит, обещай разыграть удивление.

— Выкладывай! Я уже и так чувствую, что вы меня удивите.

Джош расплылся в широкой улыбке:

— В общем, все просто. Я гений!

Хоуп изумленно разинула рот:

— Ты такой скромный, что дух захватывает.

— И это тоже.

— Я все поняла. Ты считаешь, что я еще гениальнее тебя, вот и предлагаешь мне вкалывать вместе с вами!

— Вроде того. Ты умница, у тебя открытый ум, ты, как и мы, мечтаешь изменить мир.

— Допустим... Но, прежде чем ответить, я должна обсудить с вами, как вы намерены использовать свои результаты, когда получите что-то конкретное. Подозреваю, что ты вынашиваешь какой-то тайный замысел. Сперва ответь, почему тебе было так важно поговорить со мной об этом до Люка?

— Потому что он поставил условие приема тебя в команду.

— Какое?

— Чтобы между нами ничего не было.

Итак, на их любовной истории был заведомо поставлен крест. Хоуп испытала досаду, но одновременно ей льстило, что они остановили свой выбор на ней. Третьим ее чувством было раздражение.

— Не пойму, в чем проблема, ведь между нами ничего нет и не могло бы быть. И вообще, зачем он сует нос не в свое дело?

Джош шагнул к ней и обнял ее.

Хоуп никогда ни к кому не лезла с поцелуями, и первые ее поцелуи бывали по большей части неудачными, она встречала то

53

вялые, то слишком резвые губы, но то, что получилось с Джошем, было... Она искала правильное слово, чтобы описать волну дрожи, пробежавшей по ее спине и разбившейся на бесчисленные брызги внизу затылка. Этот поцелуй был воплощением нежности. А именно нежность дарила ей величайшее счастье, поэтому это качество она ценила превыше всего, ибо оно обещало безупречное равновесие ума и чувств.

Джош смотрел на нее. Она мысленно умоляла его молчать, не портить словами опьянение первого поцелуя. Он прищурился — и стал совершенно неотразимым — и погладил ее по щеке.

— Ты по-настоящему красивая девушка, Хоуп. Ты так хороша, и ты единственная, кто не отдает себе в этом отчета.

Хоуп решила, что еще немного — и она проснется, и окажется, что за окном дождливое воскресное утром, а она лежит у себя в комнате в старой мятой пижаме со страшного похмелья, с головной болью, от которой жить не хочется.

— Ущипни меня! — попросила она.

— Что?

— Умоляю, ущипни, потому что если я сама себя ущипну, то сделаю себе больно.

Они обнялись и опять принялись целоваться, иногда прерываясь, чтобы посмотреть друг на друга в безмолвии неизведанных прежде чувств.

Джош взял Хоуп за руку и повел обратно в порт.

Они зашли в пиццерию. Зал показался им тоскливым, и они решили съесть пиццу, сидя на низеньком парапете у мола.

После этого импровизированного обеда они отправились гулять по улицам старого города. Джош обнимал Хоуп за талию. Вдруг над ними зажглась вывеска одного из маленьких отелей, предлагавших ночлег и завтрак. Хоуп подняла глаза и приложила палец к губам Джоша.

— Не вздумай тайком смотаться с утра пораньше, оставив меня в Салеме одну.

— Если бы не экзамены через несколько недель и не опасность, что Люк меня прибьет за то, что я не отдал ему машину, я бы охотно предложил тебе пробыть здесь до тех пор, пока я тебе не надоем.

Хоуп толкнула дверь заведения и выбрала самый дешевый номер. Поднимаясь по лестнице на последний этаж, они чувствовали, как у обоих все быстрее бьется сердце.

Комната в мансарде оказалась довольно милой. Стены были оклеены приятными

55

обоями со спокойным пасторальным рисунком, окошко выходило на пристань. Хоуп открыла его и хотела высунуться, чтобы подышать ночными запахами, но Джош ей не дал — начал ее раздевать. Получалось у него это довольно неуклюже, чему она даже обрадовалась.

Она стянула кофточку, оголив грудь, и жестом велела Джошу снять рубашку. Их джинсы полетели на стул, и они повалились в кровать.

— Подожди... — простонала она, сжав в ладонях его лицо.

Но Джош ждать не стал, и их тела слились на смятой простыне.

56

————————

День проник в комнату, словно вор. Хоуп натянула на голову одеяло и украдкой глянула на Джоша. Он спал, закинув на нее руку. Открыв глаза, он подумал, что женщина с ним рядом — из тех, чей приход незаметен, чьи мысли вечно пытаешься угадать, о ком гадаешь, достаточно ли ты для них хорош. Из тех, рядом с которыми у мужчин появляется надежда стать лучше.

— Уже поздно?.. — пролепетал он.

— Часов восемь. А пусть бы и полдень, не хочу брать телефон и смотреть время.

— Я тоже. Хотя мой телефон, наверное, забит посланиями от Люка.

— Будем считать, что время самое подходящее.

— Это должно было случиться, ведь я очень плохо на тебя влияю.

— Нечего важничать! Вдруг это я плохо на тебя влияю?

— У тебя лицо другое.

Хоуп повернулась и села на него верхом.

— В каком смысле другое?

— Не знаю... Оно светится.

— Ничего оно не светится, просто солнце его освещает и слепит глаза. Был бы ты более галантным, пошел бы и задернул штору.

— Не хочу, этот свет тебе идет.

— Да, правда, мне хорошо. Только не вздумай воображать, будто это из-за того, что ты замечательный любовник. Ночь секса дается тому, кто готов отдаться.

— Раз я не замечательный любовник, чего же ты так светишься?

— Когда кто-то обнимает тебя во сне и улыбается тебе, открывая глаза, это как искра любви, от нее становишься счастливым. Без паники, я просто так это сказала, к слову пришлось.

— Меня твои слова не пугают. А теперь посмотрим, хватит ли тебе смелости ответить на вопрос: думаешь, ты могла бы когда-нибудь полюбить человека со всеми моими недостатками?

Хоуп посмотрела в зеркало над кроватью: в нем отражался стул с комком их джинсов.

— Как не полюбить спасителя омара?

— Получается, я не замечательный любовник?

— Может, и замечательный, но сейчас я тебе этого не скажу, не хочется видеть, как ты надуваешься от гордости, ты слишком избалован девицами с центром тяжести в области задницы.

Джош мрачно посмотрел на нее и зарылся лицом в подушку.

— Ты что, серьезно? — спросила Хоуп, взяв его за подбородок. — Не станешь же ты мне внушать, что сегодня ночью в меня влюбился?

— С таким умом — и такая дурочка? Поразительно!

— Не шути с такими вещами, Джош, у меня всего одно сердце, и мне не хочется, чтобы его растоптали.

— Думаешь, я бы заговорил с тобой о любви, если бы был неискренен?

— Понятия не имею.

— Ладно, замнем для ясности... Лучше мне помолчать. Давай одеваться, — сказал он, вылезая из кровати. — Пора ехать.

Хоуп схватила его за руку и опять подтащила к кровати.

— Что ты скажешь Люку, когда мы вернемся? Правду или что его машина сломалась?

— Мне кажется, ты боишься счастья, Хоуп. Возможно, тебе страшно, что ты только попробуешь его на вкус, а оно возьмет и утечет между пальцами. Но счастье невозможно без риска. Как ты поступаешь, когда тебе хочется получить удовольствие? Идешь в лабораторию или зубришь в библиотеке. Как работать с такой жаждой изменить мир в сердце и при этом довольствоваться монотонностью жизни? Если ты не готова сделать все, чтобы раздвинуть стены повседневности, может, ты просто не хочешь быть счастливой?

— Когда ты нервничаешь, то становишься неотразимо соблазнительным, Джош. Сказать мужчине, что он сексуальный, когда это правда, — вовсе не сексизм.

Хоуп жадно поцеловала Джоша, обняла его и, обвив ногами, соединилась с ним. Его движения были сначала медленными, потом все ускорялись, пока они оба не достигли наслаждения. Упав вместе с ним на подушки, Хоуп потихоньку отдышалась и проговорила:

— Твоя пылкая тирада о счастье трогательно наивна. У тебя абсолютно дикие пред-

59

ставления о моей жизни, но при этом именно от тебя я услышала самое милое в моей жизни признание в любви.

Соскочив с постели, она подняла с пола свою футболку, прикрыла ею грудь в блестящих капельках пота, прижала джинсы к животу и, пятясь, скрылась в ванной, заперев дверь на задвижку.

— Советую сходить за газетой! — крикнула она через дверь. — Я буду принимать ванну, это надолго!

_____

60

Они забыли про занятия, про звонки Люка, про то, что им не хватит денег до конца месяца. Они позволили себе долго валяться в постели, плотно пообедали и подарили друг другу по футболке с названием города и рисунком — повешенной на дереве ведьмой. Купив для Люка стаканчик для карандашей в столь же дурном вкусе, они полакомились на дорожку вафлями и покатили обратно.

Заскучав в плотном транспортном потоке, Хоуп обратилась к Джошу с вопросом:

— Не расскажешь подробнее о вашем с Люком проекте?

— Месяц назад коллективу ученых удалось воссоздать на компьютере участок мозга крысы. Искусственный интеллект соединится с интеллектом этого мелкого млекопитающего, обогатится его когнитивными способностями, памятью, умениями, способностью принимать решения, приспособляемостью...

— Гениально! И что дальше? «Макинтош», способный поедать сыр грюйер?

Джош и бровью не повел.

— Это открывает широкое поле возможностей, — заявил он.

— Какова во всем этом ваша роль?

61

— Сейчас мы думаем о том, что будет на следующем этапе.

— Хотите искусственно воссоздать человеческий мозг? — спросила Хоуп с усмешкой.

— Это произойдет не завтра, но мы работаем примерно над этим. Или, если выражаться скромнее, вносим свою лепту.

— Кто, кроме вас, до такой степени свихнулся, чтобы вознамериться перенести в машину свою память?

— Все, кто мечтает о том или ином виде бессмертия... Представь, что мысль Эйнштейна не угасает с ним самим.

— Мы обязаны ему атомной бомбой. Тебе хочется, чтобы искусственный разум обладал его творческой гениальностью?

— Главное его достижение — теория относительности.

— Согласна, но какой из двух половинок его мозга решил бы воспользоваться искусственный разум?

— Речь не об этом! Человеку никуда не деться от того, что он смертен. Большинство религий обещают перерождение или воображают, что смерть — это освобождение души от тела. Человечество эволюционировало в условиях непрекращающейся борьбы с небытием, находя единственную отраду в поклонении умершим, в памяти о том, какими они были при жизни. Как принять скоротечность жизни, если нам суждено, умерев, полностью исчезнуть? Технологии рано или поздно предложат человеку возможность передавать память о его жизни не только через потомков, но и самостоятельно.

— Погоди... Цель вашего проекта — чтобы каждый из нас смог записать свою жизнь на жесткий диск?

— Нет, этим многие и так некоторым образом занимаются, публикуя все подробности своего бытия в социальных сетях. Я говорю о другом — о карте всех взаимосвязей в мозгу, подобно тому как другие в один прекрасный день придумали установить полную последовательность звеньев ДНК, хотя раньше это казалось невозможным. Когда мы наконец поймем, как действуют эти взаимосвязи, тогда появится возможность переноса нашей памяти, и не на цифровой носитель, который всегда будет только записью, сделанной в конкретный момент, а в сеть искусственных нейронов. Цель — создание настоящего клона нашего мозга.

— И в продолжении существования в твоей информационной сети без тела, то есть без удовольствий, без пищи и без секса? Вы с ума сошли!

— Прежде чем выносить приговор, попробуй поразмышлять, не замыкаясь в рамках, заданных наукой или нашим невежеством. Прошу тебя, дай свободу своему уму или побудь наивной, как ты сама это назвала, например как Жюль Верн, когда он сочинял «Из пушки на Луну», как Оруэлл, написавший «1984», как милые психи, предрекшие, что в один прекрасный день мы станем путешествовать в космическом пространстве, как те, кто под насмешки остального научного сообщества предположил существование других вселенных помимо нашей или что можно будет пересаживать сердце, легкие, почки, оперировать зародыш в материнской утробе, исправляя врожденные пороки. Кто в прошлом веке мог подумать, что мы научимся синтезировать органы из стволовых клеток? Так почему не представить, что в будущем появится технология переноса сознания, обреченного на гибель дряхлеющим или больным организмом, в другой организм, хотя бы на то время, которое потребуется для лечения?

— Не знала, что ты так увлечен, меня это даже взволновало, но твои речи меня пугают.

— А тебя не шокирует, что наука позволяет нам жить с искусственными конечностями и органами? Почему не с мозгом, если он будет точной копией оригинала?

— Потому что, насколько мне известно, мы не думаем ни руками, ни ногами.

— Наше тело имеет отношение к тому, какие мы, к нашей личности. И потом, повторяю, речь не об этом. Я вот что пытаюсь тебе объяснить: не один я считаю, что в этом веке — ну, пусть в следующем — человек победит наконец и старение, и смерть.

— Что, если наша смерть на самом деле необходимое условие развития человечества, его выживания?

— Скажи это родителям неизлечимо больного ребенка. Если я правильно тебя понял, следовало бы отказаться от антибиотиков, хирургии, нейрологии, вообще от науки, так много сделавшей для увеличения продолжительности нашей жизни... Тогда уж лучше определить возраст, когда нам следует умирать, уступая место следующим поколениям.

Небоскребы поглотили свет уходящего дня. Они вернулись в город как после длительного путешествия, хотя отсутствовали совсем недолго.

— Никогда бы не подумал, что смогу снова это ощутить! — признался Джош, паркуя автомобиль.

Хоуп ждала продолжения, ей было любопытно, что он скажет дальше.

— Ты будешь спать в своей комнате, я в своей, но я все время буду вспоминать наш салемский вечер. Не умею толком об этом говорить, но мне не нравится мысль, что эту ночь мы с тобой проведем врозь.

Хоуп не ответила, ее мысли витали далеко. Их приключение оказалось исполнением всех ее мечтаний, но от разговора на обратном пути у нее на душе остался какой-то мутный осадок. Она, гордившаяся своей открытостью, не могла безоговорочно согласиться с тем, что человек, которым она увлечена, занят поиском чего-то ей непонятного.

— А ты еще называла меня соблазнительным... Лучше мне заткнуться, — проворчал Джош.

— Я могла бы пойти ночевать к тебе, но, конечно, при условии, что ты избавишься от своего соседа. Кстати, что ты ему скажешь?

— Хочешь, чтобы я все от него скрыл?

— Насколько я поняла, его не радует, что мы с тобой встречаемся.

— Насколько понял я, наши с ним занятия тебя не воодушевили. Каким боком тогда его касаются наши отношения?

Хоуп чмокнула Джоша в щеку и ушла.

Он проводил ее взглядом. Когда она исчезла за дверью общежития, он, прежде чем тронуться с места, со злостью хлопнул ладонью по рулю.

3

Бросив ключи на столик и плюхнувшись на диван, Джош чистосердечно признался Люку, что не смог залить в бак бензина. Пришлось пообещать оставить в кухне тридцать долларов, когда они у него появятся, что было вообще-то очень щедро, учитывая, что они ездили не так уж далеко. Люк, лежавший на кровати, не отрывал глаз от книги.

Джош готовился к граду упреков, но никак не к безразличию друга. Включаться в эту игру он не собирался. Вооружившись куском купленной по пути и успевшей остыть пиццы, он взял наугад газету со столика.

— Сегодня вечером зальешь бак, — бросил Люк. — Я тебе не прислуга.

— Сегодня вечером?

— Представь себе, пока ты обрывал лепестки ромашкам, я тут вкалывал.

Джош понял, что в его отсутствие что-то стряслось.

— Ты получил результат? — спросил он, вскочив на ноги.

— Возможно...

— Да ладно, я отлучился всего на несколько часов!

— Тебя не было день, ночь и еще день. Мне пришлось всем заниматься самому.

— Ты просто претворял в жизнь мысль, которую подсказал тебе я.

— Если ты завершил интоксикацию своего организма этой отвратительной едой, то мы могли бы съездить в Центр, — сказал Люк, забирая остальную пиццу.

Прошло уже полчаса после их отъезда из кампуса, а Люк таки не вымолвил ни словечка. Съехав с шоссе, он стал кружить по пригородам.

В конце концов «Камаро» въехал на безлюдную улочку среди каких-то унылых складов. Подрулив к постройке с грязно-белой облицовкой, Люк замедлил ход, объехал ее и остановился перед раздвижными воротами, под забором, по верху которого змеилась колючая проволока. Он опустил стекло, достал из кармана пропуск и сунул его в прорезь считывающего устройства. Камера на шесте пришла в движение, после чего ворота разъехались.

Люк припарковал машину, и друзья подошли к тяжелой железной двери со сканером отпечатков пальцев. Они по очереди приложили к нему ладонь и через тамбур проникли в здание.

Так называемый Центр представлял собой частную лабораторию, собственность компании «Лонгвью», принадлежавшей, в свою очередь, некоей коммерческой структуре.

Там трудилось около сотни ученых на условиях почти полной независимости. Одна из особенностей Центра заключалась в разнообразии научных направлений. Здесь занимались нанотехнологиями, биотехнологиями, молекулярной биологией, информатикой, робототехникой, искусственным интеллектом, нейронами. Этим перечень направлений далеко не исчерпывался. Кроме общего вспомогательного персонала, обслуживавшего их всех, ученых объединяли еще два фактора. Во-первых, все они были моложе 30 лет, во-вторых, компания «Лонгвью» оплачивала им учебу в университете. Самой яркой отличительной чертой этого Центра был выбор только таких исследовательских проектов, которые любой другой научный центр признал бы утопиями, чистейшей фантазией. Философию людей, создавших и финансировавших «Лонгвью», исчерпывающе выражал лозунг, красовавшийся на стенах всех комнат отдыха: «Нет ничего неотвратимее, чем невозможное».

Джош с Люком, как и все остальные сотрудники Центра, никогда не видели своего работодателя, довольствуясь встречами с посредником, сообщившим им об одобрении их кандидатур, — профессором Флинчем. Он принял их в первый день и предложил подписать согласие с регламентом, контракт о соблюдении конфиденциальности и договор о ссуде на учебу, предопределявший их будущее как минимум на десять лет.

Пока Джош следовал за Люком к их рабочему месту, все его мысли были только о Хоуп. Ему чудился ее шепот: «Люк тоже продал душу?»

Люк открыл шкаф-автоклав, содержимое которого сохранялось при постоянной температуре 37,2 градуса, и вынул оттуда несколько комплектов пробирок в решетчатых поддонах, чтобы дотянуться до спрятанной позади них склянки. Внутри склянки находилась пластина с 96 маленькими емкостями.

Положив перед собой пластину, он вооружился пипеткой, осторожно собрал содержимое дюжины ячеек и перенес его в равных количествах на пластинки. Готовые препараты он поместил на столик микроскопа, приник к окулярам, немного подстроил разрешение и уступил место Джошу.

— Полюбуйся сам.

Джош долго не отрывался от окуляров. Когда он наконец поднял голову, Люк сказал:

— Можешь смотреть сколько хочешь, я в твое отсутствие только этим и занимался. Сто раз проверял — все до одной уникальны. Не будем обольщаться, мы делаем только первые шаги. Но ты не ошибся: как видишь, нервные волокна, взятые из мозга нашей крысы, сцепились на каждом кремниевом чипе и сами по себе образовали сеть.

— Вот это да! — От восторга Джош крепко стиснул Люка в объятиях. — Они активны?

— Их свойства мне пока что неизвестны, хотелось бы предоставить культуре несколько суток на развитие. А потом мы их испытаем и все увидим.

— Ты кому-нибудь об этом говорил? — осведомился Джош.

— Конечно нет, иначе зачем бы мне было тебе названивать?

— Значит, завтра, на еженедельном собрании? — спросил друга Джош, косясь на одну из камер, снимавших зал.

Совещательные комнаты, рабочие помещения и лаборатории были связаны внутренней сетью, благодаря чему каждый имел возможность обогащать свои знания и знакомиться с отчетами об опытах всех исследователей. Но никакой связи между оборудованием Центра и внешним миром не существовало. Каждый вторник вечером специальный комитет отбирал достижения, которые считал наиболее интересными, чтобы передать их для ознакомления всем остальным: они были обязаны немедленно все изучить.

«Ныне всякий научно-технический прогресс имеет коллективный, междисциплинарный характер, — объяснял профессор Флинч, единственный «начальник», перед которым полагалось отчитываться. — Возможно, для вас самих ваши открытии не будут представлять никакого интереса, зато они могут привнести что-то существенное в работу кого-то из ваших коллег. В обмен на предоставленные вам средства и полную свободу воображения вы обязаны полностью забыть о вашем эго. «Лонгвью» — это команда, мы не изобретаем будущее, а исследуем его. Вам выпал исключительный шанс, за который вам надлежит расплачиваться величайшим смирением. Уклонившийся от соблюдения этого правила лишается места среди нас. Никогда этого не забывайте».

Джошу, завороженно взиравшему на красную лампочку камеры, казалось, будто эти слова опять звучат у него в ушах.

— Не надо паранойи, — сказал со вздохом Люк. — Не думаю, что фиксируются все наши действия, любой наш жест. К тому же мы ничего не скрываем, просто я хочу потратить больше времени на подтверждение, что мы действительно совершили научный подвиг. Лучше рискнуть, чем опозориться перед другими.

— Мы разъединили при помощи холода четыре тысячи нейронов, взятых из мозга крысы, сумели закрепить их на кремниевых микрочипах, а потом вернули их к жизни посредством исключительно тщательных циклов разогрева, обеспечили им питание, необходимое для пробуждения и для выживания, после чего эти нейроны сами по себе соединились между собой и стали взаимодействовать. И ты еще боишься показаться смешным?

— В соседней лаборатории, — зашептал Люк ему на ухо, — шестеро наших коллег воспроизвели эксперимент Сандро Муссы-Ивальди, но уже с помощью акустических зондов. Когда они транслируют определенные звуковые частоты, их маленький робот начинает двигаться, они заставляют его поворачиваться вправо и влево, пятиться. Единственный процессор их андроида — мозг амфибии в питательном растворе. Они объявят об этом завтра. Не хочу мериться с ними славой, вот и все.

— По-моему, ты совершенно не уверен в себе, и в этом твоя проблема. Ладно, поступим так, как ты хочешь. Неужели наши дурачки-соседи действительно так преуспели?

— Я слышал в коридоре, как они друг друга поздравляли.

— Может, это специально, чтобы тебя позлить?

— Нет, уверяю тебя, в моем окружении ты — единственный любитель мотать нервы ближнему.

Джош отвел Люка в мертвую зону, невидимую для камер.

— Завтра мы перенесем сразу десять препаратов на более широкий кристалл и свяжем их между собой. Зададим их простой алгоритм и посмотрим, что будет. Мы должны оценить их способность к вычислениям и, главное, посмотреть, какой рост проистекает из их связанности: линейный, логарифмический или экспонентный.

— А потом? — спросил Люк.

— Потом попытаемся воспроизвести то, чему мы их научили, на простых электронных носителях. Все, едем домой, я вконец вымотался, прошлой ночью я не сомкнул глаз.

75

Как только машина выехала за периметр зоны действия глушилок, которыми был оснащен комплекс, Джош проверил свой телефон. Хоуп не оставила ему сообщений.

— Ты с ней переспал? — спросил Люк, выезжая на шоссе.

— С чего ты взял, что я был с Хоуп?

— Ты только что сам себя выдал. Но достаточно того, что вас обоих не было на занятиях.

— Успокойся, она не хочет с нами работать, — сказал Джош.

— Мы договаривались, что обсуждать с ней это буду я. Что ты ей наплел?

— Ничего конкретного, так, общая беседа про то, что меня интересует больше всего.

— Вы не обсуждали ничего, кроме секса?

— Ты бываешь таким болваном, Люк! Представь, обсуждали, и много чего!

— Раз ты ничего ей не раскрыл, от чего же она отказалась?

— Она не отказывалась, просто я почувствовал ее враждебность. Думаю, у нее этические возражения.

— Это потому, что ты действовал неуклюже. Если бы ты доверил это мне...

— Раз ты хитрее меня, возьми и переубеди ее. Вообще-то я думал, что должен выбрать что-то одно: либо наш проект, либо мои чувства.

— Приехали!

— Ты так тащишься, что мне казалось, мы застряли на полпути.

— Я знал, что, как только я выдвину это условие, тебе тут же втемяшится в башку его обойти. Теперь все прояснилось.

— Для тебя — может быть, а для меня все по-прежнему в тумане. Я думал, она пришлет мне сообщение... Погоди! Ты мной манипулировал?

— У Хоуп к тебе чувства, надо быть полным кретином, чтобы этого не замечать. Раз вы провели вместе прошлую ночь, то, полагаю, не потому, что у нее вдруг возникло желание развлечься.

— Ты-то откуда знаешь?

— А что, у тебя были другие намерения?

— Брось! — сказал Джош сердито. — В кои-то веки я совершенно серьезен.

— Так я и думал. Приехали! Рад убедиться, что за последние сутки сделал прогресс не я один.

— Я тебе говорил, что иногда ты здорово действуешь мне на нервы?

— Говорил, и даже часто, но мне как-то все равно.

— Не меняй тему. Это условие потребовалось только для того, чтобы?..

— Сколько времени ты топтался бы на месте, прежде чем рискнуть и залезть к ней в постель, если бы не мое неделикатное вмешательство? Ну а теперь, когда ты больше не сомневаешься в моих талантах, будь любезен позволить мне и ею поманипулировать, чтобы ей захотелось присоединиться к нашей работе. Если мы хотим выиграть время, то нам пригодится подкрепление.

— У тебя какой-то болезненный дух соперничества!

— Думаешь, «Лонгвью» будет бесконечно оплачивать учебу сотрудников Центра? Какой процент из нас, по-твоему, останется на следующем курсе? А я тебе скажу — мне хватило ума расспросить старожилов. По истечении первого года половина поступивших уступает место более многообещающим талантам, а к концу второго курса не возобновляют контракт второй половине. Как видишь, нам позарез нужны быстрые и конкретные результаты, прежде чем наши конкуренты доведут до ума свои проекты.

— Ладно, действуй. Уговаривай Хоуп к нам присоединиться, только не смей использовать в своих махинациях меня!

— А ты не смей причинять ей страдания! Если обманешь ее, не будет тебе моего прощения! Убери телефон, дай ей передохнуть.

Люк оставил машину около дома и пошел спать, не дожидаясь Джоша.

4

Хоуп обедала в кафетерии сэндвичем и читала журнал. Джош уже давно наблюдал за
ней снаружи, делая вид, будто сосредото-
ченно читает свою почту. Наконец у него на
экране появилось сообщение:

> Долго еще будешь торчать под окном?

Он поднял голову и встретился взглядом со
смеющейся Хоуп. Пришлось войти.
— Как дела? — спросил он, подсев к ней.
— Это все, что пришло тебе в голову?
— Как спалось?
— Час от часу не легче!

— А мне говорить?

— Для начала поздоровался бы, неплохим продолжением стал бы поцелуй...

— Вижу, ты тоже не выспалась.

— Как раз наоборот. Давненько мне не удавалось проспать почти восемь часов без перерыва.

— Вот оно что... — пробормотал Джош.

— В Салеме было хорошо. Ты ведь это хотел услышать?

— Да. Можно узнать, что тебя беспокоит?

— Ничего, не считая жуткой головной боли. Ну и еще звонок моего отца: он приедет в пятницу вечером.

— Разве это не приятное известие? Я думал, ты обожаешь своего отца.

— Обожаю, кроме тех случаев, когда он знакомит меня со своей новой подружкой.

— Ясно.

— Ничего тебе не ясно.

— Ревность единственной дочери?

— При чем тут это? Никогда не была ревнивицей, просто после маминой смерти он только и делает, что путается с разными бабами.

— Если бабы делают его счастливым, что тебя не устраивает?

— Если бы он был с ними счастлив!.. Так ведь нет.

— Не торопись, сначала познакомься с ней. Дай ему шанс.

— Как будто у меня есть выбор... Ты говорил с Люком? Я думала, ты пришлешь мне вечером сообщение.

— А я ждал твоего.

— Как он к этому отнесся?

— Ну как... Он за нас рад.

— Серьезно?

— Твой отец останется на весь уик-энд?

— Вероятно. А что?

— А то, что мы долго не сможем увидеться. Знаю, еще рано говорить такие вещи. Люк мне очень не советовал, но у меня нет сил на притворство.

— Знаешь что? Раз отец намерен показать мне свою новую пассию, то почему бы мне не ответить ему тем же?

— Хочешь, чтобы я побыл кем-то вроде твоей новой бабы?

Хоуп, едва отхлебнув чая, поперхнулась и выплюнула его.

— Люк не сумел отговорить тебя от признания, что ты соскучишься без меня за один уик-энд, но...

81

— Он какой, твой отец?

— Немного старомодный, а так — классный! Не хмурься так, он тебя не съест. — Хоуп посмотрела на часы и встала. — Я обдумала наш разговор. По-моему, работать вместе — не лучшая идея.

— Если бы я продемонстрировал тебе нечто по-настоящему невероятное, ты бы дала мне последний шанс тебя переубедить?

— Попытка не пытка.

— Сначала пообещай никому об этом не рассказывать. У меня могут возникнуть серьезные неприятности.

— Вы синтезируете наркотик?

— Я тронут, что ты такого высокого обо мне мнения.

— В одном Люк прав: с юмором у тебя и правда нелады.

— Это что же, вы судачите обо мне у меня за спиной?

— Точно так же, как сейчас мы обсуждаем его. Итак, я тебя слушаю. На этой неделе я, похоже, всем даю шанс.

Джош наклонился к Хоуп и поцеловал ее.

— Дождись вечера. Кстати, я — не все.

С этими словами он удалился.

В этот самый момент Люк вышел из здания и направился на стоянку. Усевшись в машину, он запустил руку под кресло, достал блокнот и поспешно настрочил в нем несколько строк, после чего снова спрятал. После этого вылез, захлопнул, но не запер дверцу, вытянул из крыла машины антенну и вернулся в большую аудиторию.

Люк опоздал на лекцию профессора Флинча: она началась уже полчаса назад.

— Гляжу, ты не торопишься, — прошипел Джош и поджал ноги, давая ему пройти.

Люк плюхнулся на скамью и достал планшет.

— Я что-то пропустил?

— В общем-то нет.

— Где Хоуп?

В ряду перед ними поднялась рука.

— Я еле продрал глаза, — сознался Люк.

Хоуп оглянулась и обожгла его взглядом. Люк ответил ей улыбкой, после чего сосредоточился на Флинче, барабанившем по клавиатуре терминала, подключенного к проектору.

— Теперь, когда мы в сборе и успокоились, — молвил профессор, намекая на студента, сбившего его с мысли своим опозданием, — я хотел бы познакомить вас с одним блестящим и многообещающим экспериментом, недавно проведенным шестью моими студентами. Они надели на голову обезьянке электроды, чтобы компьютер регистрировал электрические импульсы ее мозга, особенно при пользовании правой рукой.

На экране позади Флинча появилась фотография обезьяны уистити — вылитый примат-астронавт XX века.

— Спешу успокоить всех, кто приготовился переживать за Мако — так зовут нашего очаровательного соратника по науке: можете сами убедиться, что электроды прикреплены к съемному шлему и не причиняют ему никакого вреда.

По аудитории пробежал удовлетворенный ропот. Флинч улыбнулся до ушей, поцокал языком и продолжил:

— Так мы сумели выяснить, что происходит в мозгу Мако, когда он совершает правой рукой различные движения...

Появилась серия графиков с энцефалограммой обезьяны.

— На следующем этапе мы соединили тот же самый компьютер с протезом руки.

Новое изображение — на сей раз протез руки с вращающейся кистью.

— Мы поместили этот протез в другом помещении. Компьютер, считывая волны, испускаемые обезьяньим мозгом, очень быстро научился управлять этой механической рукой, вернее, воспроизводить ею движения, которые совершал Мако настоящей рукой.

Экран за спиной у профессора разделился на два вертикальных экрана, на которых одновременно пошли два ролика. Слева Мако болтал рукой, справа ему великолепно подражал электронный протез. Аудитория зааплодировала. Радостный Флинч жестом попросил студентов немного подождать с ликованием.

— Потише, пожалуйста, самое интересное впереди. Мы поставили в комнате, где сидел наш уистити, экран, на котором он смог наблюдать за этой механической рукой, чем совершенно его заворожили.

На озадаченную обезьянку нельзя было смотреть без смеха. Одна Хоуп не находила ничего забавного в том, что пришлось переживать животному.

— Мако очень быстро понял, что робот повторяет все его движения. Игра сильно его забавляла. Эти кадры демонстрируют, что Мако продолжил махать рукой, управляя роботом.

Разве не так же забавляются дети и взрослые, запуская радиоуправляемые игрушки?

Аудитория легла от хохота, но Мако внезапно замер. Так же замерли зрители. Рука в левой части экрана продолжала жестикулировать, обезьяна же теперь сидела совершенно неподвижно.

— Ну, что теперь скажете? Вы это видели? — воскликнул Флинч с нескрываемым восторгом. — У нашего уистити получилось управлять протезом руки на расстоянии, посредством одних мозговых волн.

Студенты вскочили и захлопали в ладоши.

— Предоставляю вам самим домыслить, что могут в будущем дать результаты такого эксперимента! — провозгласил Флинч громовым голосом.

В этот раз аудитория разразилась оглушительными овациями.

— Представьте, сколько наших солдат, лишившихся на поле боя конечностей, смогут вскоре вернуться к нормальной жизни! — взревел профессор.

Хоуп оглянулась на Джоша и Люка.

— Если так дальше пойдет, этот напыщенный, самодовольный болван скоро потребует, чтобы мы проголосовали за него на президентских выборах. — И она поморщилась с отвращением.

Под призывы Флинча к студентам ознакомиться с подробным отчетом об эксперименте, который раздадут его ассистенты после лекции, Хоуп собрала вещи и направилась к дверям аудитории. Друзья удивленно переглянулись, и Джош поспешил за ней.

Он нагнал ее уже на ступеньках перед корпусом и остановил, схватив за руку.

— Что за муха тебя укусила?

— Поверить не могу, что ты ему хлопал!

— У них потрясающие достижения! Не будешь же ты отрицать, что они вдохновляют. Вспомни об инвалидах, которым в один прекрасный день помогут эти разработки.

— А они спросили мнение самого Мако, прежде чем прицепить ему лишнюю конечность? Ты только что собственными глазами любовался на первое трехрукое млекопитающее. Думаешь, они на этом остановятся? Думаешь, то, что Флинч видит именно солдат первыми, кто будет осчастливлен его изысканиями, — совпадение? Кто, по-твоему, финансирует такие работы?

— Думаю, факультет, ну, еще, может быть, частные лаборатории. Какая разница, главное — результат.

— А лабораториям кто деньги дает — медицина или армия? В чем цель — в исцелении или в бесперебойных поставках пушечного мяса? Думаешь, они стремятся возместить причиненный ущерб? Вперед на завоевание планеты, ребята! Потеряли ногу? Не беда, вам пришьют новую. Можно даже пришить вам лишнюю ногу еще перед боем, так вы будете еще сильнее, а вскоре и вовсе станете непобедимы.

— Зачем тебе заниматься наукой, если тебя до такой степени пугает прогресс?

— Уж точно не для этого, Джош. Чтобы лечить болезни, а не чтобы превращать людей в сверхчеловеческие машины, не чтобы мучить зверей, заставляя их делать то, чего не желаем делать мы сами. Скажи, разве ты полностью доверяешь Флинчу? Скажи, разве мне одной мерещатся жуткие картины будущего?

— Согласен, Флинч не самый симпатичный из знакомых мне ученых, он зациклен на собственной персоне, но ты тоже признай, что он, черт бы его взял, настоящий первооткрыватель. Не надо всюду видеть одно плохое. То, что нам сейчас показали, действительно может помочь человечеству, остается только позаботиться о соблюдении этических норм. Определить и отстаивать их — наша задача.

— Агентство национальной безопасности читает всю нашу переписку, голос торговцев оружием звучит во всем мире гораздо громче голоса родителей, чьи дети гибнут в школах, застреленные из автоматов, — и тут на сцену выходишь ты и требуешь все это прекратить, поскольку еще не установлены моральные границы. Желаю удачи! Я еще больше тебя люблю за твою бесконечную наивность.

— Ты меня любишь?

— Да пошел ты, Джош!

Хоуп замолчала. Ее внимание привлекло движение на стоянке позади них.

— В чем дело? — спросил Джош.

— Похоже, некто в шлеме присматривается к машине Люка. Это же его машина?

До «Камаро» было довольно далеко. Джош сунул свои вещи Хоуп и побежал к стоянке.

— Не дури, а вдруг он вооружен? — крикнула она, устремляясь следом за ним.

Ее попытка нагнать Джоша не удалась: вещи оттягивали ей руки.

При приближении Джоша незнакомец оседлал свой мотоцикл и умчался.

— Ну что? — спросила Джоша запыхавшаяся Хоуп.

Он обошел «Камаро» и не нашел следов: похоже, машину не вскрыли.

— Ничего. Все нормально. Похоже, тебе повсюду мерещится недоброе.

— Уверяю тебя, у того типа был подозрительный вид. Мы просто его спугнули.

— Выходит, он собирался угнать тачку Люка, оставив нам вместо нее свой шикарный мотоцикл.

Хоуп открыла дверцу «Камаро».

— Что я тебе говорила? Машина не заперта!

Джош протиснулся мимо нее и уселся за руль. Магнитола была на месте, в бардачке царил знакомый Джошу беспорядок, кассеты Люка никуда не делись.

— Ничего не пропало. Он, должно быть, просто забыл ее запереть.

Джош вылез из машины, не заметив блокнота на полу под передним сиденьем.

Хоуп пожала плечами, отдала ему вещи и зашагала в кампус.

— Может, сходим сегодня вечером в кино? — предложил ей Джош.

— А что, это мысль, мне полезно отвлечься.

— Как ты насчет того, чтобы пересмотреть «Терминатора»?

Хоуп двинула его локтем в бок. Джош крепко ее обнял и поцеловал.

— Ладно, схожу с тобой на ужин с твоим отцом. Мир?

— Нам нужно место для вечернего уединения. Не будем же мы играть в любовников, встречающихся тайком? А главное, мне хочется спать с тобой.

— Теперь, когда Люк все знает, почему бы тебе не приходить ко мне когда заблагорассудится? Наша квартирка недалеко. В нашем доме не существует запретов на общение полов.

— А Люк не будет против? Ты все-таки спроси у него.

Хоуп поцеловала Джоша и ушла.

91

Найдя Люка в библиотеке, Джош уселся напротив него.

— Хочешь что-то мне сообщить? — спросил Люк.

— Ты бы запирал свой автомобиль. Знаю, ты справедливо полагаешь, что никому, кроме тебя, не понадобится такое древнее корыто, и все же...

— Ты это о чем?

— Я только что с пробежки. Пытался догнать какого-то типа, ошивавшегося возле твоего «Камаро». Его заметила Хоуп.

— Разве машина была открыта? Я как будто ее запер. Очень признателен вам обоим.

— Не хочешь проверить, не пропало ли чего?

— Что воровать из такого корыта, как ты выразился? Кстати, напомни мне о своем отношении к моей машине, когда в следующий раз надумаешь ее позаимствовать.

— Чего это вы все в таком дурном настроении?

— У меня прекрасное настроение. Другое дело Хоуп. После номера, который она только что выкинула в аудитории, я раздумал приглашать ее к нам присоединиться.

— А я пригласил ее переночевать у нас сегодня.

— Что ты сделал? — переспросил Люк, наконец-то подняв голову.

— Не забудь, если бы не она, ты бы остался без тачки.

———

Хоуп пришлось удовольствоваться китайской едой, заказанной Люком по телефону. Они устроились втроем в комнате, служившей кабинетом и гостиной и разделявшей две маленькие спальни.

— Как вам удается оплачивать такие хоромы? — спросила Хоуп.

— Как видишь, мы экономим на еде, — объяснил Джош с полным ртом.

— Выбиваемся из сил, — добавил Люк, чтобы Джош еще чего-нибудь не ляпнул.

— Она в курсе, — не унимался Джош.

— В курсе чего? — осведомился Люк, кладя свои палочки на ящик, служивший друзьям журнальным столиком.

— Удовлетворите мое любопытство! — взмолилась Хоуп. — Вы помните, что здесь есть еще я?

— Что мы вкалываем на одну контору, финансирующую нашу учебу и это гнездышко площадью тридцать восемь квадратных метров, — ответил Люку Джош.

— А в курсе ли Хоуп, что ей следует держать эту информацию при себе? — спросил Люк.

— Хоуп обожает, когда о ней говорят в третьем лице. Еще Хоуп посылает тебя ко всем чертям, потому что она не доносчица, в чем у тебя уже были возможности убедиться. Хоуп также полагает, что Люк и Джош имеют право делать со своей жизнью все, что они хотят, и заниматься ночью тем, чем им вздумается... А что, даже забавно, можно продолжать разговор в таком стиле или вообще друг с другом не разговаривать из опасения

93

разболтать важные секреты, — добавила она издевательски.

Люк взял свои палочки и принялся молча есть.

— Хорошо, не стану вам навязываться. Я тебя не потревожу, Люк, и не останусь ночевать. Спасибо за приглашение на ужин, в следующий раз моя очередь вас угощать.

— Да что это с вами обоими? — не выдержал Джош. — Прекратите препираться!

Люк вздохнул и примирительно протянул Хоуп руку.

— Прошу прощения, я иногда бываю бестактным.

— Извинения приняты. Только можно мне не пожимать твою руку? Она в соевом соусе.

— В общем, так... — Люк вытер губы. — Хватит ходить вокруг да около. Или ты присоединяешься к нам, или соглашаешься — независимо от ваших с Джошем отношений — держаться подальше от нашей работы.

— Иногда ты меня пугаешь, Люк. Что там у вас за темные делишки высокой секретности?

— Мы не делаем ничего незаконного. Просто в этом мире конкуренции мы не можем допустить, чтобы из-за чьей-то оплошности плодами наших усилий воспользовались другие.

— Я умею держать язык за зубами.

— Это будет получаться у тебя гораздо лучше, если ты вообще ничего не будешь знать.

Хоуп встала и распахнула окно, потому что ароматы китайской кухни вызывали у нее тошноту.

— Вы заподозрите меня в паранойе, — прошептала она, — но мотоциклист, ошивавшийся вокруг твоей машины, снова здесь. Он на улице.

Джош подошел к ней.

— На таких мотоциклах кто только ни ездит, — сказал он. — Но я согласен, это любопытно. Взгляни, Люк.

— На что глядеть? Я, в отличие от вас, навидался мотоциклов. Можете дальше играть в шпионов, а мне надо работать. Я пойду к себе.

Джош и Хоуп провели еще немного времени на наблюдательном посту, а потом закрыли окно, почти разочарованные. На кампусе хватало мощных мотоциклов, и мотоциклист, за которым они наблюдали, мог оказаться просто новым жильцом.

95

Хоуп нырнула под одеяло и прижалась к Джошу.

— Он ревнует. Перешел в такую глухую оборону, что это можно объяснить только ревностью, — сказала она.

— Вряд ли Люк в меня влюблен, если тебе любопытен этот вопрос, — отозвался Джош со смехом.

— Я вторгаюсь в его пространство, вмешиваюсь в вашу дружбу. Он не вполне понимает, как это объяснить, — зашептала она. — Скажи, почему он один?

— У Люка бывали приключения, но он всегда был один, такая уж у него натура.

— Натура здесь ни при чем, все дело в удачном знакомстве, у тебя тоже случались приключения, и ты тоже был один, пока не встретил меня.

— Не так, как он, и не всегда. У меня однажды были длительные отношения.

— Напрасно я здесь осталась, — проворчала Хоуп, насупившись.

— Вовсе не напрасно, это была замечательная идея, — возразил он, целуя одну ее грудь, потом другую.

Его язык поиграл с ее пупком, пробежался по лобку и по бедрам, а потом и вовсе осмелел.

— Замечательная идея! — простонала Хоуп. — Это были правильные слова.

Следующим вечером Джош и Хоуп отправились в кино. Люк возвращался домой один, когда рядом с ним затормозил мотоциклист и протянул ему шлем. Люк устроился у него за спиной, и ездок пришпорил своего железного коня.

Целью двадцатиминутной поездки оказался шикарный ресторан на другом конце города. Люк сошел с мотоцикла, отдал шлем хозяину и направился в зал. Узнав человека, сидевшего у стойки, он взгромоздился на соседний табурет.

Флинч щелкнул пальцами и велел бармену обслужить его гостя.

— Вашему курьеру надо действовать аккуратнее, — тихо сказал Люк.

— Судя по тому, что вы рассказываете, это не я нуждаюсь в советах относительно осторожности. Не нравится мне эта история. Сами знаете, какое значение я придаю преданности членов моей команды и их благоразумию.

— Как еще я мог поступить? У них любовь. Никогда еще не видел Джоша таким слабым.

— Слабым?

— Он полностью в ее власти.

— По вашему виду не скажешь, что она запала вам в душу, скорее наоборот... Но у меня есть дела поважнее любовных страданий студентов, — проворчал Флинч, потягивая белый мартини.

— Я хотел выждать несколько дней, прежде чем к вам обратиться, но у нас наметился... заметный прогресс.

— Забавно, как резко вы меняете тему разговора! С чего вы взяли, что можете самостоятельно решать, докладывать или нет о продвижении в вашей работе и когда это делать? Вам напомнить об обязательствах, которые вы на себя приняли?

Бармен поставил перед Люком бокал, но тот к нему не притронулся.

— Я вас слушаю! — с нажимом произнес Флинч, у которого любопытство взяло верх над снисходительностью.

Люк спокойным, даже чересчур спокойным голосом стал рассказывать, как нейроны, которые он взял из мозга крысы и разъединил, сами по себе снова соединились на кремниевых микрочипах.

— Интересно! — не удержался от восклицания Флинч.

— Завтра нейронная сеть так уплотнится, что мы сможем приступить к обучению ее командам.

Флинч постучал ногтем по пустому бокалу, чтобы бармен подал ему новый, — видимо, полагал, что это больше соответствует его высокому положению, чем обычная вежливая просьба.

— Если это получится, то вы сможете проучиться у нас еще год.

— Если это получится, то вы должны будете гарантировать нам обоим прохождение всего университетского курса.

— Я знал, что вы самонадеянны, но чтобы настолько...

— Уже через месяц мы предпримем первую попытку дублирования данных на простых копроцессорах.

— Вы серьезно?

— Раньше я вас разочаровывал?

— Допустим... Только учтите, вы понятия не имеете, какова природа данных, содержащихся на ваших оригиналах. Что думает ваш друг?

— То же, что я, — ответил Люк, стараясь не показывать, какое раздражение вызвал у него этот вопрос Флинча. — Если наша теория получит экспериментальное подтверждение,

99

то наши биологические препараты смогут запоминать поступающие от нас инструкции. После переноса их электронные эквиваленты позволят компьютеру воспроизводить эти инструкции. В точности как в эксперименте, который вы нам демонстрировали, но без участия обезьяньей воли. Мы довольствуемся клетками мозга крысы — по крайней мере, в данный момент.

— Только не торопитесь. Будем надеяться, что сработает хотя бы с крысой. Дальше видно будет. Учтите, о том, чтобы идти дальше без моей санкции, не может быть и речи. Начиная с сегодняшнего дня будете отчитываться передо мной ежедневно и вести журнал наблюдений во внутренней сети Центра.

— Как мне объяснить Джошу, почему мы перестали публиковать наши результаты вопреки вашим прежним указаниям?

Флинч какое-то время в задумчивости молчал, уставившись на густую жидкость, которую рассеянно болтал в своем бокале. Потом, медленно опустив бокал, он улыбнулся.

— А так и объясните: назревает, мол, сенсация, поэтому надо дождаться завершения опытов, а потом попробовать договориться со мной о двухгодичном финансировании вашей учебы в обмен на этот результат.

— Я рассчитываю получить больше.

— Почему нет? Вы всегда можете поэкспериментировать и с этим, — со смехом сказал Флинч, хлопая его по плечу. — А пока что позаботьтесь, чтобы его подружка не нарушила правильный порядок вещей. Я не против, чтобы он немного развлекся, вы тоже, кстати, вам это пойдет на пользу, но только чтобы это не отвлекало от главного — работы. Мы оба знаем, что его талант... Собственно, вы знаете об этом, думаю, больше, чем я.

Люк допил свой мартини и встал.

— Если он и вправду очарован этой девушкой, то рано или поздно проболтается ей про Центр. Не нравится мне это, — буркнул Флинч.

— Как насчет того, чтобы предложить ей работать с нами?

— А что, в этом что-то есть... — бросил Флинч, глядя на Люка.

— Не думал, что эта мысль вам понравится, я ожидал противоположного.

— Отчего же, идея как раз блестящая! В тройках всегда возникает соперничество. Один против двоих, двое против одного,

101

каждый за себя. Биение трех сердец в унисон, а тем более согласие трех умов — большая редкость. Соперничество вызывает злость, а она — источник творчества и энергии. Разумеется, если эта милая девушка согласится, мы сможем предложить ей те же условия, что и вам. Вкупе с чувствами, которые она питает к вашему другу, это могло бы хорошо ее мотивировать.

Флинч задержал Люка, взяв его за рукав.

— Один совет опытного человека. Если инициатива будет исходить от вас, то это поможет вам завоевать ее признательность. Вы возглавили бы группу. А теперь расстанемся, меня ждут к ужину. Да, забыл сказать: браво! Я под впечатлением от того, что вы мне сообщили, а меня, учтите, нелегко впечатлить. Надеюсь, вы верно оцените этот комплимент.

— Как мне вернуться домой?

Флинч порылся в кармане и бросил на стойку несколько мятых купюр.

— Вероятно, на такси.

Люк пересек город в противоположном направлении. Он был мрачнее тучи, повисшей в небе. До места оставалось еще метров сто, а он уже попросил водителя остановиться и преодолел оставшееся расстояние под хлынувшим вдруг проливным дождем и влетел в подъезд насквозь промокший. Единственным за вечер подарком судьбы оказалась пустая квартира. Он наскоро разделся в своей комнате и встал под горячий душ.

Он уже потушил свет, когда раздались шаги, потом сдавленный смех. Джош и Хоуп крались на цыпочках к своей кровати через темную гостиную.

Наутро, проснувшись, они обнаружили, что Люк уже ушел.

103

Выходя из аудитории после занятий, Джош увидел на своем телефоне послание от Хоуп:

Я поужинаю с Люком.
Не жди меня.

Он тут же ответил:

Нехорошо держаться особняком.

Она отозвалась:

> По-моему, это мы с некоторых пор держимся особняком.
> Ты прав, это нехорошо.

Джош убрал телефон в карман и пожал плечами. Хоуп была права: после уик-энда в Салеме он совсем не уделял внимания Люку и это уже навредило их дружбе. Его рассердило, что мысль о первом шаге посетила не его и что Хоуп оказалась более великодушной.

5

Она ждала его, сидя на ступеньках перед их домом.

— Джош еще не сделал тебе ключ? — осведомился Люк.

Хоуп протянула руку, чтобы он помог ей встать.

— Я тебе не враг, Люк. У меня в мыслях нет его у тебя похитить.

— Очень мило, что ты решила открыть мне глаза. Мы уже не в детском саду. Делайте что хотите, я только об одном тебя прошу: не кради у него все свободное время. Уже две недели Джошу на все плевать, хотя он и раньше был не слишком прилежным студентом. Мое и его будущее связаны, но я не могу в одиночку тянуть всю работу и его прикрывать.

— Я позабочусь об этом, — ответила Хоуп. — Принимаешь мое приглашение поужинать?

Поколебавшись, Люк подозвал ее к своей машине.

— Мне надо кое-что тебе показать, — сказал он. — Садись.

Хоуп тоже заколебалась, непонимающе глядя на него. Сев на пассажирское место, она удивилась, что он не трогается с места.

— Не бойся, я не увезу тебя в лесную чащу.

— Такое мне в голову не приходило. Ну и?..

— Попробую кое-что тебе объяснить. — С этими словами Люк запустил мотор.

106

Когда «Камаро» выехал из города, Хоуп спросила Люка, куда он ее везет. С самого начала поездки и до тех пор, пока не затормозил у ворот Центра, он не промолвил ни слова.

Хоуп, сжимавшая в руке телефон, хотела отправить сообщение Джошу.

— Нет сети, — сообщила она, немного встревожившись.

— Нет, потому что в здании установлены генераторы помех. Отсюда ни с кем не свяжешься в радиусе полукилометра.

— Зачем мы здесь, Люк? Почему все так загадочно? Что это за место?

— Здесь куется будущее, а будущее иногда пугает, — ответил он, повернувшись к ней.

— Что страшного в будущем?

— Представь на минуточку, что все благонамеренные и талантливые люди на свете, все ученые, врачи, художники, ремесленники, строители, объединяются с намерением улучшить мир, сделать его красивее, не таким жестоким, более справедливым. Каким было бы первое необходимое условие, без которого их мечта никогда не осуществилась бы?

— Ну, не знаю... Преодолеть страх перед утопией?

— Нет, первым делом пришлось бы их защитить, чтобы они смогли работать в безопасности. Найти такое место, где им не угрожали бы политики, чиновники, частные интересы, лоббисты, консервативные силы, не заинтересованные в изменении мира.

— Так это здание...

— Верно. Центр полностью автономен, от всего отрезан, прежде всего от повседневных случайностей. Никто из работающих здесь не знает, существуют ли другие подобные учреждения и если существуют, то где они находятся. Вопрос безопасности.

— До такой степени?

— Новаторские идеи рождаются с большим трудом, а отказаться от их осуществления, испугавшись масштаба задачи, на-

107

оборот, легче легкого. Думаешь, влияние всемирного потепления обнаружили только теперь? Западному миру о нем известно уже не одно десятилетие, но экономические соображения принуждают человека заботиться в первую очередь о насущных интересах, а не о будущем.

— Ты не сгущаешь краски? Есть немало честных людей, сопротивляющихся козням сильных мира сего.

— Хочу рассказать тебе одну историю. Тридцать лет назад в моем родном городе младенцы стали болеть странной легочной инфекцией. Некоторые умирали, не дожив до года, у остальных развивались патологии дыхательных путей. Ситуация все больше напоминала эпидемию, поэтому в город прислали врача, славного сельского доктора, с заданием найти вирус или бактерию, поражающую новорожденных. Доктор взялся за дело, пользуясь теми средствами, которыми располагал. Он искал всюду: в воде, молоке, еде, исследовал даже соски, пеленки и подгузники. И вот однажды вечером, так и не отыскав причину напасти и находясь в отчаянии, он вышел покурить на крыльцо домика, который снимал. Вообще-то он давно бросил курить и от первой же затяжки закашлялся, как угольщик. Эта сигарета и навела его на след. Он приобрел карту местности и стал расставлять на ней крестики. Синие там, где жили больные младенцы, красные там, где младенцы умирали. У него быстро получилось два круга из крестиков, причем диаметр синего круга был больше, чем диаметр красного, располагавшегося внутри синего.

— А посередине? — спросила Хоуп.

— Посередине дымило предприятие по добыче метана. Оно забурилось слишком глубоко, отчего постоянно происходил выброс окиси углерода в верхние слои почвы. Взрослые от этой дозы не заболевали, а малышам ее было вполне достаточно.

109

— Предприятие закрыли?

— Спустя два дня после сделанного открытия труп доктора выловили в реке. По официальному заключению он напился, полез пьяным купаться и утонул. В декабре... Предприятие было экономическими легкими всего района и прежде всего нашего города, большинство семей не смогло бы без него существовать. Кто стал бы говорить с тамошними работягами о реконверсии, о чистой энергетике, когда начать пришлось бы с того, что они скоро лишатся рабочих мест? Как видишь, одно дело — обнаружить проблему и совсем другое — решить ее, особенно когда экономические интересы одних становятся преградой на пути у других. Поэтому возможности грядущего так часто попадают в плен к обстоятельствам настоящего. Но только не внутри этого здания. Вот теперь я готов задать тебе вопрос: ты хочешь войти туда со мной, хочешь стать участницей этого будущего?

— Так вот куда торопится Джош, когда пропадает среди ночи? Это здесь вы плетете свои заговоры?

— Заговоры? Какая абсурдная мысль!

— Это я так, к слову. Для меня лестно, что ты предлагаешь мне к вам присоединиться, но мне надо подумать, прежде чем принять решение.

— Дело в ваших отношениях?

— Еще не знаю. Будь добр, отвези меня обратно в кампус. Это место нагоняет на меня тоску.

— Сначала я устрою тебе экскурсию: не для того я сюда тащился, чтобы удовлетвориться короткой дискуссией, — ответил Люк, открывая ворота. — Внутри ни с кем не разговаривай, запоминай все возникающие у тебя вопросы. Когда мы выйдем, можешь задать их мне, все до единого.

Хоуп пыталась понять, что мешает ей войти, — ей, обычно такой отважной и любознательной. Распахнув дверцу машины, она сделала приветливое лицо и зашагала к Центру.

Люк заторопился следом за ней. Он положил ладонь на сканер отпечатков пальцев и, когда открылась дверь, подтолкнул Хоуп вперед.

Удивленная Хоуп очутилась в тамбуре. Люк жестом приказал ей помалкивать. Зажглась зеленая лампочка, и Люк вышел из шлюза, ведя ее за собой.

Ее поразили масштабы увиденного. Казалось, она очутилась в будущем. В огромных лабораториях работало современнейшее оборудование. Все люди за стеклом принадлежали к ее поколению. Справа от нее несколько человек оживленно спорили перед цифровым табло, чуть подальше две молодые женщины управляли роботом, с виду почти не отличавшимся от человека. Его пластмассовое лицо трудно было принять за живое, зато движения его глаз да и сами глаза были на удивление человеческими. Слева четверо молодых ученых возились с невиданным принтером. Хоуп открыла было рот, собираясь задать вопрос, но предостерегающий взгляд Люка заставил ее промолчать. В сле-

111

дующий момент она вздрогнула: ей на плечо
легла чья-то рука.

— Когда смотришь отсюда, — заговорил
Флинч, — то можно подумать, что это обычный
струйный принтер. Вообразите, это вовсе не
так. Я всегда считал, — продолжил он, — что чужого доверия не добиться, когда сам человеку
не доверяешь. Полагаю, вы не станете мне возражать. Пойдемте.

Хоуп не собиралась возражать. Авторитет
профессора, которого она прежде встречала
только в аудитории, на его лекциях, здесь —
в непривычной обстановке, вблизи — только
казался весомее. Вблизи профессор выглядел
внушительнее, чем издали.

Он подошел к рабочему столу исследователей.

— Согласен, этот аппарат смахивает на
простой канцелярский агрегат, но учтите,
он предназначен не для воспроизведения
прикольных фоток на глянцевой бумаге, — начал он объяснять со смехом. — Сейчас вы все
увидите и будете поражены. Сначала сканер,
вроде тех, что оцифровывают документы, счи-
тывает повреждения прямо с тела раненого.

На вделанном в стену экране появилось в ре-
альном масштабе времени то, что описывал
Флинч: мужчина с ожогом руки третьей степени на больничной койке. Врач сканировал

конечность раненого при помощи такого же прибора, который видела перед собой Хоуп. После этого компьютерный терминал выдавал объемное изображение ожога. Дождавшись конца видеоролика, Флинч продолжил:

— Аппарат анализирует рану, определяет глубину и контуры поврежденных структур, костных тканей, мускулатуры, кровеносной и нервной систем, слоев кожного эпителия. Эти данные передаются на компьютер, который их обрабатывает и передает на наш чудесный принтер. Чернил в нем нет, а что же есть? Понятный вопрос. Каждая его кассета наполнена здоровыми клетками, взятыми у нашего пациента и размноженными нами. Принтер проецирует эти здоровые клетки или, правильнее сказать, распыляет их именно там, где каждая из них должна прижиться и начать делиться, чтобы поражение было в конце концов залечено. Грубо говоря, мы напрямую впечатываем различные клеточные слои в рану нашего пациента. Впечатляет? Пока что это прототип, но первые результаты невероятно вдохновляют[1].

113

---

[1] Такой сканер-принтер сейчас испытывается в Институте регенеративной медицины Уэйк-Форест под руководством профессора Энтони Аталы. (*Прим. автора.*)

Вон там, — важно продолжал Флинч, указывая на следующий зал, — мы работаем над объемным воспроизведением целых органов. Если бы вы знали, сколько людей умирает каждый год только из-за отсутствия пригодных доноров! Не готов утверждать, что мы в конце концов сумеем напечатать в нашем салоне 3D-почку, другое дело больница, там рано или поздно...

Флинч повернулся к Хоуп и уставился своими голубыми глазами ей прямо в глаза. Он шумно втянул воздух и принял картинную позу.

— Понимаете, мисс, если мои студенты иногда называют меня высокомерным, хотя вы, уверен, не разделяете этого мнения, то дело только в моем страстном отношении к нашим здешним занятиям. Этот комплекс раскинулся на площади более тридцати тысяч квадратных метров. Сами можете вообразить, сколько разнообразных направлений здесь разрабатывается. Люк проводит вас обратно. Утро вечера мудренее, завтра вы ему ответите, возникло ли у вас желание к нам присоединиться. Если нет, то теперь, когда вы знаете, зачем мы существуем, я рассчитываю на ваше молчание. Хотя ничего из того, что я вам показал сегодня вечером, не составляет большой тайны.

— А то, чего вы мне не показали?

— А это, моя дорогая, вы увидите только после того, как примете решение. Поверьте, вас ждут еще и не такие чудеса!

— Тебе нечего мне рассказать?

— Я в раздумьях.

— Как прошел ужин с Люком?

— Хорошо... Умираю с голоду, у тебя в холодильнике ничего не найдется?

— Ага! — И Джош встал с дивана.

Обшаривая крохотную кухню, он надеялся найти что-нибудь, что понравилось бы Хоуп; содержимое холодильника выглядело плачевно. Джош захватил пару йогуртов и остатки купленного накануне, а то и пару дней назад фруктового салата; впрочем, по здравом размышлении он счел более разумным отправить его в мусорную корзину. Последние надежды возлагались на запасы хлопьев и на начатые плитки шоколада. Свалив свои находки на поднос, он понес их в комнату. Хоуп, сидевшая по-турецки на диване, радостно набросилась на кукурузные хлопья.

— Давно вы с Люком знакомы?

— Сначала надень футболку. У мужчин, конечно, мания делать два дела сразу, но если ты воображаешь, что, любуясь на твою голую грудь, я смогу вести связную беседу...

— Откуда такая сексуальная озабоченность?

— Действительно, откуда ей взяться? Забудь про футболку. Наша с Люком подростковая пора может подождать.

Джош опрокинул Хоуп на подушку и стал целовать.

— Прекрати! — взмолилась она, выскальзывая из его рук. — Мне правда хочется узнать.

Она схватила с кровати рубашку Джоша и натянула ее с лукавой улыбкой.

— Мы познакомились еще в школе. Тебе-то что?

— Каким он тогда был?

— Немного чокнутый — это как раз то, что мне сразу в нем понравилось.

— Все мы отчасти со сдвигом. Сдвиг — это щелка, через которую проникает свет.

— Ну, значит, он весь светился. Мы с Люком были соседями. Мы выросли в пригороде, где сразу после заката солнца закипали драки. Все сбивались в банды, вот и у нас с ним была своя банда — из двух человек.

— Ты был драчуном?

— Не совсем, из-за этого и не примкнул ни к одной группе. Люк — другое дело: он был для своего возраста дылдой, чувствовал ответственность за своего младшего брата и научился добиваться уважения к себе. Чего только мы не вытворяли! А потом учитель физики прочистил нам мозги.

— Сколько лет вам тогда было?

— Одиннадцать. Каценберг — он называл себя Кацем — был интереснейшим человеком. Благодаря ему мы открыли для себя новую вселенную — ну, я немного преувеличиваю, эта вселенная всегда была рядом, просто раньше она нас не привлекала. Мой отец работал на фабрике электрооборудования, отсортировывал брак. Отец Люка, инженер по образованию, обслуживал кондиционеры. Понятно, что научная карьера привлекала нас не больше, чем возможность поцеловать мою кузину.

— Почему? Она была страшная?

— Была и осталась. Кац привил нам вкус к чтению, уделял нам внимание, развил в нас тягу к знаниям. Он был странный: в любое время года носил вельветовую куртку цвета гусиного помета. До сих пор недоумеваю, как такой тонкий человек мог иметь такой дурной вкус в одежде! И ездил он на омерзительно грязном древнем «датсуне». Как ни странно, все у него было старое... кроме

117

него самого. Он невероятно продвинуто мыслил. В конце урока иногда устраивал ритуал, от которого мы покатывались со смеху. Он призывал волшебника, великого Кудаи, защищавшего нас от зловредного племени, которое он прозвал «сектой Невозможных». Он прожужжал нам уши, уверяя, будто мы будем на каждом шагу сталкиваться с приверженцами этого культа, и умоляя никогда их не слушать и держаться от них подальше. Однажды он явился в класс с маленьким лимонным деревом — вздумал выращивать лимоны. Об этом, ясное дело, все пронюхали, все стали над ним насмехаться, потому что лимоны у нас в Болдуине водились только в супермаркете, привезенные из Флориды. Он заставил нас построить оранжерею, и мы узнали о существовании солнечных ламп... Слыхала о светотерапии?

— Нет, я ухитрилась поступить на самый лучший факультет, но осталась полной дурой.

— Очень жаль. В общем, мы целый год ухаживали за его лимонным деревцем. Спустя восемь месяцев мы стали продавать в школе лимонад. Именно наш учитель обнаружил в нас склонность к наукам. Мы с Люком посвящали все свободное время поиску всяческого лома среди родительского хлама — это занятие доставляло нам бездну удовольствия. Однажды мы так нагрузили карманы всякой всячиной, что потеряли бы штаны, если бы ежесекундно их не подтягивали. Каценберг заставил нас опорожнить карманы и признаться, откуда взялись наши сокровища. В обмен на его обещание не выдавать нас родителям мы согласились начать что-то мастерить. Нашим первым изобретением стал увлажнитель воздуха на основе старого кондиционера, включавшийся автоматически при определенном уровне влажности. Это была пробная модель, собранная черт знает из чего. Она неплохо работала в течение суток, после чего загорелась в сарае у отца Люка. К счастью, мы были рядом и свели ущерб до минимума. Чуть погодя, снова при пособничестве нашего учителя, мы придумали систему, включавшую автомобильные «дворники» при первых каплях дождя. Мы смонтировали ее на машине отца Люка, не сомневаясь, что получим за это грандиозную взбучку. Но вышло наоборот. Следующим вечером он ждал нас у сарая, и этот момент предопределил наше будущее. Он поздравил нас и сказал, что это гениальное изобретение, однако на свете существуют системы еще совершеннее нашей. Наши устройства,

119

включавшие «дворники», имели большой изъян: они загораживали добрую треть ветрового стекла. Отец Люка добавил, что, воспользовавшись его мастерской в следующий раз, нам стоило бы изобрести что-нибудь пооригинальнее. Ему, мол, все равно, что мы станем придумывать, лишь бы нам не пришлось зарабатывать на жизнь ремонтом кондиционеров. Мы с Люком увидели в глазах его отца надежду, похожую на мольбу о помощи. Он был таким важным для нас человеком, что подвести его было немыслимо. Дальнейшее ты знаешь: мы вкалывали как заведенные и до сих пор мастерим всякие необычные штуковины, правда, толку от них может выйти гораздо больше, чем от «умных стеклоочистителей»...

— От лимонного деревца до нервных клеток на кремниевых кристаллах немалый путь!

— Можно посмотреть на это и так. Люк рассказал тебе о наших изысканиях?

— Более того, он свозил меня в ваш секретный ангар. Там я повстречала Флинча, еще более воодушевленного, чем на лекциях. Сначала я решила к вам не примыкать, а потом передумала. Не знаю, принято ли у любовников пожимать друг другу руку, но у меня есть такое намерение.

120

— По-моему, для скрепления подобного союза правильнее будет заняться любовью. Погоди, ты побывала в Центре, а убедил тебя своей историей про лимонное деревце я?

— Не ты, а в некоторой степени твой учитель в вельветовой куртке и в еще большей — отец Люка. — И Хоуп сбросила с себя рубашку.

Назавтра Хоуп позвала Люка и Джоша в кафетерий и сообщила им свои условия. Она была готова с ними сотрудничать, но отказывалась от финансовой помощи «Лонгвью» и от подписания какого бы то ни было контракта, за исключением обязательства соблюдать конфиденциальность, и сохраняла за собой право прекратить сотрудничество, когда сама захочет. Кроме того, отныне она соглашалась ночевать в комнате Джоша только в выходные и по средам, чтобы окончательно не разрушить их с Люком дружбу. Джош воспротивился было этому условию, но Хоуп твердо стояла на своем.

Вечером они втроем отпраздновали свой священный союз в одном из местных баров.

Хоуп вышла оттуда такой захмелевшей, что Джошу и Люку пришлось на руках отнести ее к себе. Изменив своему правилу, она заночевала там в четверг.

6

Хоуп уже в третий раз налила себе воды, поставила графин, осушила стакан и вздохнула.

— Подыши еще, расслабься. Уверен, он появится с минуты на минуту.

— Не он, а они, — уточнила Хоуп. — И вообще, откуда тебе знать, ты ведь не знаком с моим отцом, ты никогда его не видел и...

...И она замолчала, потому что дверь ресторана открылась.

В зал вплыла особа с обильными формами, на высоких каблуках, в прямой юбке, туго стягивающей талию.

— Когда грудь так просторна, то ей повсюду тесно, ей и вселенной мало, чтобы легко дышать, — проговорила Хоуп.

— Что ты сказала? — спросил заинтригованный Джош.

— Ничего, просто вспомнила какие-то отрывки из стихотворения, которое мы учили на занятиях иностранным языком. Сама не пойму почему.

— Думаешь, это она?

— Без всякого сомнения. Отец, должно быть, сейчас паркует машину, чтобы дать нам возможность познакомиться без него. Он всегда проявляет бесшабашную отвагу в подобных ситуациях.

— Так это уже не первый раз?

— Шестой!

Женщина оглядела зал. Ее взгляд упал на Хоуп, и она широко улыбнулась.

— Сама элегантность... Боюсь, обед затянется, — зашептала Хоуп Джошу, глядя на приближающуюся к ней новую мачеху. — Останешься со мной до десерта — выйду за тебя замуж.

— Амелия, — представилась пышная красавица, протягивая руку с ослепительными ногтями. — Ты ведь Хоуп, правильно? В жизни ты гораздо красивее, чем на фотографиях.

Хоуп словно потеряла дар речи. Амелия наклонилась ее обнять, демонстрируя Джошу роскошное глубокое декольте, и он уже начал

123

в нем тонуть, но тут Хоуп двинула его ногой под столом.

— Твой отец паркует машину, он сейчас придет.

— Вот как? — пробормотала Хоуп.

— Ты себе не представляешь, как я рада с тобой познакомиться! Он так часто о тебе говорит, что у меня порой возникает впечатление, что ты живешь с нами.

— Вы, конечно, уже живете вместе?

— Разве он тебе не рассказывал? Знаешь, в нашем возрасте нельзя терять время.

— Кстати, а сколько вам лет?

В этот раз пинок ногой под столом достался самой Хоуп.

— Джош! — радостно представился Джош, подставляя Амелии одну щеку, потом другую. — Чрезвычайно рад!

Хоуп лягнула его ногой под столом.

— Какой красивый молодой человек! — восхитилась Амелия. — Вы такая милая пара! Я всегда говорю, что люди в паре должны подходить друг другу.

— Очень любезно с вашей стороны, — сказал Джош тоном полного благодушия.

— Должна вам сказать, вы очень подходите моему отцу.

— Правда? — обрадовалась Амелия. — Ты проливаешь мне бальзам на душу. Между нами говоря, уж признаюсь, я иногда задумываюсь, не слишком ли твой папа серьезный человек для такой женщины, как я.

— С чего вы взяли? Мой отец — врач, вы — медсестра. Разве вы друг другу не подходите?

— Я не медсестра, я занимаюсь маркетингом фармацевтической продукции.

Хоуп озадаченно умолкла.

— Я поняла! — воскликнула Амелия, рассмеявшись. — Ты меня дразнишь. Твой отец говорил, что ты большая шутница.

— Не буду спорить, хотя ему я и в подметки не гожусь.

— А чем занимаешься ты, Джош? — спросила Амелия, поворачиваясь к нему.

Третий пинок ногой под столом принудил Джоша перестать заглядывать ей за корсаж.

— Я студент, изучаю неврологию.

Хоуп быстро нацарапала несколько слов на клочке бумаги и незаметно подсунула его Джошу под локоть. Он опустил глаза и прочел: «Хватит с ней заигрывать!»

— Что такое? — поинтересовалась Амелия, заметившая передачу записки.

125

— Ничего особенного. Хоуп напоминает мне, что через пятнадцать минут у меня начинается занятие.

— Но ты же его прогуляешь? — спросила Хоуп и так сильно сжала ему руку, что пальцы побелели.

— Не удивлюсь, если твой отец нарочно медлит, чтобы дать нам познакомиться, — сказала Амелия, глядя в окно.

— Браво, один-ноль в вашу пользу, вы знаете его лучше, чем я думала.

— Я не собиралась забивать голов. Знаю, девушка твоего возраста ни за что не проявит благосклонность к пассии своего отца.

— Девушка моего возраста?..

— Мой папочка тоже развелся, и я из принципа ненавидела всех женщин, которые вокруг него вились. Я не выпрашиваю у тебя любви и даже дружбы, но если бы мы смогли хотя бы поладить, то это было бы...

— Мой отец вдовец!

— Что представляет собой маркетинг фармацевтической продукции? — вежливо спросил Джош.

— Я посещаю врачей и предлагаю им новые медикаменты, разработанные лабораторией, на которую я работаю. Я объясняю им, какие чудеса способны творить наши новые формулы.

— И конечно, рассказываете о побочных эффектах... — подсказала Хоуп.

— Не без того. Кстати, новые медикаменты хороши именно слабым побочным действием. Так я познакомилась с Сэмом.

— Это побочное действие! — не удержалась Хоуп.

Наконец-то появился ее отец.

— В этом квартале невозможно найти парковочное место, — пожаловался он, садясь. — Почему ты выбрала ресторан так далеко от кампуса?

— Просто так, — отрезала Хоуп, сверля взглядом Амелию.

Сэм напряженно разглядывал Джоша.

— Познакомишь меня со своим другом?

— А как же, папа! Познакомься — это твой зять!

Сэм поперхнулся, закашлялся, чуть не задохнулся.

— Джош. — Джош протянул руку. — Не беспокойтесь, я всего лишь ее очень близкий друг.

— Всего лишь? — простонал отец Хоуп.

— Прекрати, Сэм! — вмешалась Амелия. — Куда подевались твои манеры?

Пожав Джошу руку, Сэм погрузился в изучение меню.

127

— Ну, что тут есть хорошенького? Надеюсь, здешняя кухня стоила того, чтобы сюда приехать? — спросил он.

— Рекомендую блюдо дня — свиную грудинку. Пальчики оближешь! — выпалила Хоуп.

Ее грубость не задела Амелию, та лишь сообщила, что, к сожалению, не сможет попробовать мясо, потому что она вегетарианка — причем исключительно из-за любви к животным, уточнила она.

— Как я вас понимаю! Я так люблю папу, что тоже никогда его не пыталась съесть. Некоторые, правда, частенько нарушают диету.

— У меня есть мысль, — изрек Джош.

— Всего одна? — съязвил Сэм.

Джош повернулся к Амелии и заговорил, обращаясь только к ней.

— Хоуп уже несколько месяцев не виделась с отцом. Оставим их ненадолго наедине? Вы не против отправиться на экскурсию по городу, всего на часок? Кстати, тут рукой подать до зоопарка.

Амелия внимательно посмотрела на Хоуп с Сэмом и встала.

— С удовольствием.

Джош наклонился, чтобы поцеловать Хоуп, но та скорчила ему злобную гримасу, хотя на самом деле никогда так не была влюблена в него, как в тот момент. Она даже испытала приступ ревности при мысли, что он проведет целый час в обществе «бабы номер шесть».

Сэм не знал, что сказать, но взгляд дочери положил конец его колебаниям.

— Если это устраивает молодого человека...

— Меня зовут Джош, сэр. — И Джош повел Амелию к двери.

Отец и дочь в легком смущении смотрели им вслед.

— Знаю, она тебе не понравилась, — сказал отец.

— Не пойму, с чего ты это взял, — ответила дочь делано невинным тоном.

— Довольно, Хоуп, эта твоя мания судить о людях, ничего о них не зная, совершенно невыносима.

— Не о людях, а о твоих любовницах — это не одно и то же.

— Амелия — сама откровенность. Про таких говорят: «Сердце на ладони».

— Когда сверху давят такие тяжелые мешки, неудивительно, что оно сползло так низко.

Сэм уставился на дочь, она расхохоталась, он не удержался и крепко обнял ее.

129

— Доченька, твой смех — средство от всех недугов!

— Надо предложить лаборатории твоей невесты сделать из него лекарство.

— Он ничего?

— Кто?

— Твой Джейсон.

— Джош! Что значит «ничего»?

— Ты с ним счастлива?

— А разве не заметно?

— Заметно, это меня и тревожит.

— Почему?

130

— Просто так. Я счел необходимым изобразить ревнивого папашу. Ну, не исключено, что я и вправду немного ревную. Как ты похожа на свою мать!

— Не говори ерунды, я как две капли воды похожа на тебя. Тут мне повезло!

— Я имел в виду твой характер.

— А ты счастлив с Амелией?

— По мере возможности.

— Тогда она, наверное, ничего.

Сэм расспросил Хоуп об учебе, планах, занятиях, быте. Она отвечала уклончиво: ей не терпелось самой начать расспросы.

Сэм год за годом привыкал к жизни в Калифорнии. Сан-Франциско соблазнил его приятным климатом. Часть своего рабочего времени он посвящал частной практике, а другую — работе в больнице. Там он познакомился с блестящей молодой специалисткой по нейрохирургии и решил представить ее Хоуп. Молодой нейрохирург готова была оказать Хоуп всяческую поддержку, но только при одном условии: отказаться от нелепой идеи посвятить себя чистой науке, отрекшись от практической медицины.

— Черт, каким же ты бываешь старомодным! Ну нет у меня желания иметь дело с больными! Не знаю, как ты умудряешься не забирать их с собой, когда возвращаешься с работы домой. Я так не смогу. Сопереживание, понимаешь? Я бы рядом с ними сама разболелась, подхватила бы от них все их хронические недуги...

— Хоуп, то, что произошло с твоей мамой, не передается по наследству. Заруби это себе на носу раз и навсегда и кончай со своей ипохондрией.

— Ты все переворачиваешь с ног на голову. У меня ипохондрия? А кто сдавал кучу экзаменов с температурой 38,2?

— Ну и что? Бывает, и у сапожника дочка ходит в дырявых туфлях.

131

— Пап, я всей душой люблю то, что делаю. Я нашла свой путь, и мне хочется, чтобы ты согласился с моим решением.

— Думаешь, я бы платил за твою учебу, если бы это было не так? Просто мне нравится тебя дразнить.

— У вас с Амелией все серьезно?

— Не знаю, об этом еще рано судить.

— Но вы же живете вместе.

— Так практичнее. К тому же я не выношу одиночества. А у тебя серьезно с этим Джейсоном?

— Ты это нарочно?

— Вид у него приличный, сам такой статный.

— Да, у нас все серьезно, если всерьез относиться к любви, но мы не живем под одной крышей. Ты снял мне комнату в общежитии, куда нет хода мужскому полу. Забыл?

— Я действительно так поступил? Странно, это не в моем стиле. Ладно, если к осени вы останетесь вместе, ты сможешь подыскать себе другое жилье. Наверное, ему негде тебя поселить?

— Представь, как раз есть. Только он снимает квартиру вместе с приятелем, что для нашей близости не идеально.

— Не уверен, что хочу знать подробности. Ты ничего не хочешь спросить об Амелии?

— Нет, но если это доставит тебе удовольствие...

— Она разведена, у нее милая дочь Элен восемнадцати лет.

— Она тоже с тобой живет?

— Ты не будешь ревновать?

— Вы сюда надолго?

— Нет, сегодня вечером нас ждут на конгрессе в Бостоне, а завтра вечером мы уедем обратно.

— Я думала, ты прилетел ради меня.

— Я для того и принял приглашение, чтобы был предлог сбежать из больницы и повидаться с тобой.

133

— Я скучаю по тебе.

— И я по тебе, доченька, — каждую минуту. Твоя фотография стоит на моем рабочем столе, на каминной полке, даже на ночном столике.

— Надеюсь, ты ее поворачиваешь, когда вы с Амелией принимаетесь резвиться.

— Знаешь, что самое лучшее и самое ужасное в жизни отца?

— Иметь такую дочь, как я?

— Понять, что у нее теперь своя жизнь.

За обедом оба словно вернулись в прошлое, когда на кухне их дома в Кейп-Мей они рассказывали друг другу, как прошел день.

Хоуп казалось, что она опять превратилась в школьницу. Она охотно рассказывала отцу об университетских занятиях, о своей мечте когда-нибудь открыть средство от склероза. Правда, о совместных проектах с Джошем и Люком она умолчала.

Сэм, как бывало раньше, рассказывал ей о своих пациентах, о работе в больнице, о том что претендует на должность завотделением, но у него есть конкуренты, что возлагает большие надежды на это продвижение по службе. Когда же стрелка часов снова перенесла их в настоящее, Сэм заговорил об Амелии, Хоуп — о Джоше.

Они так увлеклись, что перестали замечать время, хотя Хоуп раз-другой вспоминала про Джоша — наверное, потому, что ей хотелось, чтобы он был сейчас рядом.

Когда они выбирали десерт, Сэм получил сообщение от Амелии. Она решила заняться покупками и передавала его в полное распоряжение дочери до шести часов вечера, когда должен был открыться конгресс.

— Может, прогуляешь занятия? — спросил Сэм у Хоуп.

— Это ты нарочно, чтобы проверить, насколько я прилежная студентка?

— Нет, чтобы проверить, хочешь ли ты еще немного побыть с отцом и ради этого слегка нарушить дисциплину.

— У меня занятия только утром.

— Тогда предлагаю прогуляться. Я уже забыл, как это делается! Расскажешь мне, как ты познакомилась с Джейсоном.

Хоуп прикусила губу и повела отца к реке. Там, сев на скамейку, они стали вспоминать ее детство и женщину, которой так не хватало им обоим. Бывают воспоминания, над которыми не властны годы.

— Я все так же сильно горюю по маме. Не хочу, чтобы боль меня покинула, это было бы все равно что потерять ее во второй раз. Только горе теперь меня с ней и связывает, — призналась Хоуп отцу.

Он повернулся к дочери и пристально на нее посмотрел.

— Знаешь, в больнице мы с несколькими коллегами открыли клинику для тех, у кого нет средств на лечение. Клиника — это, конечно, слишком громко, скорее что-то вроде диспансера. В этом году добавился новый контингент пациентов — беженцы, как их называет телевидение. Люди, спасающиеся от безжалостных картелей, бросающие все и пересекающие границу.

135

— Зачем ты мне об этом рассказываешь?

— На свете есть места, где смерть так косит людей, что траур по погибшему длится от силы день, а чаще — только час. Об умершем тут же забывают, потому что ему на смену приходит другой и так далее, и если обратить все свои внутренние ресурсы на выживание, то настанет твой черед. Так устроена жизнь там, где бушуют войны, там, где люди умирают от голода или от пуль тиранов. И я подумал: это исключительная привилегия — так долго горевать, как мы с тобой горюем по твоей матери.

Их прогулка затянулась до сумерек. Хоуп пообещала отцу навестить его летом, он ей — приехать к ней весной или тогда, когда снова сможет выкроить время. Они расстались на перекрестке. Сэм предлагал ее подвезти, но Хоуп сказала, что хочет вернуться одна. Она соврала — из гордости. Как только силуэт отца исчез из виду, она схватила телефон и позвонила Джошу.

— Ты за мной приедешь? — грустно спросила она.

Сэм и Амелия встретились в баре своего отеля. Она ждала его в вечернем платье.

— Тебе идет! Обновка?

— Это старое платье, ты видел меня в нем минимум трижды. Я посвятила вторую половину дня обзвону моих клиентов из номера отеля.

— А как же шопинг?

— Ты меня недооцениваешь, Сэм. Хорошо провел время с Хоуп?

— Прекрасно!

— Тебе не понравится то, что я сейчас скажу: Джош — чудесный парень!

— Откровенность за откровенность: ты очень понравилась Хоуп.

— Я тебе не верю, но это сладкая ложь — то ли твоя, то ли ее.

137

———

Хоуп ждала Джоша на той же скамейке, на которой сидела с отцом. У тротуара затормозило такси, Джош, расплачиваясь, помахал рукой, потом заспешил к ней.

— Ты примчался за мной на такси?

— Мне показалось, что это срочно.

— Из-за меня ты транжиришь деньги. Такси нам не по карману.

— Это как посмотреть! Не бери в голову, не так все страшно!

— Как вам зоопарк?

— Там слоны, жирафы, львы, тигры, даже зебробуйволы!

— Кто такой зебробуйвол?

— Плод греха зебры и буйвола. В общем, до зоопарка мы не дошли. Я завел ее в вегетарианскую закусочную около кампуса. Гнусное местечко, но ей, кажется, понравилось. Амелия — прелесть.

— Ты не слишком пялился на ее грудь?

— Тебе грустно, Хоуп?

— Не хочу плакаться, есть люди гораздо несчастнее меня.

— Думать, что у тебя нет права на грусть, потому что ты не самая несчастная на свете, так же глупо, как запрещать радоваться на том основании, что кто-то радуется еще сильнее тебя.

— Отец спросил, серьезно ли у нас с тобой.

— И что ты ему ответила?

— Что если я тебя люблю, то как раз потому, что все это несерьезно.

— Ты сказала ему, что любишь меня?

— А ты меня любишь?

— Я должен доверить тебе одну тайну, Хоуп. Я еще никому этого не говорил, даже Люку. Я самозванец. Знала бы ты, как я стараюсь не повзрослеть! Я хочу, как в двенадцать лет, восторгаться отцом и дочерью, не сводящими друг с друга глаз в ресторане, целующейся парой...

— Как целуется эта пара? — перебила его Хоуп.

— Вот так, — ответил он, целуя ее. — Я хочу, чтобы меня трогало зрелище вон тех стариков на скамейке, еще улыбающихся жизни, хочу умиляться доверчивой собаке, глядящей на тебя как на воплощение счастья. Я рассказывал тебе про дворнягу, спутницу моего детства?

— Нет. Продолжай.

— Я хочу и дальше восторгаться тайной, которой обмениваются двое, молча глядя друг на друга в толпе, как глядим порой друг на друга мы с тобой на лекциях, хохотать как сумасшедший именно тогда, когда этого делать нельзя, — тут тебя никому не превзойти, — бояться, что ты меня бросишь: я ведь постоянно боюсь, что надоем тебе и ты уйдешь... Думаю, среди тысяч людей можно узнать тех, кто любит друг друга так, как мы, тех, кто так же невинно смотрит на мир, тех, кто жив надеждой, тех, кто сомневается в себе, но не в своих любимых. Мне ужасно повезло, что я тебя узнал, Хоуп.

139

Она наклонилась к его уху и прошептала, что хочет его прямо сейчас.

Джош не стал ждать и, не думая о деньгах, свистом остановил проезжавшее мимо такси.

————————

На следующее утро Люк огорчил их своим дурным настроением. В перерыве между занятиями он почти не разговаривал с Джошем. Хоуп пришлось проявить все свое чувство юмора, чтобы его умаслить и уговорить выпить с ними пива после лекций. В конце концов Люк признался, что расстроен неважными первыми результатами своих опытов в Центре. Что-то по непонятной ему причине пошло не так.

Хоуп предложила отправиться туда вечером втроем и вместе попробовать разобраться. Люк с удовольствием принял ее предложение, вернее, тот факт, что Джошу придется наконец уделить внимание их общим занятиям.

————————

Потянулись дни, наполненные занятиями, подготовкой к экзаменам и вечерними трудами в Центре, где после каждой неудачи все приходилось начинать заново. Каждый урывал всего по нескольку часов сна, иногда просто уронив голову на стол, а то и прямо на полу в лаборатории, если ночь заставала их там.

Приближались экзамены. Хоуп сильно осунулась, у нее похудело лицо и вокруг глаз залегли круги. Джош отказался от сигарет, Люк — от спиртного, но и это не помогло им сохранить форму. Единственное воскресенье, когда они позволили себе побездельничать, было посвящено одному — мертвецкому сну.

Экзаменационную неделю они продержались на энергетических напитках, усовершенствованных благодаря химическим талантам Хоуп. Все трое блестяще прошли испытание, хотя не обошлось без трех приступов тахикардии, один из которых отправил троицу в отделение неотложной помощи, где на приведение в порядок сердечного ритма потребовалась целая ночь, завершившаяся суровой нотацией врача.

Диплом позволял им проучиться в университете следующий год, однако Люку и Джошу оставалось еще решить вопрос с финансированием своей учебы. Для этого нужно было продолжить эксперименты в Центре

141

и, главное, переубедить Флинча, у которого возникли серьезные сомнения насчет их проекта.

Хоуп с этой проблемой не сталкивалась, однако, понимая ее важность, посвящала себя без остатка ее решению, как и они.

Два этапа были пройдены. Нейроны по-прежнему сплетались друг с другом на кремниевых чипах, и образовывавшиеся таким образом процессоры удовлетворительно выполняли простые программы, задаваемые Джошем. У них получалось включать и выключать ток и приводить в движение маленького робота, который перемещал кусочек сахара, беря его по команде при помощи собранного Люком подвижного захвата. До искусственного разума было еще далеко, но, как не уставал повторять Джош, все это делалось на основе нейронов из мозга крысы. Надо было еще добиться настоящего прорыва — заставить нейроны взаимодействовать с элементами компьютера.

Как-то ночью, когда кондиционеры работали особенно усердно, Хоуп грела руки у вентилятора одного из серверов. Застывшие пальцы постепенно розовели. Внезапно она обернулась к Джошу, пытавшемуся познакомить своих микропитомцев с их электронными собратьями.

— Они мерзнут! Наши головастики парализованы холодом! — осенило ее.

«Головастиками» Хоуп прозвала органические микрочипы. Для некоторых из них она даже придумала клички.

— В процессе соединения они потребляют тепло и расходуют энергию. Надо подогреть их до температуры выше 37,2.

— Вся индустрия ломает голову над проблемой охлаждения компонентов, а ты предлагаешь сделать все наоборот? — удивился Люк.

— Наши-то живые! — возразила Хоуп, хотя еще не была полностью убеждена в обоснованности своего предположения. Но она исходила из того, что Флеминг открыл пенициллин после того, как, отправившись в отпуск, забыл препараты в лаборатории. Раз она ночь за ночью мерзла от взбесившихся кондиционеров, почему бы и ей не испытать судьбу?

Джош и Люк с сомнением переглянулись, но Хоуп поняла, что ей удалось их заинтересовать.

— В конце концов, почему бы и нет? — бросил Джош.

— Хотя бы потому, что мы рискуем их убить. Разве это мало? — спросил Люк.

— Тогда мы повторим первый и второй этапы, — сказала Хоуп.

— И потеряем две-три недели. Сомневаюсь, что Флинч согласится столько ждать.

— Вот именно! Нам ничего не остается, кроме как рискнуть. Была не была! — воскликнул Джош, вдохновленный отчаянием.

— Минуточку! — Хоуп подняла руку. — Все согласны, что возможная неудача будет результатом коллегиального решения?

— Как и удача? — дружно подхватили Люк и Джош.

144

— Об этом я не подумала, но... Скажем, если вы вдвоем как следует меня отблагодарите, закатите мне королевский ужин и предоставите два выходных... В таком случае я согласна.

— Скажи-ка, Флеминг доморощенный, — насмешливо проговорил Люк, кладя руку ей на плечо, — до какой температуры нам следует нагреть чипы?

Хоуп сделала вид, что раздумывает, хотя понятия не имела, что ответить. От трех лишних градусов у нее ожили занемевшие от холода фаланги пальцев; «головастикам» явно потребуется меньше, иначе у них будет смертельный тепловой удар. Она притворилась, что считает на пальцах, изобразила гримасой процесс вычитания и воскликнула:

— Тридцать восемь градусов! Нет, 37,8, — тут же поправилась она.

— То есть от балды! — усмехнулся Джош.

— До чего же ты груб! Но раз ты догадался, то у меня гора с плеч.

— Если не возражаешь, начнем с 37,5.

Джош поместил препарат «головастиков» на нагревательную плитку и стал постепенно повышать температуру, кое-как контролируя ее зондом. Они сильно перепугались, когда она подскочила выше 38, прежде чем Люк успел снять органические чипы с плитки и присоединить их кабелями к компьютеру. Все трое затаили дыхание.

145

В шесть утра Люк, Джош и Хоуп последними покинули бар, где достойно отпраздновали первую передачу информации от органических процессоров к их электронным аналогам.

Люк уведомил об этом достижении Флинча только днем позже. И не из желания воспроизвести эксперимент ради подтверждения результата — они все равно сделали это, доложив о нем, — а потому, что раньше ни один из троицы все равно не смог бы выдать ни одной осмысленной фразы.

Их результат не был крупным вкладом в области создания искусственного интеллекта, тем не менее он стал еще одним шагом в процессе, захватившем весь мир. Пускай крохотная, но все же частица жизни была перенесена в машину. Достигнутое в крайне малых масштабах могло рано или поздно быть воспроизведено на куда более значительном уровне.

Именно этой логикой и руководствовался Флинч, когда без промедления оплатил из средств «Лонгвью» стоимость обучения Джоша и Люка в университете сразу на два года вперед.

———————

В середине июля Хоуп и Джош впервые разлучились. Хоуп сдержала слово: отправилась в гости к отцу в Сан-Франциско.

Джош пустил немалую часть своего месячного бюджета на аванс за телефонную связь и истратил все за неделю. Люк пришел ему на выручку и предложил вернуть деньги на телефонный счет в обмен на обещание немного снизить интенсивность переговоров. Дело было не в частоте звонков. Просто по вечерам Хоуп и Джош подробно описывали друг другу события истекшего дня и засыпали, прижав к уху телефон и отключая связь только после того, как желали друг другу доброго утра, и так каждый день.

Проводив отца в больницу, Хоуп отправлялась гулять по Сан-Франциско. Город день ото дня нравился ей все больше. Она полюбила бродить по кварталу Кастро и вдоль пристани для яхт, торговаться в лавочках на Юнион-стрит и нежиться на черном песочке пляжа Маршалл Бич, если северную оконечность мыса не затягивало туманом.

Сначала присутствие Амелии смущало Хоуп, но потом она привыкла. За столом Амелии цены не было: она умела заполнять пустоты, так портившие Хоуп вечера ее детства, нескончаемыми рассказами о смешных происшествиях в поездках, о клиентах, которых она мастерски передразнивала, о собственных потешных промахах. Хоуп обнаружила в ней трогательное чудачество, о котором раньше не подозревала. Еще больше ее подкупало искреннее отношение Амелии к ее отцу.

147

Когда та объявила, что отправляется в деловую поездку по штату, Хоуп даже испытала сожаление.

Амелия уехала утром. Хоуп и Сэм помогли ей сложить в багажник вещи и остались стоять рядом на крыльце, пока ее машина не исчезла, свернув за угол.

Сэм первым вернулся в дом и позвал застывшую на ступеньках Хоуп.

— Только не говори мне, что будешь по ней скучать. Дай сперва хотя бы выпить кофе!

— Так далеко я не зайду, хотя тоже не откажусь от кофе. Может, попьем его в городе?

— У меня нет времени, Хоуп, работы полно, — ответил Сэм, надевая плащ.

По пути он захватил портфель. Сев за руль своего универсала, он опустил стекло и помахал дочери рукой.

Что оживило в ней старые воспоминания — этот старый «форд» или прощальный отцовский жест?

Хоуп бросилась в кабинет отца с намерением воспользоваться его отсутствием и вывернуть содержимое всех ящиков и шкафов в доме, чтобы найти кое-что для нее важное.

Где могут храниться реликвии ее детства?

Она вспомнила, как в день ее отъезда из дома в Кейп-Мей отец отнес их все на чердак в картонной коробке, как будто желал показать ей, что тоже способен подвести черту под их прежней жизнью. Она тогда нежно улыбнулась, догадавшись, что для него это единственный способ скрыть нахлынувшие чувства.

Здесь не было ни чердака, ни гаража. Кабинет, гостиную и обе спальни она уже обшарила. Поднявшись на второй этаж, она занялась гардеробной, на две трети занятой вещами Амелии. Хоуп отодвинула отцовские куртки, привстала на цыпочки, кляня природу, отказавшую ей в высоком росте, раздвинула джемперы на полке — и радостно вскрикнула.

149

Коробка была спрятана за сложенными старыми простынями. Она тут же ее узнала и, бережно держа двумя руками, отнесла к себе.

Сев по-турецки, она сняла крышку и стала лихорадочно рыться в куче вещей, каждая из которых была полна воспоминаний. Отложив в сторону плюшевые игрушки, пустой тюбик от губной помады, альбомы для рисования и пенал с карандашами, она схватила детскую книжку и раскрыла ее на коленях. Это была иллюстрированная сказка об обезьянке, которую притягивали городские огни. Перелистывая страницы, Хоуп слышала голос матери, читавшей ей эту сказку. Поднеся книгу к лицу, она вдохнула запах бумаги в надежде уловить забытый аромат духов. Ей хватило бы даже едва заметной подсказки... Но книга молчала.

Хоуп долго рассматривала каждый предмет, прежде чем убрать его на место. Поставив коробку обратно в шкаф, она не вернула на место только книгу, которую сразу же спрятала в свой чемодан.

150

———————

В день отъезда она в первый раз встала раньше отца. Пришло время возвращаться на Восточное побережье. Она не говорила с Джошем уже два дня, с тех пор как у него на телефонном счете кончились деньги, и успела соскучиться по его голосу. Ее попытки связаться с ним через Люка не увенчались успехом. На всякий случай она оставила на его голосовой почте сообщение о времени своего прилета.

Полицейский подошел к машине Сэма и велел не задерживаться перед зданием аэропорта. Хоуп заверила отца, что отлично провела время, а он пообещал сделать все возможное, чтобы повидаться с ней на Рождество.

— Ты не сердишься, что я оставляю тебя одного?

— Скоро вернется Амелия. Я передам ей от тебя привет.

— Как хочешь.

— Ты нашла то, что искала?

Хоуп изобразила удивление.

— В моих вещах... Могла бы сложить все, как было.

— Я похитила у тебя старый пуловер, ты давно перестал его носить. Буду надевать его этой зимой, вспоминая папу. Дочерний фетишизм.

151

— Раз так, то ты молодчина. Береги себя. Я буду по тебе скучать.

Хоуп бросилась отцу на шею и сказала, что любит его. Сэм взял с нее обещание позвонить ему по прибытии.

— Обязательно! — крикнула она и исчезла в терминале.

Там она зашагала к эскалатору, но на полпути развернулась, прижалась лицом к стеклу и проводила взглядом силуэт отца, садившегося в старый универсал.

В тот вечер Сэм нашел у себя на ночном столике детский рисунок, сделанный цветным карандашом.

Он долго на него смотрел, потом достал из ящика стола рамку, вынул из нее свою фотографию, на которой ему вручали награду, и вставил рисунок.

— Зачем ты повзрослела?.. — прошептал он, ставя рисунок перед собой.

Хоуп молила Святого Пса, Святого Дрома-
дера, Святого Льва, Святого Кита и Святого
Мортимера (облако, смахивавшее на профиль одного из ее учителей английского),
чтобы Джош встретил ее в аэропорту.

Она давно жила с убеждением, что когда
какое-нибудь облако начинает походить на
человека, то это значит, что в облаке живет
его душа. Это безобидное чудачество заро-
дилось как-то тоскливым вечером, когда она
обнаружила в небе Южной Каролины очерта-
ния лица, заставившие ее поверить, что ей на
помощь спешит мать.

Спускаясь по трапу, она подумала, что ил-
люминаторы, должно быть, не пропускают
мольбы, и огорченно ускорила шаг. Но тут

чьи-то руки оторвали ее от земли, и она издала вопль, заставивший оглянуться двух полицейских.

— Ты приехал?

— Ничего подобного, это моя голограмма.

— Какой приятный у твоей голограммы запах! — И она зарылась лицом в волосы Джоша.

— У меня две важные новости, — сказал он после долгого поцелуя.

— Ты беременный!

— Ужасно смешно!

Хоуп потащила его к багажной ленте.

— Выкладывай свои чрезвычайные известия.

— Флинч предоставил нам новую лабораторию, она больше и лучше оснащена.

— В честь чего?

— Это вторая новость. После твоего отъезда мы значительно продвинулись вперед. Заработали более сложные программы, но это еще не все. Кажется, произошел настоящий прорыв. Меня посетила гениальная идея...

— Если появится бригада по борьбе за скромность, тебе светит пожизненное.

Джош заверил ее, что нисколько не преувеличивает. Он сгорал от нетерпения привезти ее в Центр и все ей показать. Но Хоуп эта идея не очень привлекла.

— Я не настаиваю, чтобы мы мчались туда уже сегодня вечером, — оговорился Джош.

— Врун, ты аж приплясываешь от нетерпения. Дай хоть багаж забрать!

— Я жду не дождусь заняться с тобой любовью! — вскричал он.

Пассажиры, выстроившиеся вдоль багажной ленты, оторвались от своих смартфонов и уставились на них.

— Взаимно, — ответила она тем же тоном и так же звонко.

Стоявшая рядом женщина бросила на нее возмущенный... а может, завистливый взгляд.

155

Джош встречал Хоуп на машине Люка. Примчавшись домой, они стремглав взлетели по лестнице и бросились в спальню.

Его удивила нежность Хоуп, как и его собственная неожиданная способность быть нежным. Такого с ним еще не бывало.

Он сознался ей в этом, заложив руку за голову и зажав в углу рта «косяк».

— Ты же не собираешься курить это в моей спальне? — спросила она, поворачиваясь к нему.

— По последним сведениям, она моя.

— Не тогда, когда здесь нахожусь я, милый Джош. Кстати, пока мы не переберемся туда, где не будет никого, кроме нас, я готова оплачивать свою часть аренды.

— И речи быть не может! — возмутился Джош. — Ты действительно хочешь, чтобы мы поселились вместе?

— Исходя из наших средств, нам пришлось бы довольствоваться студией.

Джош встал, чтобы проверить содержимое холодильника. До нее донесся из кухоньки его голос:

— Поедем в Центр?

————————

156 В этот поздний час большая часть помещений в Центре была заперта. Идя по коридору, Хоуп бросила взгляд на робота-гуманоида, как будто дремавшего на своей подставке. Его латексное лицо было еще реалистичнее, чем в прошлый раз. Хоуп содрогнулась от его вида.

— Где Люк? — спросила она, входя в их лабораторию.

— Он с Тилой.

— Кто такая Тила?

— Девушка, с которой он провел вечер... и ночь, наверное, тоже.

— Мы говорим об одном и том же Люке? Как он с ней познакомился? Тила. Какое странное имя!

— Он сам тебе об этом расскажет. По мне, имя как раз симпатичное.

— А по мне, оно звучит как название какой-то рыбы. «Два филе тилы, пожалуйста!»

— Ты случайно не ревнуешь?

— Люка? Какой вздор!

— Нет, Тилу. До сих пор ты была в нашем коллективе единственной девушкой.

— Снова чушь! — возмутилась Хоуп, знавшая, что Джош прав. Появление незнакомки было ей поперек горла.

— Ладно, я мелю вздор. Хочешь, покажу тебе наше достижение?

— С этой девушкой все уже серьезно? Я отсутствовала всего две недели — и вот пожалуйста!

— Разве у нас с тобой все не стало серьезно с первого же вечера?

— Допустим. Наверное, я немного ревную, но не Люка.

— Тебе виднее, — уступил Джош, наклоняясь к монитору, чтобы привлечь ее внимание.

Сначала появились срезы мозга — это, как догадалась Хоуп, была ПЭТ-сканограмма. Потом разные участки мозга окрасились в разные цвета, в углу монитора замигали надписи «действия» и «опознание».

— Чей это мозг? — осведомилась Хоуп.

157

— Как я тебе?

— Твой, что ли? Понимаю... Ты так без меня заскучал, что решил развеяться и сделал томографию... Все, больше я не стану оставлять тебя надолго одного.

— Нет, опыты над людьми — это не для нас. Одному из нас следовало бы, конечно, пожертвовать собой. Но ты ошибаешься, никакой томографии я не делал.

Хоуп пребывала в недоумении.

— Мы присоединили к моей голове несколько сот электродов и несколько часов снимали электрическую активность мозга. Люк в это время стимулировал мою память, вызывая наши с ним общие воспоминания. Потом мы закодировали эти данные и отправили их на компьютер, который создал картинку — ту, что ты сейчас видишь на экране.

— Значит, это твоя память в цифровом виде? — спросила ошарашенная Хоуп.

— Да, хотя все еще очень несовершенно. Как я тебе говорил, на часы записи приходятся считаные секунды воспроизведения, но результат налицо. Фрагменты моей памяти записаны на жесткий диск, теперь мы можем эмулировать их в изображения. Рано или поздно мы сумеем полностью их расшифровать и воссоздать то, что я видел, звуки, которые я слышал, мои ощущения, даже мои чувства — почему нет?

— А где в этой разноцветной радуге я? — спросила Хоуп, вглядываясь в экран.

— Вот тут. — Джош указал на один из участков. — Там, где красочнее всего.

Хоуп повернулась к Джошу, обняла его и расцеловала.

— Какие же вы негодяи! Такое достижение — и без меня!

— Камера!.. — прошептал Джош, поднимая глаза на мигающую на стене красную лампочку.

Хоуп показала камере средний палец и осыпала Джоша еще более пылкими поцелуями.

— Так ты видишь меня разноцветной?

После появления в жизни троицы Тилы тут же возникла проблема жилья. Между двумя спальнями находилась маленькая гостиная, но уединиться двум парам на площади в тридцать восемь квадратных метров все равно было проблематично.

На взгляд Люка, Джош и Хоуп исчерпали свою квоту интимных вечеров, теперь настал его черед. Поэтому Хоуп начинала каждый

159

день с изучения объявлений о сдаче жилья. Раз за разом она водила Джоша смотреть квартиры, но пока что безуспешно. За заманчивыми объявлениями всякий раз скрывалась неприглядная действительность.

Джош решил набрать побольше уроков, чтобы снять квартиру получше. В ожидании разъезда Хоуп ночевала у Джоша по четным дням, Тила у Люка — по нечетным. Обстановка от этого становилась все напряженнее.

От Тилы исходила бурная сладострастность, граничившая, на взгляд Хоуп, с вульгарностью. Все в ней — и манера одеваться, и каждый жест — было пронизано эротизмом, и Хоуп недоумевала, что в ней умудрился найти такой умник, как Люк. Ответ, напрашивавшийся сам собой, еще больше повергал ее в смятение.

Как-то утром, разбудив Джоша, Хоуп сказала:

— Как насчет того, чтобы уступить ему квартиру на весь уик-энд в обмен на его автомобиль?

— Люк! — крикнул Джош. — Хочешь остаться вдвоем с Тилой в квартире на весь уик-энд?

— Еще бы! — раздалось из-за перегородки.

— А мы взамен возьмем машину. Договорились, — сказал Джош, оборачиваясь к Хоуп. — Куда едем?

— В Кейп-Мей.

— А что там, в Кейп-Мей?

— Я уже две недели ломаю голову, никак не вспомню название маминых духов. С ума схожу!

— У отца спросить не сообразила?

— Это табуированная тема.

— Что, если и там ты их не найдешь?

— Там остались мои детские воспоминания. Хочу разделить их с тобой.

161

Едва Люк проснулся, как Хоуп услышала стоны Тилы. Хоуп бросила на Джоша такой взгляд, значение которого было понятно сразу. Они поспешно собрали сумку, заехали к Хоуп, чтобы она захватила кое-что из своих вещей, и помчались в Кейп-Мей.

Туда они прикатили в середине дня, в изнуряющую жару. Путешествие завершилось у подножия громоздящейся над океаном песчаной дюны. Почти безлюдный пляж терялся за горизонтом, в какую сторону ни глянь.

Хоуп и Джош смело бросались в волны, но океан раз за разом выносил их на песок.

Когда жара сменилась наконец вечерней прохладой, они собрали вещи и Хоуп повела Джоша в квартал, где выросла.

Вдоль полузанесенных песком улочек стояли деревянные домики. У самых скромных из них были крыши из рубероида, у остальных — черепичные ШИНГЛ. Перед домиками зеленели квадратные лужайки с деревцами, покрытыми цветами, которые резко выделялись на фоне охристого закатного неба.

Хоуп остановилась у забора на пересечении улиц Свон и Веноха и указала пальцем на маленький частный домик.

— Видишь окошко на втором этаже? Там была моя комната.

— Хочешь, позвоним в дверь? — предложил Джош. — Вдруг теперешние жильцы впустят нас?

— Нет, пусть память сохраняет все так, как было раньше.

— От чего умерла твоя мама, Хоуп?

Вопрос застал ее врасплох. Немного поколебавшись, она потянула Джоша за руку.

— Идем.

Они прогулялись пешком по Мичиган-авеню и обогнули озеро, отделявшее дорогу от теннисных кортов.

— Она не заметила пикап, выезжавший вот отсюда, — объяснила Хоуп, останавливаясь на переходе.

Это было сказано бесстрастным тоном полицейского, докладывающего о дорожном происшествии начальству. Она сама этому удивилась, тем не менее продолжала доклад тем же холодным тоном. От удара машина завиляла, завалилась на бок, съехала в воду и быстро пошла ко дну.

— Мне очень жаль, Хоуп.

— Не надо, при чем тут ты? И потом, мне жалостливый мужчина ни к чему. Почему ты никогда мне не рассказываешь о своих родителях?

— Я их обожаю, но нам нечего друг другу сказать.

— Что с тобой произошло в двенадцать лет?

— Ты это о чем?

— В тот единственный раз, когда ты обмолвился о своем детстве, ты сказал, что хотел бы так же восторгаться ими, как в двенадцать лет.

163

— Был вечер моего дня рождения. Отец заглянул мне в глаза, и вид у него был немного удрученный. В чем дело, спрашиваю. А он и говорит: «Когда во мне погас тот свет, который я вижу в тебе?» Мне захотелось никогда не стареть. Он очень старался, но моей матери всего было мало. Думаю, она очень рано разлюбила отца. Я тоже не сумел сохранить ее любовь.

— Мои родители были без ума друг от друга, — вновь заговорила Хоуп, удаляясь от берега озера. — Когда видишь столько любви, планка устанавливается очень высоко. Хватило одного момента слабости, чтобы все испортить.

— Это был несчастный случай, не надо сердиться на него за это.

— Я о себе. Я занималась спортом, у меня пошла кровь, я запаниковала и попросила вызвать мою мать... Уйдем отсюда, я приехала за ее духами, а не за запахом смерти.

Стемнело быстро, темнота застала их в пути. Пришлось искать «Камаро», светя мобильниками как фонариками. Хоуп показала Джошу, как проехать в маленький порт Кейп-Мея.

После ужина они покатались по городку при свете собственных фар и остановились в маленьком мотеле, словно проросшем у дороги, между двумя дюнами.

В примитивном номере были только кровать и душ, но им было нужно только это, ничего другого.

Эта поездка в Кейп-Мей стала поворотной в их романе. Когда на кровать упал луч утреннего солнца, Хоуп, смотревшей на спящего Джоша, стало ясно, что ей всегда будет нужен только он.

Всего через несколько часов, днем, Джош почувствовал то же самое.

Хоуп была счастлива, она танцевала на песке и смеялась так, словно ей одной открылись все на свете тайны.

Они любили друг друга, более того, они были избранниками судьбы.

Выходя из волн, Хоуп сказала ему:

— Знаешь, милый Джош, маленькие мгновения жизни не так уж и малы.

Рано утром Джош отлучился за покупками в бакалею за углом. Вернувшись с полными руками — пакеты чипсов, дешевый пирог и упаковка пива, — он застал Хоуп сидящей по-турецки, с книгой на коленях и с телефоном в руке.

— Сообщение от Люка?

— Нет, ищу кое-что в Интернете.

— Что именно?

— Как преобразовываются молекулы духов, вернее, может ли их активизировать какой-нибудь растворитель. Я надеялась, что смогу что-то сделать, но, как выяснилось, на это мне не хватает ума.

Глядя на ее книгу, Джош сложил на стол свои покупки.

— Ты попробовала намочить бумагу, прежде чем усложнять себе жизнь?

Хоуп подняла глаза, решив, что он над ней подшучивает. Потом, не сводя с него взгляд, она облизнула себе указательный палец, положила его на край страницы и сунула в книгу нос.

Глубоко вдыхая, с полными переживания глазами, Хоуп насыщалась прекрасной историей, содержавшейся в книге. Она узнала запах тех вечеров, когда засыпала, припав щекой к материнской руке.

Закрыв книгу, она убрала ее в сумку.

Цель поездки была достигнута. Прогулявшись напоследок по пляжу, они сели в машину и уехали.

Возвращение в квартиру стало для них резким осознанием реальности. Люк встретил их в трусах, Тила — в пеньюаре Хоуп.

На следующее утро, едва проснувшись, они сбежали в «Старбакс». Хоуп стала штудировать предложения съемного жилья в Интернете, Джош взял на себя соответствующие рубрики местных газет.

Целую неделю они просматривали квартиры. Джош решился расширить зону поиска, и в результате они остановили выбор на просторном светлом лофте, совершенно непохожем на тот район, где они его нашли. Но, поторговавшись с хозяевами и договорившись о цене, они больше не стали проявлять излишнюю разборчивость.

Позвонив отцу, который по ходу разговора сознался, что на Рождество собирается поехать куда-нибудь с Амелией, Хоуп добилась от него обещания заплатить.

Арендный договор был подписан, переезд состоялся уже на следующий день.

167

Лето закончилось, начался новый семестр. Джош после лекций занимался с учеником, по-прежнему оставшимся полным тупицей. Затем он садился на велосипед — подарок

Хоуп, рывшейся на барахолках в поисках мебели для их лофта, — и торопился в Центр, где его ждал Люк. Хоуп присоединялась к ним при первой возможности, и втроем они посвящали почти каждый вечер исследованиям, служившим потом темой почти всех их бесед.

Тиле быстро надоела эта ситуация, и в середине октября она порвала с Люком, предпочтя ему капитана баскетбольной команды. Люк стоически перенес удар и, чтобы забыться, стал проводить в Центре еще больше времени.

В середине ноября Флинч повысил его, назначив ассистентом. Люку льстило доверие профессора, он наслаждался новым положением.

Тила осталась всего лишь воспоминанием. Троица снова сплотилась, как в былые времена.

Если бы не чрезмерные нагрузки, если бы не проблемы с деньгами, с которыми Хоуп и Джош сталкивались постоянно, если бы не постоянная мигрень, заставлявшая ее сидеть за монитором исключительно в очках (а очки она терпеть не могла и надевала их, только когда у нее начинала раскалываться голова), если бы не отсутствие отца, не отходившего от Амелии, — если бы не все это, жизнь была бы прекрасной, а будущее — просто великолепным.

Опыты в Центре выглядели многообещающе. Благодаря обращению Флинча к директору университетской клиники они получили право дважды в неделю пользоваться томографом — за час до прихода бригады техников.

Это разрешение носило сугубо конфиденциальный характер, о том, что они используют томограф, не полагалось знать больше никому.

В 22.55 по четвергам и воскресеньям троица проникала в клинику через морг, кралась по коридору, упиравшемуся в котельную, входила в грузовой лифт и поднималась на верхний этаж в компании тележек с бельем. Дальше оставалось только войти через служебную дверь в отделение рентгенологии и томографии, в этот час закрытое. Тщательно придерживаясь этой схемы, они на 55 минут получали в свое распоряжение самое совершенное оборудование, а потом им надлежало незаметно ретироваться. За этот час у Люка получалось сравнить изображения, сгенерированные компьютером, с теми, которые передавал томограф, сканировавший мозг Джоша.

169

Спустя месяц Хоуп заявила решительный протест против того, чтобы Джош, даже во имя науки, дважды в неделю подставлял свой мозг под магнитное поле машины, управлять которой Люк научился совсем недавно. Конечно, предпочтительнее было бы найти другую подопытную морскую свинку, но где ее взять?

В начале зимы Хоуп решила время от времени использовать мощности Центра для иных целей, нежели те, что воодушевляли ее друзей.

Теперь она при любой возможности сбегала от них и, спрятавшись в первом же свободном помещении, погружалась в собственные изыскания.

Как-то вечером, отдыхая в зале для посетителей, она познакомилась с двумя студентками, немкой и японкой, занимавшимися клонированием клеток мозга. Новая троица, спаянная симпатией, завела привычку встречаться всякий раз, когда начинала испытывать потребность в кофеине.

Вечер за вечером Хоуп засыпала своих новых подруг несчетными вопросами и в конце концов усмотрела в их занятиях дополнительную возможность — применить их в своей излюбленной сфере нейродегенеративных заболеваний.

Подогревая их интерес, она высказала мысль, что рано или поздно появится возможность клонировать здоровые клетки и пересаживать их в целях лечения некоторых патологий, ведущих к перерождению мозга. Свои умозаключения она подкрепляла результатами опытов Джоша и Люка. Две студентки мигом сообразили, какую пользу может принести им Хоуп.

Теперь она все чаще убегала от своих партнеров к новым подругам.

Люк и Джош долго ничего не замечали, и Хоуп это было на руку. Зато перемены не ускользнули от внимания Флинча. Сначала они его как будто не беспокоили, но ближе к Рождеству он все же вызвал Хоуп. То, что она нащупала свою подлинную сферу интересов, не значит, сказал он, что для нее действуют какие-то особые правила — во всяком случае, если она намерена и впредь пользоваться возможностями «Лонгвью». Ее присутствие на еженедельных встречах отныне становится из факультативного обязательным: впредь она обязана регулярно отчитываться о своей работе и делиться ее результатами, в противном случае допуск в Центр будет для нее закрыт.

171

Хоуп попросила немного времени подумать. Флинч велел ей дать ответ до конца года.

Когда она решила обсудить это с Джошем, он слушал вполуха, и она на него рассердилась.

В тот вечер Хоуп замаскировала деревянный ящик, служивший им журнальным столиком, миленькой белой скатеркой, тоже добытой во время экскурсий по барахолкам, и довольно причудливо сервировала стол, обойдясь без тарелок. Она угостила Джоша единственным блюдом, которое могла с грехом пополам приготовить.

172

Во время этого ужина Джош перебивал ее всякий раз, когда она заговаривала о своих занятиях.

— На этой неделе Люк добился чудесных результатов! — воскликнул он, отказываясь от добавки.

— Чудеснее даже моей стряпни?

— Ты только послушай, Хоуп: мы откартировали почти треть моего мозга и накопили двадцать тераоктетов моей памяти.

— Ты вообще меня слушаешь, Джош?

— Да, очень вкусно, только я не голоден.

— Ты знаешь, что мы еще не женаты?

— Хочешь, чтобы мы поженились?

— Не думаю, нет... Просто ты уже принимаешь меня за прислугу!

— Что я такого сказал?

— Дело скорее в том, чего я не смогла сказать тебе. Ты говоришь только о себе, о Люке, о ваших проклятых опытах. Ты хоть бы о чем-нибудь меня спросил! Уже месяц такое впечатление, как будто меня нет. Ты заметил, что я уже не провожу с тобой вечера, что работаю в другой лаборатории, что у меня появилась другая жизнь помимо нашей с тобой?

— У тебя неприятности? — спросил Джош, удивленный этой вспышкой.

— Помимо мигреней, сводящих меня с ума, помимо того, что у нас нет даже десятки на подарки к Рождеству... Ты хоть знаешь, что оно уже послезавтра, или тоже забыл? А также помимо того, что ты проводишь все время с Люком и приходишь ночью такой измотанный, что забываешь даже меня обнять...

— Твой отец не приедет к нам на Рождество? — попробовал угадать Джош.

— Позавчера он улетел с Амелией в Гонолулу. Я уже тебе говорила, но ты, как всегда, не услышал.

Джош встал, вытянулся, как солдат на плацу, и широко улыбнулся.

— Раз об этом зашла речь, ответь, ты еще веришь в Санта-Клауса? Не смотри на меня

173

так, я ничуть не пытаюсь повлиять на твой ответ.

— Иногда ты ведешь себя как дурак, Джош.

— То есть ты в него больше не веришь. Жаль, конечно, но по крайней мере то, что я задумал, не послужит причиной для разочарования, в котором ты потом обвиняла бы меня.

Он подошел к шкафу (железному ящику, в котором с огромным трудом были устроены полки — однажды Джош потратил на это всю вторую половину субботы), сунул руку под стопку одежды и вынул оттуда перевязанную лентой коробочку.

— С Рождеством! — гордо провозгласил он, вручая коробочку Хоуп.

Она, сохраняя на лице невозмутимость, развязала узел, сняла крышку — и узрела очки. Она хорошо помнила, что однажды видела именно эту пару в витрине антикварной лавки у доков, где по воскресеньям торговали старьем. Она застыла, восхищенная невесомостью черепаховой оправы.

— С ума сошел! — Она водрузила очки себе на нос. Вещь была воистину бесценная.

— Завтра пойдем к офтальмологу. Прощай, головная боль! Ко мне вернется моя любимая, прежде не знавшая, что такое дурное настроение.

— А я получу обратно своего Джоша? Уже много недель, как я его потеряла и никак не найду.

— В новых очках это будет проще.

Хоуп обвила руками его шею и поцеловала.

— У меня нет для тебя подарка.

— Не важно. Прости меня за отсутствие в последнее время. Увидишь, я смогу обеспечить тебе не такую жизнь, как сейчас, квартиру, в которой в холодное время нам не придется напяливать по два свитера. В этой новой жизни мы сможем ходить в рестораны когда захочется и, уезжая путешествовать, не должны будем выбирать между полным баком и обедом. Вот для чего я вкалываю, как подорванный.

— Но послушай, Джош, мне ничего этого не нужно. Вернее, может, когда-нибудь и понадобится, но пока что мне хочется просто поужинать вместе с тобой, даже сидя прямо на полу и сразу в трех свитерах. Самое мое прекрасное путешествие — это ты.

Чувствуя на затылке ее руки, Джош понял, как сильно она устала. Он отнес ее на кровать.

— Ты слишком много работаешь, Хоуп, из-за этого тебя и мучают головные боли. Доктор, которым я мог бы стать, прописывает тебе здоровый ночной сон.

175

Осторожно ее уложив, он растянулся рядом.

— Ну, о чем ты хотела со мной поговорить?

— О том, от чего у меня как раз и пропал сон, — сказала она, закрывая глаза. — Я должна сделать выбор, но никак не решусь. Мне нужны твои советы.

— Что за выбор?

— Сегодня вечером я послушаюсь своего доктора, пусть он и самозванец. Поговорим об этом завтра.

Она сладко зевнула, повернулась на другой бок и почти сразу уснула.

176

Джош сторожил ее сон. Хоуп морщилась, — видимо, ей снился кошмар. Такое часто случалось в последнее время, и она нередко вскакивала среди ночи. Он погладил ей лоб. Его присутствие подействовало на нее успокаивающе. Завтра, в канун Рождества, она ничего не вспомнит.

———————

Ночью разыгралась буря, от ветра дребезжало панорамное окно лофта. Похолодало, причем не только на улице, но и в квартире. Желание Хоуп исполнилось: замерзший Джош крепко прижался к ней.

Когда они проснулись, Хоуп бросилась к окну. Огромные, как клочья ваты, хлопья снега долго носились в воздухе, прежде чем опуститься на землю, уже ровно застеленную белым покровом. Весь город побелел, а для Хоуп не было большей радости, чем снежное Рождество.

Природа постаралась на славу, и от нее ни в коем случае нельзя было отставать. Хоуп задумалась, как бы получше отметить праздник.

— Настоящая праздничная трапеза — вот что нам нужно! — провозгласила она.

— И дополнительный нагреватель, — добавил Джош, натягивая еще один свитер.

— И это тоже!

Он вывернул карман джинсов и сосчитал мятые купюры.

— Двадцать пять долларов, — доложил он. — Это все, что у меня есть. У моего ученика каникулы...

— Его дочь мерзнет, а он тащит свою Амелию в Гонолулу... — проворчала Хоуп.

— Твой отец не виноват, что у нас такие холодные зимы.

— Это как посмотреть... — Она выдвинула ящик старого комода сороковых годов — самого удачного их приобретения.

— Что ты ищешь?

177

— Вот это! — Хоуп гордо продемонстрировала кредитную карту. — Вручая ее мне, он строго наказал: «Это на крайний случай!» Когда дочь мерзнет, это и есть тот самый крайний случай.

— Так нельзя, Хоуп!

———————

Они начали с того, что арендовали пикап и покатили в крупный торговый центр на окраине. Первым делом Хоуп купила два масляных радиатора. Потом она заглянула в оптику, где у нее диагностировали несильный астигматизм и посоветовали вставить в подаренные Джошем очки корректирующие линзы. Наконец, она подарила Джошу длинное пальто и шерстяной шарф.

Далее последовал налет на гастрономическую лавку, завершившийся скупкой провианта на вечер и на всю последующую неделю.

— Как насчет подарка Люку? — спросила Хоуп, завидев книжный магазин.

— А ты не перебарщиваешь? — отозвался Джош, уже не пытавшийся умерить ее транжирство.

— Неделя в шикарном отеле, билеты на самолет, коктейли на пляже, рестораны... Нет, думаю, конец еще далеко.

— Как хочешь, но я возмещу ему, как только смогу, все те безумства, которые ты сегодня натворила.

— С такими заработками это произойдет не завтра. Пока что — с Рождеством тебя, папочка! Ну что, едем домой?

———————

Всю вторую половину дня они посвятили подготовке к вечеру, о котором Хоуп так мечтала. Она пригласила двух своих подруг из Центра, Джош — Люка.

Праздничный вечер удался. Перед самой полуночью снова зарядил снег, порывы вьюги пытались выдавить стекла. Из окна почти не было видно припаркованных внизу автомобилей. Хоуп достала одеяла и предложила гостям остаться ночевать.

179

8

Утром 25 декабря произошло безобидное событие, от которого Джош впал в раздумья, как оказалось определившие все его будущее.

Маленькая компания целый час пыталась откопать машину Люка. За ночь снега напало видимо-невидимо, а потом мимо проехала снегоуборочная машина, отбросила на тротуар снег с проезжей части — и положение стало почти безвыходным.

Джош и Люк без передышки орудовали лопатами, а Хоуп и обе ее подруги раскапывали снег вокруг колес чем придется.

Джош умудрился поскользнуться и упал лицом вниз. Люк помирал со смеху, Джош вытирал перчаткой лицо. Внезапно запах снега, хохот Хоуп и голос Люка, который требовал, чтобы приятель перестал притворяться и копал дальше, извлекли из памяти Джоша давно забытое воспоминание.

Зима, ему 11 лет. Отец повез его в Коннектикут. Там они провели первые каникулы с тех пор, как его мать отправилась за покупками и не вернулась...

Отец снял скромный, но удобный домик неподалеку от устья лимана реки Согатак.

— Грей Крик... — пробормотал Джош. — Это было в Грей Крик, в конце Квентин-роуд.

Воспоминания бежали у него перед глазами нескончаемой вереницей.

181

Он вспомнил москитную сетку на входной двери, единственную комнату первого этажа, кухоньку, два потемневших от времени кожаных кресла у телевизора. На втором этаже было две спальни и один душ. В доме пахло старой древесиной и воском. С карниза крыши свисала электрогирлянда, Джошу нравился ее слабый свет, развеивавший темноту в его комнате и чувство одиночества.

Вечером они с отцом ходили пешком в небольшую лавочку, хозяйка которой по имени Эльвира пекла пиццу в большой печи. Джош наблюдал за быстро золотящимся тестом.

Как-то утром ему пришлось помогать отцу откапывать машину из-под засыпавшего ее за ночь снега.

Началось это как игра, но превратилось в кошмар. Отец поднял его на смех за то, что Джош недостаточно бойко работал лопатой. Чем больше он смеялся, тем сильнее было чувство унижения Джоша. Вырвав у него из рук лопату, чтобы показать, как надо работать, отец поскользнулся и поранился...

«Теперь ты понимаешь, почему меня разлюбила твоя мама. Я все делаю кое-как». После этих слов отец попросил у сына прощения за то, что накричал на него.

В то утро Джош понял, что мать никогда не вернется.

«Как я мог это забыть?» — недоумевал он теперь.

Он задумался о деталях, которые высвободили это воспоминание. Падение, запах снега и насмешки Люка — вот три элемента, сработавшие словно комбинация цифр, отпирающая дверь сейфа.

Хоуп не ошибалась, говоря, что мелочи жизни далеко не так мелки, как кажется.

Джош сразу стал думать об опытах, которыми занимался в последние месяцы. До сих пор все записанное на сервер «Лонгвью» было порождением его непосредственной памяти. Бывало, на сеансах записи Люк напоминал ему о чем-то из их детства, но пойти дальше ему еще не приходило в голову.

Для этого нужно было обратиться к глубинной памяти, зарытой в бессознательном. Но как ее стимулировать?

— Ты как, Джош? Джош?

Голос Хоуп донесся как будто издалека. Он набрал в легкие воздуху и улыбнулся ей.

— Все в порядке.

— Не больно? — спросил Люк, помогая ему подняться.

183

Опершись о протянутую руку Люка, он прошептал ему на ухо:

— Встретимся вечером в Центре.

———————

Уезжая под вечер, Джош постарался не разбудить прикорнувшую Хоуп. Оставив ей записку, он вышел на цыпочках.

На велосипеде он с большим трудом доехал до конца улицы. Мостовая покрылась льдом, и при нажатии на педали колеса начинали скользить. Сворачивая на перекрестке, он не сумел затормозить и чуть не сбил с ног испуганного прохожего, выгуливавшего собаку. Проехав еще три улицы, он почувствовал себя увереннее. Холод обжигал ему щеки, но не мог его остановить. Переключив передачу, он поднажал, окрыленный чувством свободы.

Успев вовремя на автостанцию, он приковал велосипед к фонарному столбу и запрыгнул ь автобус.

Люк ждал его в своем «Камаро» на остановке в десяти минутах езды от Центра, как они и договорились.

— Обязательно надо работать в Рождество?

— Тебе когда-нибудь снилось, что ты совершаешь грабеж?

— Не припоминаю, — ответил Люк.

— А мне еще как! В детстве я мечтал об этом каждый раз, когда я слышал брань отца, получившего счета: ему, мол, ни в какую не дотянуть до конца месяца...

— Успокой меня!

— Не волнуйся, я еще никогда не переходил к делу, иначе откуда у меня столько проблем с деньгами?

— Зачем ты, собственно, меня позвал?

— Видишь ли, я не имею в виду вооруженное ограбление, насилие — не моя стезя. Меня всегда вдохновляла кража в старинном стиле, как в гангстерских фильмах, которые смотрел по телевизору отец. Там злоумышленники ползли по сточным или вентиляционным трубам, чтобы пробраться в сейфовое хранилище глубоко в подвале банка. Там хранились сокровища, способные кардинально изменить жизнь грабителей.

— Куда ты клонишь?

— Уже несколько месяцев мы промышляем мелкими кражами. Кажется, я придумал, как совершить ограбление века.

— Обкурился, что ли?

— С тех пор, как мы с Хоуп живем вместе, я ни разу не курил траву. Хотя нет, один раз было дело — с ней, чтобы и она попробовала... Она провела ту ночь в обнимку с унитазом, а у меня руки онемели держать ее за плечи... Но мы здесь не ради того, чтобы мило поболтать.

— Утешил.

— Слушай внимательно. Информация, содержащаяся в дальней памяти, доступна не всегда. Это, знаешь, как объяснение банковского кассира: очень жаль, но сейф запрограммирован на то, чтобы открываться строго в определенный час.

— Отстань, наконец, от своих кассиров, банков и грабителей! Вернись к нашей теме.

185

— Хорошо. Но ты увидишь, что мой кассир совсем скоро нам понадобится. Для извлечения на поверхность наших далеких воспоминаний требуются некоторые усилия. Чем больше у нас контекстуальных показателей, тем это проще. Память действует благодаря трем процессам: кодированию, хранению и извлечению. На кодирование влияет концентрация. Но зачем хранить информацию, если можно забыть о ее существовании? Наш мозг использует много стратегий для продления памяти, вернее, для сохранения того, что в ней записано. Взять хоть тебя: ты никогда не помнишь, как зовут людей, с которыми ты пересекаешься. Как звали твою последнюю девушку?

— Ну и вопрос! Думаешь, я уже забыл Талию?

— Тила, а не Талия, дурень! А ведь она бросила тебя всего несколько недель назад!

— Подумаешь, оговорился! Между прочим, мы расстались по обоюдному согласию.

— Ничего себе «обоюдное согласие»! Ладно, не об этом речь. Думаешь, ты вспомнишь, как ее звали, через двадцать лет?

— Понятия не имею! Ты начинаешь меня злить, Джош. Чего ты прицепился к Тиле?

— Я всегда сомневался в ее IQ: лицо у нее явно не испорчено интеллектом, зато грудь была просто супер. Мы с Хоуп прозвали ее «Бетти».

— Почему Бетти?

— Была такая аппетитная героиня мультиков — Бетти Буп.

— Какие же вы подлые люди...

— Напрасно я употребил прошедшее время: ее грудь потеряна не для всех, знаю я одного баскетболиста...

— Сейчас пойдешь пешком! — возмутился Люк и ударил по тормозам.

— Езжай давай! — приказал ему Джош. — Скоро ты все поймешь. Взбесив тебя, я создал особенное событие и записал тебе в мозг серию кодов, которые теперь связаны с Тилой. Ее грудь ассоциируется у тебя с ее именем, я напомнил тебе про спортсмена, ее нынешнего счастливого возлюбленного, и посмеялся над ней. Дня не пройдет, а ты уже пойдешь на баскетбол или прокрутишь мультик с Бетти Буп, а если услышишь, как поднимают на смех формы женщины, к которой ты испытываешь нежные чувства, то вспомнишь наш разговор. Уверен, ты уже не забудешь, что ее звали Тилой.

— Ты меня совсем запутал.

— Погоди, я еще не добрался до выводов. Контекстуальные элементы — это такие ис-

187

точники информации, позволяющие надолго запоминать то или иное событие, коды доступа, ключи, которыми мы потом отопрем двери. Без них мы бы не могли вспомнить ничего важного. Но чтобы воспоминание сформировалось, оно должно поддаваться пересказу, у нас должна быть возможность принять внешнюю точку зрения, рассказать себе некую историю. От одной истории к другой память формирует нашу личность.

— Куда ты, черт возьми, клонишь?

— Даже если гиппокамп и играет в нашем мозгу роль архивиста, — невозмутимо гнул свое Джош, — накапливает информацию не он. Отдельного хранилища вообще не существует. Разные виды памяти присутствуют всюду, они циркулируют в виде миллионов электрических импульсов. Чтобы мы что-то вспомнили, эти импульсы должны воспроизвести в определенный момент некую комбинацию. Гиппокамп — всего лишь диспетчер. Неделю за неделей мы проводим ночи в Центре, регистрируя фрагменты памяти, но это стрельба мимо цели.

— Одно из двух: либо ты находишься под влиянием сильного наркотика, что многое объяснило бы, либо я — полный тупица.

— Не то и не другое. Просто мой ум раз за разом затмевает твой.

— От скромности ты явно не помрешь.

— Вот видишь, это именно то, что я имел в виду! Ты сейчас напомнил мне один эпизод с Хоуп, хотя о ней не было речи.

— Все, пора тебе объяснить наконец, зачем мы едем в Центр!

— Мы разозлим диспетчера, старина! Будем бомбардировать его стимуляторами и принудим отбросить все имеющиеся в нем коды.

— Ты собрался потревожить мозг?

— Примерно так же, как ты тискал груди Тилы, ну, может, немного сильнее! — И Джош с хохотом вывалился из машины.

Люку ничего не оставалось, кроме как последовать за ним. В лаборатории Джош объяснил ему наконец свою задумку.

189

Первый этап его проекта состоял в разработке шлема, коренным образом отличного от того, который они до сих пор использовали для регистрации нервных импульсов мозга. Новая модель не будет утыкана электродами, она будет состоять из нейронной ткани.

— Мы станем размножать наши нейроны не на кремниевых кристаллах, а в проводящей жидкости. Мы воспроизведем вне черепной коробки ее содержимое. Сначала, — продолжил Джош, увлеченный темой, — мы будем брать у наших крыс пункции цереброспинальной жидкости. Потом мы нанесем эту жидкость на тонкие мембраны...

— Что это будут за мембраны?

— Мозговые оболочки! Мы будем культивировать клетки тканей мозговых оболочек и позволим им развиваться вплоть до образования агломераций. Потом мы перенесем туда наши нейроны и позволим им соединиться в сеть. После достижения достаточной плотности ячей мы получим отличный интерфейс между компьютером и мозгом. Миллионы органических микроэлектродов свяжут сервер Центра и мою мозговую кору. Это будет то же самое, что переход от дедовского модема к оптическому волокну.

— Ты представляешь, сколько на все это потребуется времени? Даже в случае успеха?

— Разве всего два года назад ты бы поверил, что все это возможно? — воскликнул Джош, указывая Люку на кремниевые пластинки, на которых серебрилась гордость Люка — биологические чипы.

— Ладно. То, что ты несешь, убедительно доказывает, что у тебя не все дома, но я готов с тобой согласиться — просто ради удовольствия поупражнять интеллект. Что дальше?

— Дальше мы придадим шлему такую форму, чтобы она облегала череп — в данном случае мой. Я буду его надевать, а ты — проводить сеансы интенсивной стимуляции. На мне будут очки виртуальной реальности, в ушах наушники. Ты будешь ускоренно пропускать перед моими глазами тысячи изображений из банков данных и включать всякие звуки, все, какие только бывают: шум ветра, дождя, волнующейся травы, шаги по гравию, стук двери, скрип петель, шуршание ластика по бумаге и все такое прочее — короче, любые звуки, которые мы слышим в течение жизни, не обращая на них внимания. Они тоже служат кодами, включающими нашу память.

— Где их взять?

— Звукоподражатели в кино уже много лет пользуются банками звуков, они неисчерпаемы, их в Интернете полно.

— Учти, так можно подпалить себе мозги.

— До этого не дойдет. Хотя что-то в этом роде я и имею в виду. Воздействуя на своего диспетчера тысячами стимулирующих

191

тычков с сумасшедшей скоростью, я как раз и хочу, чтобы он растерялся.

— Задумал сбить с толку свой гиппокамп? Ты полный псих, Джош!

— Не сбить с толку, а принудить его разом распахнуть все двери.

— Для чего?

— Это будет величайший взлом в истории науки: мы наконец-то сумеем проникнуть в самое логово глубокой памяти и перед уходом скопировать все ее содержимое. Ты будешь Бонни, я Клайдом.

Люк вздохнул. Теория Джоша настолько его смутила, что он уже было вознамерился собраться и уехать домой. Но за спиной у него вдруг кто-то захлопал в ладоши.

В комнату вошел Флинч.

— Не подумайте, что я за вами шпионю. Я работал по соседству, услышал шум и удивился: кто тут может находиться в такой час?

— Только сумасшедший! — подхватил Люк. — И еще один такой же, потому что дослушал его до конца.

— Не разделяю вашего скепсиса, молодой человек. То, что я только что слышал, — верх безрассудства, но именно ради таких безумств мы и финансируем вашу учебу. Ваша тео-

192

рия — прозрение и заблуждение в одно и то же время, именно поэтому у нее есть шанс оказаться гениальной. Недаром говорят, что нет ничего неотвратимее, чем невозможное!

— Благодарю вас, — откликнулся Джош, не скрывая радости: наконец-то его поняли!

— Что касается вашего шлема, то мы постараемся выиграть для вас время. У одной нашей команды разработан материал, который вам здорово пригодится. Я очень скоро свяжу вас с ней. Междисциплинарное сотрудничество — это же самая суть нашей организации, не так ли?

193

— Брось кривляться! Откуда тебе было знать, что Флинч рыщет поблизости?

— Лично я ни за что не поверю, что он очутился там случайно, — возразил Джош.

— На что ты намекаешь?

— Не намекаю, а утверждаю: он соврал! Он за нами шпионил.

— Думаешь, в лаборатории стоит микрофон?

— Я бы не удивился.

— Возьми и спроси его, — предложил Люк, сворачивая с шоссе.

Подвезя Джоша к его дому, он пообещал обдумать их разговор. Они условились снова встретиться в Центре назавтра.

— Думаешь, я сглупил, отпустив Тилу к другому? — спросил Люк, когда Джош распахнул дверцу.

— Это не тот вопрос, который нужно ставить перед собой. По крайней мере, если ставить, то не так.

— А как?

— Ты действительно ее любил?

— Мне было с ней хорошо. Признаться, после ее ухода мне стало одиноко.

— Я тебе сочувствую, Люк.

— Если кого и обвинять, то Центр, а не тебя. Ты ни при чем.

— Меня огорчает другое. Я думаю, ты отпустил Тилу потому, что любишь не ее.

Не дав Люку времени ответить, Джош вылез из машины и нырнул в подъезд.

Хоуп сидела по-турецки на полу, с книгой на коленях. Она была так поглощена чтением, что не услышала, как вошел Джош. Он воспользовался этим, чтобы ею полюбоваться. Если бы он взялся ее рисовать, то изобразил бы именно такой. Хоуп всегда занималась, сидя на полу, зажав в зубах карандаш, как сигарету, и накрутив на пальцы левой руки прядь волос.

— Я думала, ты никогда не вернешься, — сказала она, не поднимая головы.

Джош подошел к ней со спины, поцеловал и уселся напротив.

Хоуп лукаво взглянула на него:

— Очередное открытие?

— С чего ты взяла?

— Ты неслышно уходишь, пока я сплю, возвращаешься спустя три часа, я слышу на улице мотор машины Люка. Ты похож на ребенка, которого обещали отвезти на неделю в Диснейленд. А главное, вы с Люком всегда делаете открытия в мое отсутствие. В науке это, кажется, называется «пучок сходящихся элементов». Посвятишь меня в подробности или пойдешь ночевать к Люку?

Джош знал, чем он рискует, рассказывая Хоуп о своем проекте. Ее реакция соответствовала его ожиданиям. Сначала она его поздравила. Теоретически его соображения выглядели блестяще, она на этом настаивала. Настолько блестяще, что они могли прийти в голову только гению. Сначала она восхитилась этим полетом ума, вернее, части этого ума, а потом уточнила:

195

— Штука в том, что практическое воплощение подобной идеи доступно только безумцу. Ты совсем потерял голову, Джош? Ты отдаешь себе отчет, как рискуешь? Ты готов испепелить себе мозги, играя в ученика чародея?

Джош попытался ее успокоить. Потребуются месяцы, чтобы разработать прототип шлема, к тому же он уже продумывает правила безопасности. Сеансы стимуляции будут удлиняться постепенно, сначала они продлятся всего несколько минут, а может, даже несколько секунд и будут происходить нечасто, чтобы оценить возможные побочные явления. Стоит контрольной электроэнцефалограмме показать малейшую аномалию, он тут же все прекратит.

— Я успокоюсь только в одном случае: если тебе не удастся разработать этот чертов шлем! — заявила Хоуп и опять погрузилась в чтение.

Джош предпочел не говорить ей про предложение Флинча.

Назавтра по дороге в Центр Люк размышлял о различных стадиях разработки шлема. Джош уже приступил к наполнению банка изображений и звуков. Многие файлы он скачал со своего ноутбука.

Флинч заглянул к ним и позвал с собой. Проведя их через весь Центр, он открыл им дверь, порог которой им еще не доводилось переступать.

За этой дверью находился корпус с еще большими рабочими площадями, с еще более впечатляющим оборудованием.

— Скоро вы обоснуетесь здесь, — сообщил Флинч. — Считайте это повышением: в эту часть Центра пускают только тех ученых, чьи проекты расцениваются как приоритетные. Само собой, здесь усилены меры безопасности. Информация остается под колпаком.

— В каком смысле приоритетные? — спросил Джош.

Флинч остановился и обернулся:

— Любите читать?

— Да, когда нахожу время.

— Это слабое место вашего поколения, вам уже не хватает времени на хороший роман. Знали бы вы, как часто литература предсказывает судьбы науки! Иногда я спрашиваю себя, не используют ли романисты свое воображение активнее ученых? Ученым следовало бы больше читать, стимулируя свою фантазию. Как-то так. Видите ли, около шестидесяти лет тому назад молодой человек по фамилии Керуак написал книгу, ставшую культовой для целого поколения, — «В дороге». Читали?

— Нет, — сознался Джош.

— А надо бы. Керуак вывел на сцену целую вселенную, где царили скорость и свобода. Молодые американцы, ваши сверстники, исколесили Америку вдоль и поперек, пришпорив собственную жизнь, и главным для них было стремление любить. Этот роман был настольной книгой моей юности. Знаю, о чем вы сейчас думаете: я не похож на ярого поклонника битников. Но внешность обманчива... Несколько лет назад другой крупный писатель, Кормак Маккарти, тоже выпустил роман под названием «Дорога».

— Я смотрел фильм по этой книге, — сообщил Джош, радуясь, что не оказался безнадежно невежественным.

— Фильм куда хуже книги, но речь не об этом. У Маккарти дорога постапокалиптическая, его персонажи пытаются выжить в мире, занесенном пылью, и убивают друг друга, а главный герой цепляется, как за последнюю надежду, за сломанную тележку из супермаркета. Гадаете, к чему я веду? За

198

пятьдесят лет исчезла надежда на будущее. Не счесть текстов и фильмов, предрекающих конец света, демократии, человечества. Что-то нас наверняка уничтожит — если не войны, разожженные фанатиками, то какой-нибудь вирус или роботы. Но здесь мы поддерживаем иной взгляд на завтрашний день, наша цель — воплотить его в жизнь. Можете считать эту зону Центра прихожей будущего. Будущего, полного надежды.

Флинч зашагал дальше. Люк и Джош, нагоняя его, обменялись удивленными взглядами.

В очередном зале он представил их шестерым исследователям. Люк сразу заметил, что эти люди — ближайшие соратники Флинча, чуть ли не сообщники.

199

Один из них рассказал о проекте.

— «Нейролинк» — способ создать высокопроизводительный интерфейс между микроэлектродами и корой головного мозга, позволяющий производить электронные измерения в глубине мозга. Биохимический состав наших электродов позволил нам добиться связи с нейронными сигналами недоступной ранее точности. Концепты, развиваемые в нашей программе, уже несколько месяцев проверяются на коре головного мозга обезьяны. Наши гибкие электроды, свойства которых превзошли все ожидания, уже несколько месяцев назад сформировали настоящий интерфейс между мозгом и компьютером. Мы зовем его для краткости ИМК.

— У вас получился информационный клон мозга обезьяны? — спросил пораженный Джош.

Прежде чем ответить, исследователь вопросительно взглянул на Флинча. Тот утвердительно кивнул, и исследователь ответил:

— Именно так. Наш компьютер научился подражать нашему мозгу. Вот этот экран можно назвать поразительно разумным электронным приматом.

— Как я погляжу, вы друг друга поймете! — воскликнул Флинч. Никогда еще он не выглядел таким довольным. — Уже через неделю-другую вы сможете начать взаимодействовать с «Нейролинком». За это время я вас аккредитую.

Будущее сотрудничество было скреплено рукопожатием. Люк уже представлял себе, какие оно даст плоды, и прежде всего — огромный выигрыш во времени. Он испытывал сладостный восторг, которому мешало только чувство зависти.

Джош в это время вспоминал Хоуп. Он предпочитал, чтобы она пока что не знала о том, что ситуация изменилась. Когда она появится в Центре, нужно постараться оставить ее в неведении. На обратном пути он поделился этими соображениями с Люком, а когда тот спросил, почему это так важно, рассказал о страхе Хоуп, что их изыскания могут оказаться вредными для его психики. Люк не проявил сильного беспокойства, но пообещал хранить молчание.

Хоуп позвонил отец и поинтересовался, не потеряла ли она его кредитную карточку.

— Мне понадобились очки, — сконфуженно объяснила она.

— А линзы в очки тебе вставляли в магазине одежды и мебели?

— В Гонолулу тепло? — ответила она вопросом на вопрос.

— Не вижу связи.

— Здесь подмораживает, нам нужны пальто и радиаторы.

— Могла бы меня попросить, Хоуп.

— Не хотелось мешать твоему воркованию с Амелией.

— Не подрывай мое доверие к тебе. Мы хорошо друг друга понимаем?

— Куда уж лучше! — проворчала Хоуп.

— Мы возвращаемся в конце недели, я позвоню тебе из дому. Как вообще дела? Все в порядке?

— Да, а что?

— У тебя странный голос.

— Просто устала.

— Так отдохни!

Сэм повесил трубку. Хоуп немного посидела неподвижно, прижимая телефон к уху.

Вспомнив все покупки, сделанные на отцовские деньги, она вдруг почувствовала себя страшно виноватой. Ей захотелось убежать из дому, найти Джоша и успокоиться в его объятиях. Отец не ошибся: она чувствовала себя не в форме, скучала по Джошу, едва начавшаяся зима уже успела ей надоесть. Куда девалась радость жизни? Не позволив себе киснуть, она стала искать среди бумаг телефон подруги-японки. Та случайно оказалась в кампусе, куда приехала на машине. Они договорились встретиться.

Касуко ушла к себе в лабораторию, а Хоуп поспешила к Джошу, но нашла одного Люка.

— Где Джош?

— Кажется, у Флинча, — смущенно ответил Люк.

Хоуп села на край стола.

— Мы давно не беседовали вот так, вдвоем.

— Ты в последнее время не уделяешь нам внимания. И потом, ты не одобряла Бетти Буп.

— Зря Джош тебе разболтал... Я прозвала ее так не со зла. Согласись, что...

— Хоуп, чего тебе от меня надо?

— Мне нужен Джош, но его здесь нет.

— Как только он вернется, я скажу, чтобы он заглянул к тебе. Ты продолжаешь работать с новыми подругами или решила вернуться на путь истинный?

— Если я по-прежнему вам нужна... Я скучаю по Джошу и по тебе.

— Мы тебя не прогоняли. Раз уж ты вызвалась, окажешь мне услугу?

— Какую?

— Мне хотелось бы провести другие электрические измерения, не только мозга Джоша и моего, чтобы было с чем сравнивать. Не возражаешь против электроэнцефалограммы? Это займет максимум десять минут.

Хоуп согласилась побыть подопытным кроликом. Люк усадил ее в кресло и надел ей на

203

голову шлем с электродами, соединенными проводами с системным блоком компьютера.

— Ты уже делала это? — спросил Люк, затягивая у нее под подбородком ремешок.

— Нет, первый раз.

— Когда я попрошу, просто открой и закрой глаза, подними руки, подумай о чем-то приятном, потом о чем-нибудь неприятном. Ничего страшного, просто стимуляция в процессе записи электрической активности мозга.

— Это я смогу! — отозвалась Хоуп.

Она включилась в игру: по требованию Люка открывала и снова закрывала глаза, вспоминала радостные моменты в компании, потом знакомство с Джошем, их первый поцелуй и старалась не думать о том, что там расшифрует Люк по графикам волн ее мозга. Люк, впившись взглядом в графики, трижды просил ее поднять левую руку.

— Я уже ее подняла! — не выдержала Хоуп, когда он повысил голос, повторяя команду.

Он повернулся к ней и убедился, что она сидит, воздев руку к потолку. Снова проверив свои кривые, он зажмурился.

— Теперь опусти, пожалуйста.

Он со вздохом подъехал к ней на своем табурете, поправил шлем, сильнее затянул ремешок.

— Ты меня придушишь!

— Извини. — И он чуть ослабил ремешок.

Вернувшись на рабочее место, он повторил весь комплекс.

— Что-то не так? — спросила Хоуп, видя озабоченность Люка.

— Техника барахлит. Похоже, отказала целая серия электродов.

— Наверное, это мои мозги так на них подействовали, — пошутила Хоуп.

— Типун тебе на язык! Запасного шлема можно не ждать до Нового года. Целая неделя коту под хвост! Вот черт!

— Получается, у Джоша освобождается несколько вечеров подряд? Да здравствует поломка! — вскричала она, стаскивая шлем.

Пригладив волосы, она встала и чмокнула Люка в щеку.

— Можно идти? — спросила она насмешливо.

— Ступай уже! — ворчливо отозвался Люк. — Все равно спасибо.

— Приходи к нам завтра ужинать. Я испеку хворост с карамелью, надо же как-то загладить вину.

— Какую еще вину?

— Как же, ведь мой суперинтеллект вывел из строя твое оборудование.

— Завтра у нас вечер с томографом. Надеюсь, хоть он окажется исправен.

— Хочешь, я опять приду? Дай мне шанс вывести из строя и его! Ничто не доставит мне такого удовольствия, как это!

— До завтра, Хоуп, — весело ответил Люк.

———————

Джош явился в лабораторию спустя четверть часа. Люк проверял электроды и удивлялся: все они были в полном порядке и накрепко припаяны к шлему.

— Где Хоуп? — спросил его Джош.

— Здесь, где же еще? Поищи в холодильнике.

Джош недоуменно уставился на него.

— Что ты спрашиваешь? Ее здесь нет. Наверное, она со своими подругами.

— Знаешь, что меня всерьез пугает? Твое хорошее настроение. Что опять не так?

— Все так, просто я предпочитаю иметь дело с нормальным оборудованием. Сядь-ка, мне надо кое-что проверить.

Люк водрузил на голову Джошу шлем и провел то же исследование, что раньше с Хоуп. Самописцы, недавно не желавшие двигаться, пришли в движение, когда Джош поднял руку. Люк внимательно следил за вы-

писываемыми кривыми, определяя источник недавней неисправности. Теперь все работало нормально, можно было продолжить
эксперимент.

Шли часы. Джош почувствовал утомление.

— Хватит на сегодня! — простонал он, стягивая шлем с головы. — Схожу за Хоуп.
Подбросишь нас?

Люк сохранил данные записей и выключил
монитор.

— Жду вас на стоянке. Не задерживайтесь!

— Я постараюсь, — пообещал Джош с по-
рога.

— Кстати, Джош, окажи мне услугу. При-
веди завтра Хоуп.

— Пожалуйста. А зачем?

— Она только что была здесь. Я воспользовался этим, чтобы кое-что записать. Хотелось
бы сравнить эти записи и данные томографии.

— Мог бы сразу мне об этом сообщить.

— А я что делаю? Кстати, у меня есть замечательная запись дня вашей встречи.

— Правда? Покажешь?

— В другой раз. Я уже все выключил и хочу
домой. Можешь не сомневаться, электрическая активность свидетельствует о высоком

эмоциональном напряжении, кривые описывали страшные зигзаги. Проваливай, не тяни.

— Как насчет рождественского вечера в Салеме? — предложила Хоуп, ныряя под одеяло.

— Я бы с радостью, только у меня язык не повернется попросить у Люка машину. Ведь ему тогда пришлось бы остаться дома.

— Ты прав, милый Джош, это неудобно.

— С каких пор ты дразнишь меня «милым Джошем»?

— С тех пор как поняла, что я твоя, и решила найти способ ответить тебе тем же.

Повернувшись к нему, Хоуп сбросила одеяло. На ней ничего не было.

— Скажи, ты действительно мой? — спросила она, садясь на него верхом.

Долго ждать ответа не пришлось.

После переезда Джоша Люк превратил его комнату в кабинет. Сначала он думал сам там поселиться, но в этих стенах ощущалось и былое присутствие Хоуп. Работе это не мешало, чего нельзя было сказать о сне.

Достав из внутреннего кармана пальто документы, украдкой вынесенные из Центра,
Люк уселся за стол, чтобы внимательно их
изучить. Кривые выглядели необычно, и чем
дольше он их изучал, тем больше сомневался,
что причиной этого стала неисправность
электродов. Эти аномалии не давали ему покоя, хотелось скорее убедиться в необосно-
ванности возникших подозрений.

———

Хоуп проснулась с первыми лучами солнца.
Утренний свет затопил лофт, солнце, лив-
шееся сквозь стекла, выбелило паркет. Хитро
улыбнувшись, она пощекотала крепко спав-
шему Джошу щеку. Он что-то пробормотал
и засунул голову под подушку, но она приподняла подушку и шепотом попросила:

— Испеки мне блинчиков!

— Я тебя умоляю, Хоуп!..

— С кленовым сиропом.

— Нет.

— Сегодня у нас годовщина.

Джош повернулся к ней. Его взгляд выражал недоумение.

— Какая годовщина?

— Нашей первой ночи.

— Да ладно!

— До чего же мне нравится твоя легкая склонность к хамству!

— Не морочь мне голову! Мы впервые провели вместе ночь десятого ноября.

— Ну вот ты и проснулся. Что насчет блинчиков?

— С тобой не соскучишься, — буркнул Джош, вставая.

Натянув джинсы, он встал за кухонную стойку.

— Когда ты меня познакомишь со своим отцом? — спросила она, подсаживаясь к нему.

— Кто-нибудь когда-нибудь сумеет расшифровать зигзаги женской мысли? — вздохнул Джош, закатив глаза.

— Можно поинтересоваться, какой смысл ты вкладываешь в эту фразу?

— Как ты перескочила от блинчиков к моему отцу?

— Мой папа часто их пек, и ты сейчас зажигал газ совсем как он. Так же отдернул руку, как будто конфорка сейчас взорвется.

— Железная логика!

— Ну как, нанесем ему визит?

— Мы с ним давно не виделись.

— Почему?

— Поссорились, вот почему! Говорить о нем мне охота не больше, чем возиться с блинами.

— В чем причина ссоры?

— Это старая и долгая история.

— Хочу, чтобы ты с ним помирился.

— И не подумаю! Вообще-то при чем тут ты?

— Если у нас когда-нибудь будут дети, мне хочется, чтобы они могли любить дедушку.

Джош окинул ее странным взглядом.

— Не надо строить такую физиономию! — прикрикнула на него Хоуп. — Можно подумать, я предрекла конец света. «Когда-нибудь» — не то же самое, что «прямо сейчас».

— Может, сначала выпьем кофе, а потом рассмотрим вопрос о конце света и моем отце в придачу? — предложил Джош, заливая воду в кофеварку.

— Сначала пообещай меня с ним познакомить. Ты меня понял, Джош?

— Четко и ясно.

— Откуда взялось это выражение?

— Это он любил так говорить. Ты сделала так, чтобы его голос прозвучал в его отсутствие. Всякий раз, когда он устраивал мне нагоняй, кончалось это фразой: «Надеюсь, ты меня понял? Четко и ясно?»

211

Хоуп приподнялась на цыпочки и сняла с полки две чашки.

— Ночью мне снился кошмар, — сообщила она.

— С тобой это часто бывает с тех пор, как мы тут поселились. То ли сам лофт тебе не подходит, то ли уличные фонари слишком ярко светят... Я попытаюсь что-нибудь придумать, чтобы загородить окна.

— Ты не спрашиваешь, про что был кошмар?

— Я и так знаю. Ты говоришь во сне, Хоуп.

— Что я наговорила в этот раз?

212 — Что я — терпеливейший на свете человек, — ответил Джош, выкладывая два блина на тарелку и ставя ее перед Хоуп.

— Мне снилось, что мы идем по берегу океана, потом я вдруг сворачиваю к волнам, и ты меня отпускаешь. Я тону, не пытаясь сопротивляться. Мне было не страшно умирать, но, очутившись под водой, я испугалась, что потеряю тебя.

Джош обнял ее.

— Ты непревзойденная пловчиха, а я быстрее тебя бегаю, так что твой кошмар дважды нереален. Я бы тебя поймал, не дав уйти под воду.

— Я так паршиво себя чувствую!

— Паршиво — это как?

— У меня ощущение, будто я — это не я.

— Мы заработались. У тебя в организме чего-то не хватает: то ли магния, то ли железа. Хочешь, сходим к врачу?

— Не говори глупости, у меня самой отец — врач.

— Тогда посоветуйся с ним. Он сможет что-то прописать, чтобы ты крепче спала.

— Никогда! Мой отец теряет разум, когда дело касается моего здоровья. Кажется, никого на свете столько не кололи от столбняка, как меня, — при любой царапине!

— Тогда наведайся в университетскую клинику, сдай анализ крови, он покажет, что не так.

— И не подумаю! Я боюсь уколов.

— Как хочешь. Пойду узнаю про машину Люка. Мы проведем два дня на морском берегу, ты отдохнешь и вернешься, забыв про свое паршивое состояние.

— Что тебя во мне привлекает? Кроме груди.

— Почему ты спрашиваешь?

— Надо будет нарисовать над сосками брови, тогда ты хоть иногда будешь думать, что смотришь мне в глаза.

213

— Перестань, Хоуп, я смотрел на них потому, что ты голая.

— Как и мое лицо.

— Как я могу не заводиться, когда ты стоишь передо мной в чем мать родила?

— Между прочим, ты не ответил на мой вопрос. Что такой мужчина, как ты, находит в такой девушке, как я?

Джош бросил ей кухонный фартук.

— Иногда, — сказал он, — невозможно объяснить, что ты к кому-то чувствуешь, просто знаешь, что этот человек заводит тебя туда, где ты никогда не бывал.

— А где ты никогда не бывал до знакомства со мной, Джош Кеплер?

— Впервые слышу от тебя свою фамилию.

— Это, наверное, потому, что ты впервые сказал мне настолько приятные слова.

— Рядом с тобой, Хоуп, а это прекраснейшее место, где я бывал за всю жизнь. А чтобы доказать, что это не пустые слова, добавлю, что грудь у тебя красивее всех, какие я видел... И умоляю, не надо никаких бровей!

Джош позвонил Люку, чтобы предупредить, что они встретятся только вечером, перед госпитальным моргом.

Когда он повесил трубку и повернулся к Хоуп, та уже улыбалась. Усевшись друг против друга, они с аппетитом позавтракали.

Потом они сели в автобус и вышли на остановке у реки. Они устроили часовую пробежку вдоль берега, пользуясь солнечной погодой. Ближе к сумеркам, выйдя из кинозала, где они посмотрели «Великую красоту» — Хоуп удалось наконец затащить Джоша на артхаусное кино, — они отправились в кондитерскую делиться впечатлениями о фильме. Хоуп утверждала, что под конец просмотра у Джоша заблестели глаза, а он яростно это отрицал.

215

— Почему ты не хочешь сознаться, что растроган?

— Я этого не отрицаю, но плакать... Нет!

— Мужчины тоже имеют право плакать, милый Джош. Хочу, чтобы ты кое-что мне обещал.

— Сначала скажи, что именно.

— Не скажу. Любить — значит никогда не сомневаться в другом.

Джош полюбовался оставшимся на тарелке кусочком торта, покачал головой и отправил его в рот.

— Весной будет моя очередь познакомиться с твоим отцом. Мы поедем к нему в гости.

Джош поперхнулся и выплюнул то, что не успел проглотить.

———————

Они немного опоздали. Люк уже изнывал от нетерпения перед моргом. Они кинулись в коридор и бегом преодолели расстояние до вожделенного томографа.

Люк сел за пульт, вставил в гнездо флешку и закачал данные, записанные в Центре. Джош поспешно растянулся в цилиндре аппарата. Исследование продлилось двадцать минут, после чего Люк прервал сеанс и повернулся к Хоуп. Она с самого начала процедуры не отрывала взгляда от своей учебной тетради и не обращала никакого внимания на происходящее рядом с ней.

— Твоя очередь! — скомандовал Люк, отбирая у нее тетрадь и учебники.

— Хочешь засунуть меня в эту трубу? Ни за что, у меня клаустрофобия!

— Цилиндр открыт с обеих сторон, бояться нечего.

— А в лифте есть чего бояться? Тем не менее я всегда хожу по лестнице.

— Изволь помогать, — надавил на нее Люк. — Ты и так в последние недели не больно-то участвуешь в нашей работе. Будь добра, сделай усилие.

— Зачем тебе я?

— Я тебе уже объяснял в последний раз: мне нужны данные для сопоставления. Только наших мозгов, моего и Джоша, недостаточно. Джош может побыть рядом с тобой. Если это окажется совершенно невыносимо, я остановлюсь, даю слово.

Хоуп колебалась, хотя сознавала, что забросила своих партнеров и увлеклась работой с Касуко, особенно после того, как ее подругу-немку перевели из Центра в другое место. Люк указал на томограф по ту сторону стеклянной перегородки, Джош ободряюще улыбнулся — и ее сопротивление было сломлено. Она сняла очки, проверила, нет ли в карманах металлических предметов.

Люк велел ей зайти в кабинку, раздеться и надеть висящий там на вешалке халат. Хоуп пожала плечами и подчинилась.

Джош помог ей улечься на платформу, взбил и подложил ей под голову подушечки и пообещал не уходить, пока она будет находиться внутри цилиндра.

Над Хоуп завращалось кольцо, и она решила закрыть глаза.

217

Люк тем временем припал к контрольному экрану. При появлении первых профилей он набрал в легкие побольше воздуху. И на протяжении всего исследования не переставая кусал губы.

Через двадцать минут Люк посмотрел на часы. Пора было закругляться. Он переписал данные на флешку, вывел платформу из аппарата и, нажав на кнопку микрофона, сказал Хоуп, что она может переодеваться.

— Ты получил, что хотел? — спросил вошедший к нему Джош.

— Да. Надо спешить, сматываемся, пока не нагрянули техники. Я выключаю мониторы. Встречаемся в коридоре.

Выйдя из клиники, они загрузились в «Камаро». Хоуп села сзади, Джош — рядом с Люком.

— Ну? — спросила она, подавшись к ним. — В этот раз получилось?

— Да, — лаконично отозвался Люк.

— О чем это вы? — спросил Джош.

— Ни о чем, — ответил Люк.

— Как это ни о чем? — возмутилась Хоуп. Твой товарищ, превративший меня в подопытного кролика, делал мне электроэнцефалограмму, и мощь моего мозга поломала его технику. Я была ужасно горда, а он психанул.

— Почему ты ничего мне не сказал? — насторожился Джош.

— Я говорил, — возразил Люк, — просто ты не обратил внимания. Ничего страшного, в шлеме нарушился один контакт, я все исправил до твоего прихода.

Джош свирепо уставился на Люка, тот — на дорогу.

Они простились у лофта. Люк сразу умчался. Джош проводил взглядом «Камаро», удалявшийся по пустой улице.

— Что-то случилось? — спросила Хоуп.

— Нет. Идем, уже поздно.

219

Вернувшись к себе, Люк кинулся к компьютеру. Вставив в гнездо флешку, он загрузил томограмму Хоуп. Потом встал, нашел нужную книгу и стал сравнивать профили мозга из книги с теми, что он выводил на монитор. Этой работе он посвятил несколько часов, прежде чем в 3 часа ночи отправить Джошу сообщение.

9

У реки было безлюдно. Ледяной ветер распугал бегунов, только несколько собак и их хозяин оказались нечувствительны к ненастью.

Люк, закутавшись в парку, ждал на скамейке под ивой. Джош подошел мелкими шажками и сел рядом.

— Что за срочность? — спросил он. — Надеюсь, ты больше не возвращался в лабораторию?

Люк положил Джошу на колени конверт.

— Только сразу не открывай! — взмолился он. — Я наврал тебе про поломку при энцефалограмме Хоуп.

— Зачем?

— Потому что в твоей энцефалограмме все было нормально.

— Ты ведь что-то говорил про электроды? Ты их хорошо прикрутил?

— Джош, они припаяны, а не прикручены, пора бы знать.

— Ну, припаяны, что с того?

— У меня возникли подозрения насчет причины неполадок с записями Хоуп.

— Подозрения?.. — Джош повернулся к нему.

— Я не хотел ничего говорить, не проверив, поэтому настоял, чтобы Хоуп поехала с нами вчера вечером.

— Что ты проверял? Ты на что-то намекаешь, Люк? Черт, не томи, выкладывай!

— Не знаю, как это сформулировать, старина. Я ночь не спал. Не знаю, как сообщать о таких вещах... В общем, данные томографии плохие.

— Как плохие?

— Совсем плохие. Я не врач, но насмотрелся мозговых профилей, так что умею распознать опухоль.

— Что ты сказал?!

— Джош, ты должен уломать Хоуп пройти обследование, и как можно скорее. Я вчера мог ошибиться, сделать изображения слишком контрастными и опознать несуществующую аномалию. От всей души хотел бы ошибиться, но мне что-то тревожно.

221

Джош стиснул обеими руками свою голову, ему не хватало воздуха.

— Как ты оцениваешь вероятность ошибки?

— Сейчас не время для статистики. Тащи Хоуп к специалисту, пусть повторит обследование. Только постарайся ее не пугать.

— Какой размер опухоли?

— Примерно полтора сантиметра.

— Но она же может оказаться доброкачественной?

— Да, на это и нужно надеяться.

— Если ты думаешь, что опухоль злокачественная, так и скажи, не темни.

— Повторяю, об этом можно будет судить только после повторного обследования. Мне очень жаль... Ты даже не представляешь, как мне худо.

Джош встал и заходил перед Люком взад-вперед.

— Подожди, не надо поддаваться панике. Во-первых, ты мог что-то напутать с томографом, во-вторых, ничто не говорит о том, что опухоль злокачественная, и, даже если она таковой окажется, после операции все придет в норму.

— Ты должен, не теряя времени, поговорить с Хоуп. Если тебе на это не хватает смелости, с ней могу поговорить я.

— Нет, она должна узнать об этом от меня. Мне кажется, что все это — страшный сон...

— Ты сам только что сказал: не будем паниковать, сначала надо собрать всю информацию. Можешь рассчитывать на меня, я готов прийти на помощь в любой момент.

— Как поставить ее в известность, не напугав до смерти? Может, сначала показать томограмму Флинчу?

— Вряд ли Хоуп на это согласилась бы, а говорить с ним об этом без ее разрешения ты не можешь. Решать ей самой, а не нам. Если она пожелает, мы к нему обратимся, он сможет направить нас к лучшим специалистам.

Люк встал, обнял Джоша и стиснул его изо всех сил.

— Не забывай, я всегда рядом.

Глядя, как Люк удаляется, заложив руки за спину, Джош поймал себя на мысли, что его друг за одну ночь сильно постарел.

Не зная, куда податься, он стал бродить по улицам, не обращая внимания на пройденный путь и усталость. В растерянности он пересек весь город, ломая голову над тем, как ему лучше притвориться, как сказать всю правду и при этом не соврать. Ему хотелось верить, что Люк ошибся, что все, что он ему

223

наговорил, не имеет отношения к реальности, вообще немыслимо. С Хоуп не могло произойти ничего подобного! На земле не счесть отребья, никчемных людишек, способных только все портить и рушить, тогда как Хоуп... Хоуп в один прекрасный день откроет средство от болезни Альцгеймера, что уже исключает возможность, что ее постигнет неизлечимый недуг. У нее великая миссия, и будет наихудшей несправедливостью, если опухоль помешает ей спасти миллионы людей. Если смерти нужна душа, пусть подберет другую, порочную, а не душу Хоуп, такой смешливой, такой прекрасной!

На следующем перекрестке Джош уже удивлялся, почему стал думать про души, ведь до этого разговора с Люком он не верил ни в души, ни в Бога, по крайней мере начиная с 12 лет, и вот теперь... Теперь он вообще не знал, что подумать. Если он расслабится, если согласится поверить в Него, то займется ли Он случаем Хоуп, пожелает ли спасти ее?

До своей улицы он добрался с заплаканным лицом, потому что утратил способность сдерживать слезы. Он еще побродил, чтобы высохло лицо, и зашел в какой-то бар. Он считал, что не имеет права на слабость, ведь это не ему плохо, он станет страдать молча, потому что должен быть сильным, нормальным. Оставаться прежним — вот его долг перед Хоуп. Нормальным! «К чертям нормальность!» — решил он, опрокидывая неразбавленный виски.

После бара он зашел в бакалею купить жевательную резинку. Если Хоуп учует запах спиртного, то станет задавать вопросы... Оставаться нормальным!

Он постоял перед витриной цветочного магазина, но отказался от мысли купить букет, потому что Хоуп удивилась бы. Оставаться нормальным...

225

Четыре дня он не находил сил заговорить с Хоуп, предложить сходить к неврологу. Все эти четыре дня они с Люком тайком переглядывались. Люку хотелось прочесть в его взгляде, что все стало как прежде, тогда как все теперь было совершенно не так. На протяжении четырех дней Джош чувствовал себя в шкуре ученика сапера, которому велели обезвредить бомбу. Эта бомба находилась в голове у его любимой, но ее тиканье раздавалось у него в мозгу. Всякий раз, когда Хоуп заговаривала о своих мигренях, у него начинало учащенно биться сердце, во рту пересыхало, ладони потели.

Вечером в пятницу Хоуп попросилась в ресторан. Ей захотелось итальянской еды, и она объяснила Джошу, что тарелка пасты в ресторане — это куда радостнее, чем то же самое дома. Он не стал задавать вопросов, а просто натянул рубашку и пиджак и вызвал такси, которое доставило их в одно из лучших мест города. К черту нормальность!

— Можно поинтересоваться, как мы станем расплачиваться? — проговорила она после того, как официант усадил ее в кресло, позволив изобразить из себя знатную даму.

— Я за последние недели сумел кое-что отложить, — ответил он, загородившись меню.

— Каким же это образом?

— Не беспокойся, мыть посуду нам не придется, — заверил он ее.

— Мог бы меня предупредить, что мы будем что-то праздновать. Я бы унесла из лаборатории какое-нибудь насекомое и после еды незаметно подложила бы его в тарелку. Это фокус из кино. Посетительница визжит и возмущенно сбегает, не оплатив счет.

— По-моему, эта уловка устарела, персонал такого заведения на нее не клюнет.

Хоуп заказала лингвини с морскими петушками, Джош сказал официанту, что возьмет то же самое. В винную карту они заглядывать не стали, без всякого смущения заявив, что им достаточно простой воды.

Хоуп наслаждалась едой, не произнося ни слова; время от времени Джош поднимал голову и наблюдал за ней.

Покончив со своей тарелкой, аккуратно вытерев губы и положив салфетку на стол, она посмотрела Джошу прямо в глаза.

— В тот вечер, когда Люк предложил мне изобразить подопытного кролика, с моей томограммой было что-то не так?

Вопрос был задан спокойным голосом, и не ответить на него Джош не мог.

— На обратном пути физиономии у вас обоих вытянулись на километр, — продолжала она, — и с тех пор они продолжают удлиняться, стоит вам встретиться взглядом. И я сделала вывод: либо у тебя любовница, либо...

— Точно ничего не известно, — перебил ее Джош. — Так, ерундовое пятнышко. Люк не рентгенолог, и есть все основания думать, что он что-то напортачил. Осторожность требует нового магнитно-резонансного исследования, только уже под контролем настоящего врача.

— Ты обеспокоен?

— Нет, повторяю, это простая предосторожность.

— Не ври мне, Джош Кеплер, — сказала Хоуп, беря его за руку. — Если ты хотя бы еще раз позволишь себе соврать, я тебя не прощу. Сейчас мне больше, чем когда-либо, надо знать, что человек, которого я люблю сильнее всего на свете, всегда говорит мне правду.

Джошу хотелось оправдаться, он мысленно подбирал правильные слова, но Хоуп не дала ему времени, продолжив:

— Вчера головная боль была сильнее обычного, даже зрение нарушилось. Она продолжалась целых четверть часа, и этого хватило, чтобы я прикинула, что происходит. Ты любил в детстве соединять точки? Я обожала соединять точки карандашом так, чтобы появилась картинка, это было так весело! Заметь, тогда у меня еще не было опухоли мозга. — Она произнесла эти слова небрежно, невероятно холодно. — Я вспомнила, как пытался притворяться Люк, как ты несколько дней старался делать вид, будто бы ничего не происходит, будто все замечательно, даже моя стряпня. Думаю, больше всего меня напугало именно это. Потому что, откровенно говоря, милый Джош, нет ничего хуже, чем я за плитой. Я позвонила отцу и сказала, что чувствую себя неважно, дерьмово, честно говоря. Этого хватило, чтобы он категорически потребовал, чтобы я сегодня днем сделала МРТ. Мой отец — жуткий ипохондрик, когда речь идет обо мне.

— Почему ты ничего не сказала мне?

— Возвращаю тебе твой вопрос.

— Я боялся, Хоуп.

— Прощаю тебя, потому что уже знаю, что значит бояться: со страху чего только не сделаешь!

229

— Что показала МРТ? — спросил Джош чужим голосом.

— Глиобластома. Злокачественное образование с дурным характером. Похоже, оно склонно к агрессивному поведению.

— Прекрати, Хоуп, прошу тебя!

— Единственная хорошая новость, — продолжала она все так же иронично, — что оно пока еще маленькое и операбельное.

— Тебя прооперируют, и все будет хорошо. Обещаю!

Хоуп горько улыбнулась, перегнулась через стол и поцеловала его в губы.

— Я тебе верю, потому что любить — это никогда не сомневаться в любимом.

Дома Хоуп долго принимала душ. В постели она прижалась к Джошу, и они занялись любовью. Потом в тишине, нарушаемой только их дыханием, они уснули, держась за руки.

———————

Проснувшись, Джош попросил у Хоуп разрешения обсудить ее ситуацию с Флинчем. Тот наверняка водил знакомство с лучшими нейрохирургами города. Хоуп не понравилось словечко «ситуация», но разрешение она дала. Затем встал вопрос об ее отце: надо ли его оповестить? Хоуп была категорически против.

— Я запретила врачу, к которому он меня направил, что-либо ему сообщать: папа захворает хуже меня. Зачем мне это?

— Он — врач и твой отец. Ты не можешь держать его в неведении.

— Он прилетит первым же самолетом, причем непременно вместе с Амелией. Мне нужны покой и сосредоточенность. Хотя нет, все наоборот. Сначала обещай мне избавиться от этого своего удрученного вида. Ты же сам сказал, что операция будет ерундовая, а потом жизнь пойдет по-прежнему. Я хочу, чтобы так и вышло, Джош, мы будем и дальше заниматься нашими проектами, исследованиями, смеяться, радоваться, любить друг друга и даже ссориться, как нормальная пара.

— Но ведь мы с тобой никогда не ссоримся?

— Никогда не поздно начать. Если хочешь, я найду уйму поводов.

———————

Они ждали Флинча после лекции. Он удивился, увидев их втроем перед своим кабинетом. Времени у него было в обрез, но, увидев, как они расстроены, он согласился их принять. Не дожидаясь, пока Джош все объяснит, он взял у него из рук данные МРТ, прочитал заключение и тут же схватил телефонную трубку. Первый звонок был секретарю специалиста, которого он считал своим другом. Секретарь пообещала, что тот скоро перезвонит.

— Мы вас вытянем, — сказал Флинч, провожая троицу к двери. — Я вам позвоню, как только будут новости. Назначим операцию без промедления. Потом может понадобиться облучение и химиотерапия, все будет зависеть от результатов биопсии, но я настроен оптимистично. Пока что возьмите себя в руки, не надо бояться. Благодарите

Люка: опухоль обнаружена на ранней стадии, поэтому все будет хорошо.

Флинч забрал результаты обследования, чтобы передать их коллеге и тем самым выиграть время.

После всех утешительных речей он закрылся в кабинете и сел в кресло. Открыв конверт, он стал хмуро разглядывать срезы мозга.

———————

Флинч позвонил Хоуп ближе к вечеру. Он договорился, что следующим утром ее примет у себя в университетской клинике профессор Бергер. Флинч разрешил ей пропустить занятия, пообещав передать через Люка все материалы.

Вечер они провели как всегда. Хоуп вызвалась приготовить ужин, и блюдо у нее получилось, как обычно, несъедобным. Джош в порядке исключения не стал доказывать противоположное, а выбросил в мусорное ведро неудачно запеченные макароны, похожие видом и вкусом на кашу из мелких ракушек. Он сам сделал салат и омлет, и они поели, посмотрев на ноутбуке Хоуп старую серию «Друзей».

Утром они привычно оделись, привычно поехали в кампус на автобусе, привычно зашагали в сторону здания, где находилась аудитория, но там, где одну аллею пересекала другая, повернули к университетской клинике. Там, на этом перекрестке, нормальная жизнь закончилась.

Целый час они прождали в тусклом коридоре. Время от времени секретарь профессора Бергера высовывала голову из двери его кабинета и заверяла, что скоро наступит их очередь. Хоуп ерзала на пластмассовом стуле, листала старый номер журнала «Пипл» и удивлялась, почему не узнает героев, любые мелочи жизни которых подавались как громкие сенсации. Джош тем временем расхаживал по коридору. В конце концов Хоуп не выдержала и велела ему сесть рядом с ней.

— Неужели мы так давно живем в отрыве от мира? — спросила она, листая страницы. — Понятия не имею, кто все эти люди и почему о них пишут в этом журнале. Может, кто-то из них открыл вакцину против СПИДа?

Джош стал внимательно изучать журнал вместе с ней.

— Думаю, тип со страницы четыре спал с девушкой со страницы шесть, а она изменила ему с парнем с восьмой страницы, после чего призналась, что чувствует себя мужчиной, и репортажем об этом мы можем насладиться на девятой странице.

— Как злободневно! Смотри-ка, вот этой посвящена целая страница, потому что она переделала себе сиськи. Я со своей операцией буду достойна как минимум двух страниц, тебе не кажется?

— Твоя грудь заслуживает обложки.

— Мне нравится, что ты до сих пор в восторге от моего ума, это так вдохновляет!

Секретарь прервала их беседу, сообщив, что профессор готов их принять.

Прием не продлился и четверти часа. Хирург объяснил, что утром обсуждал с коллегами оптимальную стратегию лечения. Были разработаны план и график его проведения.

Учитывая локализацию опухоли, операцию будут делать под местной анестезией. Хоуп будет засыпать только на стадиях вскрытия и закрытия черепной коробки, а все остальное время проведет в состоянии бодрствования. Цель заключается в том, чтобы во время удаления опухоли она могла реагировать на тесты. Эта старинная операционная методика была предана забвению после появления анестезии, но при операциях на мозге обладала рядом достоинств.

— Каждый мозг индивидуален, его пластичность удивительна, — объяснял Бергер нравоучительным тоном. — Медицина не располагает универсальной картографией, которая позволила бы четко определить роль той или иной зоны. Поэтому до любого надреза мы прибегаем к электрической стимуляции. В это время мы задаем вам вопросы, просим совершать различные движения, что-то вспоминать, беседовать с нами, делать нехитрые мысленные подсчеты. Если электроиндукция не позволяет вам правильно отвечать, мы тут же помечаем зону, которую не следует трогать. Догадываюсь, что идея бодрствования может тревожить, но боли вы не испытаете. Такая техника существенно сокращает риск осложнений. Сегодня они возникают менее чем в одном проценте случаев. Мне рассказал о вас мой добрый друг профессор Флинч. Операционная будет в нашем распоряжении утром в субботу. Вы поступите ко мне накануне для предварительного обследования. На этом закончу. Скажу лишь, что после операции ваши головные боли станут дурным воспоминанием.

Хирург осклабился, довольный своим выступлением, и попрощался с Хоуп и Джошем.

235

Они покинули больницу ошарашенные. На Хоуп хирург произвел неважное впечатление.

Люк позвал их к себе, и Хоуп, входя в квартиру, испытала ностальгическое чувство.

В лофте им с Джошем было просторнее, там им проще было оставаться наедине, но она порой скучала по вечерам, проведенным в этой студии. Ей нравилось служить ферматой в сюите дружбы, за которую сражались Люк и Джош, нравились бесконечные споры, из-за которых они иногда забывали лечь спать. Она сожалела о беззаботности былых времен, когда и представить себе не могла, что ей станут вскрывать череп, да еще займется этим такой самодовольный субъект, как Бергер.

Люк заказал на всех пиццу, достал из холодильника три банки пива и открыл свой ноутбук.

— Прежде чем принять решение, мы проверим послужной список этого хирурга, — сказал он нарочито уверенным тоном.

Джош пожалел, что это не пришло в голову ему самому и что события вообще застали его врасплох; он подозревал, что для Хоуп это не осталось незамеченным. Он подошел к монитору и попросил Люку уступить ему место. Хоуп улыбнулась. Иногда ей казалось, что она знает Джоша лучше, чем знает себя он сам. Сев с ним рядом, она обняла его за талию.

— А давайте смотреть все вместе, — предложила она. — В конце концов, это моя голова.

В полночь Люк достал из шкафа две подушки и одеяло и устроил Хоуп и Джоша спать на диване, как в старые добрые времена, которые на самом деле были совсем недавними.

Назавтра, вернувшись домой, Хоуп встала под целебный душ. На диване Люка она отлежала спину. Когда она искала, что надеть, ею вдруг овладело желание привести все в порядок.

237

Сначала она разбирала свои вещи, потом одежду Джоша. Все, что, по ее мнению, уже нельзя было носить, отправилось в помойку. Под стопкой футболок она обнаружила его переписку с одной из прежних возлюбленных и отправила ее в надежное место — в мусорный бак на кухне. Теперь на очереди были посудные полки. Решив на этом не останавливаться, она отправилась на ближайший базарчик и вернулась с ведром, шваброй-губкой и баллоном воска.

Натянув резиновые перчатки по локоть, она принялась драить паркет. От этого занятия ее оторвал звонок в дверь. Наверное, Джош опять забыл ключи.

Она решила заставить его подождать, чтобы успел высохнуть пол, но сдалась после третьего звонка. Открыв дверь, она увидела на пороге отца с чемоданчиком в руке.

Сэм решительно вошел, поставил чемодан на пол, многозначительно посмотрел на дочь и крепко ее обнял.

— Признавайся, ты здесь, потому что тебя бросила Амелия! — воскликнула Хоуп.

— Нет, мы приехали, потому что твой отец ни жив ни мертв от тревоги, — раздался голос входящей Амелии. — Но не беспокойся, я не останусь. Я за ним увязалась, потому что, собирая чемодан, он весь дрожал и даже не мог его закрыть. Я испугалась, как бы по пути в аэропорт он не угодил в аварию, а у стойки регистрации побоялась, что в полете, отправившись в туалет, он ошибется дверью. Поэтому я купила билет и поднялась с ним на борт, потому что, честно говоря, и сама умираю от волнения.

Все это Амелия выпалила на одном дыхании. Это вместе с ее горящими щеками немного смягчило Хоуп, а от мысли, что отец способен спутать кабину пилотов с туалетом, она даже прыснула. Еще больше ее расположило к Амелии то, что та всерьез за него переживала, больше даже, чем она сама.

— Как ты узнал? — спросила Хоуп.

— Какая разница? — буркнул Сэм. — Ты собиралась лечь на операционный стол, не посоветовавшись со мной? Черт возьми, Хоуп, все-таки я твой отец и в придачу врач!

— Ты педиатр, папа, а у меня не ангина.

Сэм бросил на дочь испепеляющий взгляд.

— Вот именно, педиатр, да к тому же терапевт. Терапевты не так надменны, как хирурги, для которых пациент — всего лишь плоть, которую следует разрезать.

— Успокойся, Сэм, — вмешалась Амелия, — сейчас неподходящий момент нянчить свои комплексы.

239

Хоуп позабавили ее слова: оказалось, Амелия знает ее отца гораздо лучше, чем она думала.

— Вы собираетесь пробыть в городе до операции?

Ответ был настолько очевиден, что Сэм не соизволил его дать.

— Как ты себя чувствуешь? — заботливо спросила Амелия.

— Как могу. Мне было бы гораздо лучше, если бы мой отец держался поспокойнее, а то у него такое лицо, что мне остается только поверить, будто я умираю.

— Ничего похожего! — взвился Сэм. — Я врач и говорю тебе: это не страшно, не страшно!

Хоуп подошла к отцу и взяла обе его ладони в свои.

— Папа, отрицание болезни — известный симптом опухоли мозга. Но этот симптом должен проявляться у больного, а не у его отца.

В замочную скважину вставили ключ. В дом влетел запыхавшийся Джош. Увидев Сэма и Амели, он замер.

— Сюрприз!.. — пробурчала Хоуп, закатив глаза.

— Вам я скажу два слова, — сердито начал Сэм. — Ладно еще, что моя дочь недостаточно разумна и не вызывает при подобных обстоятельствах отца, но то, что со мной не связались вы, совершенно непростительно.

— Здравствуйте, сэр, — сухо ответил Джош, снимая куртку.

— Всем немедленно успокоиться, это мне важнее всего остального! — распорядилась Хоуп. — У вас есть сегодня место для ночлега? — обратилась она к Амелии.

Амелия догадалась заранее заказать номер в гостинице неподалеку от университетской клиники. Ей удалось, хоть и с большим трудом, убедить Сэма дать дочери отдохнуть. И хотя она с ног валилась после долгого перелета, она уговорила Хоуп разрешить отцу сопровождать ее в больницу.

Последовали объятия — робкие со стороны Сэма, пылкие со стороны Амелии, которая при этом умудрилась подмигнуть Хоуп, как бы давая ей понять, что она держит настроение отца под контролем.

Джош вызвал такси и проводил их вниз. Они молча дождались машины. Амелия нырнула в нее первой. Сэм протянул Джошу руку и поблагодарил его за вызов, заверив, что разыгранная комедия сняла с него всякую вину. Попрощавшись, Джош поспешил обратно, к Хоуп.

Она ждала его в спальне и, как только он лег, погасила свет. Комнату окрасило бледно-оранжевое сияние уличных фонарей.

— Наверное, у эскулапов корпоративный дух превыше врачебной тайны. Я должна была сообразить, что он не только порекомендует меня своему коллеге. Наверное, он пытал доктора до тех пор, пока тот не раскололся.

— Это я его предупредил, Хоуп. Ты вправе на меня сердиться, но мы не могли держать его в неведении. Вот ты говорила, что хочешь сына. Выдержала бы ты разлуку с ним, если бы он заболел?

— Кто сказал, что будет мальчик?

— Никто, но когда-нибудь у нас родится сын, я уверен.

— Чудовищное женоненавистничество! Давай лучше сначала узнаем, потребуется ли мне химиотерапия, прежде чем готовиться к концу света. Ладно, я тебя прощаю.

— Никакой я не женоненавистник.

— Я прощаю тебе, что ты вызвал отца, — сказала она и отвернулась.

———

242

Хоуп прооперировали спустя три дня. Она вошла в хирургическое отделение в 8.45 утра. Сэму и Джошу разрешили в нарушение утреннего распорядка посетить ее в палате, обнять и пожелать удачи, прежде чем за ней пришли санитары.

Над ней плыли неоновые светильники коридора. Она насчитала их 37 и решила, что если вспомнит эту цифру, пробудившись после операции, то это будет означать, что обошлось без осложнений.

Когда ее положили на стол, ее сковал царивший в операционной холод.

Анестезиолог напомнил, что усыпит ее лишь на короткое время; снова открыв глаза, она должна сохранять спокойствие, думать только о выполнении инструкций хирурга и стараться отвечать на его вопросы. Если она не сможет говорить, то пусть ее однократно опущенные веки означают «да», двукратно — «нет». Все будет хорошо, заверил ее анестезиолог, она в руках лучшего специалиста, какого он знает.

Правда, этой фразы Хоуп уже не услышала: произнося ее, анестезиолог ввел пациентке пропофол, и она потеряла сознание.

Ее вывезли из операционного блока через пять часов. Большую часть операции она бодрствовала, но сохранила о ней лишь смутные воспоминания, наверное, из-за второй фазы усыпления, когда хирург закрывал ее черепную коробку. Хоуп была готова поклясться, что операция длилась гораздо меньше пяти часов, зато близким, сидевшим в больничном холле, показалось, что прошло часов десять, а то и больше.

Профессор Бергер не солгал — головные боли прошли, и Хоуп, несмотря на утомление, сочла свое состояние вполне удовлетворительным.

Войдя в палату, Джош увидел Хоуп в белом марлевом чепчике.

— Тридцать семь! — воскликнула она, увидев Джоша, чем слегка его напугала. — Так я

243

доказываю, что нахожусь в своем уме. Сейчас я все объясню...

Взяв ее за руку, Джош посоветовал ей отдохнуть. Вскоре Хоуп уснула. Он подвинул кресло от окна ближе к ее койке и расположился в нем.

За день он отходил от нее всего дважды: в первый раз — уступая место Сэму, во второй — когда навестить Хоуп пришел Люк.

Отклонив приглашение Сэма и Амелии поужинать с ними, он предпочел общество Люка. За китайской едой он пересказал другу слова хирурга.

Половину опухоли удалось удалить. Попытки удалить больше грозили серьезными осложнениями. Теперь профессор Бергер возлагал надежды на сеансы облучения и на химиотерапию. Когда хирург все это рассказывал, Джош по выражению лица Сэма понял, что теперь ничего не будет как раньше.

Он попросил Люка разрешить ему переночевать на диване: оставаться в одиночестве в просторном лофте было выше его сил.

Хоуп продержали в больнице две недели. Она велела Джошу навещать ее только во второй половине дня. Она хотела, чтобы по утрам он учился, а по вечерам продолжал работать с Люком в Центре. Амелию она упросила отвезти отца обратно в Калифорнию, где его заждались ангины, ветрянки и гастроэнтериты. Хороший педиатр должен дежурить у изголовья своих маленьких пациентов, а она больше не ребенок.

Сэм в конце концов уступил: из-за долгого отсутствия он мог не получить ту должность, которой давно добивался.

———

В день выписки она настояла, чтобы Джош свозил ее по магазинам. У нее была потребность очутиться в гуще жизни, и лучшим способом для этого было посещение огромного торгового центра.

245

Первым делом она потребовала, чтобы Джош купил ей кепку. Она надела ее поверх повязки и показалась Джошу очень красивой. Бледность Хоуп резко контрастировала с ее лучезарным настроением.

День прошел весело, но блуждание по торговому центру утомило ее сильнее, чем ожидалось; до вечера было еще далеко, а Джош уже решил, что пора возвращаться. Хоуп настаивала, что перед уходом надо поесть мороженого, и переубедить ее не было никакой возможности.

— Надо придумать ей имя.

— Кому?

— Моей опухоли. Трудно надеяться на победу над глиобластомой, другое дело — хорошенько наподдать Марте или Тому. Это проще представить, и вообще, если хочешь, вероятность успеха в этом случае гораздо выше.

— У тебя есть претензии к кому-то по имени Том?

— К одному точно есть. Ладно, пусть будет другое имя.

— О каком Томе идет речь? — насторожился Джош.

— Как тебе Бартоломью?

— Неплохо, но почему Бартоломью?

— Просто так. Вернее, есть причина: по-моему, имя кретинское, а мне больше нравится сражаться с идиотом.

— Наверняка есть много умниц по имени Бартоломью, по крайней мере не меньше, чем кретинов. Ладно, пускай будет Бартоломью.

— По-твоему, имя влияет на личность?

— Понятия не имею. По-моему, тебе отлично подходит имя Хоуп, я не представляю, какое другое имя могло бы охарактеризовать тебя точнее[1].

---

[1] Хоуп (Hope) — надежда (*англ.*).

— Это зависит от точки зрения, ведь ты не станешь спорить, что в моем случае зваться Хоуп сейчас — значит демонстрировать чувство юмора.

— А как определяешь себя ты сама?

— По-настоящему глубокий вопрос! Как девушку с красивой грудью и с опухолью мозга.

— Немедленно прекрати, Хоуп! Ты не из тех людей, которых определяет их болезнь.

Хоуп задумалась над вопросом Джоша и уставилась в потолок торгового центра, кусая пластмассовую ложечку для мороженого. От света, сочившегося сквозь стекло, она зажмурилась. У Бартоломью появилась отвратительная привычка ее ослеплять.

— Значит, так. Я определяю себя как недостаточно рослую, немного диковатую и довольно симпатичную девушку, встречающуюся с молодым человеком, который для нее слишком красив.

— Я-то знаю, что ты достойна лучшего. И знаю, что ты сама это знаешь. О чем ты думаешь, когда не сдерживаешь себя?

— Я всегда сдерживаю себя.

— Хоуп, ты знаешь, сколько времени мы вместе?

— Ладно, убедил! Я теперь всегда стану сдерживать себя, потому что когда этого не делаю, то думаю о Барте. Это проще произносить, чем Бартоломью.

— Барт так Барт. А до него?

— До? Я думала, что когда-нибудь повстречаю такого как ты, хотя я представляла тебя не таким. Честно говоря, я вообще никого толком себе не представляла, а просто мечтала, что у меня будут вот такие моменты, как сейчас, вместе с тобой.

— Речь о тебе, Хоуп, а не о нас. Назови что-нибудь, что похоже на тебя, какое-то свое идентифицирующее свойство.

— Обещай не смеяться. Океан.

— Согласен: океан. А теперь сознайся, кем был этот Том.

— Первый засчитанный поцелуй.

— Вот оно что! — вырвалось у Джоша.

— Не станешь же ты утверждать, что ревнуешь меня к прошлому?

— Значит, не стану.

— Брось, Джош, прошлое — это и есть прошлое, и никакой игры слов.

— Том — не совсем прошлое, иначе ты бы о нем не вспомнила.

— Кто из нас двоих говорил, что жизненные невзгоды озаряют нас светом? Надеюсь, это была я, потому что фраза кажется мне блестящей.

— Речь шла о надломах, а не о невзгодах.

— Жаль, а то я была бы более просветленной. Уверена, какая-то девушка разбила тебе сердце до того, как ты познакомился со мной. Откуда бы у тебя взялась такая чувствительность, если бы не любовная история, заставившая тебя страдать? Поначалу у парней слишком примитивные планы. Тебе наверняка пришлось собирать себя по частям.

— Бренда... — пробормотал Джош.

— Я тебе не верю.

— Придется поверить.

— Все равно не верю.

— Ты что, Хоуп, я же поклялся никогда тебя не обманывать!

— Никогда больше меня не обманывай, потому что один обман за тобой уже числится, поэтому необходимо добавление «больше никогда», иначе это была бы еще одна маленькая ложь.

— Хорошо, больше никогда.

— Ты действительно встречался с какой-то Брендой?

— Действительно.

— Ну и ну! Как такое возможно? Немедленно признайся, что она обладала сверхъестественными умственными способностями.

— Не надо ревновать к прошлому!

249

В начале следующего месяца началось лечение. Сэм приехал повидаться с дочерью после химиотерапии. Она сильно похудела, но Барт тоже скукожился, чем сильно радовал профессора Бергера. Еще пара дополнительных курсов химиотерапии должны были привести к полной ремиссии.

Весной Хоуп опять стала бегать с Джошем вдоль реки. День за днем, неделя за неделей к ней возвращались силы, но каждый новый курс лечения снова их истощал. Курс завершался, и она возвращалась к реке, возобновляла утренние прогулки и ходила на занятия в университете.

День за днем, неделя за неделей жизнь обещала вернуться в прежнюю, почти нормальную колею.

Вечерами, стоило Хоуп уснуть, Джош мчался в Центр, к Люку. Теперь друзья были поглощены своими исследованиями даже больше, чем раньше. Их подключили к новому коллективу, и это дало плоды. В группе царило взаимопонимание, обмену ценными идеями не было конца, результаты были многообещающие, уже происходили замечательные, по оценке Флинча, прорывы. Измерения мозговой активности Джоша позволили ускорить работы по созданию компьютерной модели мозга. Проект «Нейролинк» помог Люку значительно сократить время на разработку нейронного шлема, придуманного Джошем.

В начале мая на 3D-принтере был напечатан первый прототип. Эксперименты на обезьяне удивили весь Центр. За две недели благодаря шлему удалось воспроизвести на компьютере 60 % нейронных связей в мозге примата. Массив данных нарастал с поразительной скоростью.

Вдохновленный результатами, Флинч взялся представить проект «Нейролинк» комиссии по этике. Поскольку в поведении подопытной обезьяны целый год не наблюдалось никаких нарушений, он надеялся получить разрешение уже в следующем году опробовать шлем на человеке.

Услышав от него эти слова, Люк и Джош, не глядя друг на друга, заговорщически ухмыльнулись.

Назавтра, дождавшись ночи, Люк напечатал второй шлем, полностью повторявший форму черепа Джоша.

Когда шлем был готов к использованию, Джош стал его надевать каждый вечер после того, как в лаборатории не оставалось никого, кроме них с Люком.

10

Как-то июньским вечером Джошу пришла мысль оснастить терминал сервера веб-камерой. Люк принес со склада Центра камеру с микрофоном. За несколько часов они создали в программе «Нейролинк» интерфейс для коммуникации.

По их прикидкам, многочисленные сеансы с использованием нового шлема позволили записать значительную часть памяти Джоша, и теперь они могли попытаться обратиться к ее содержимому. Иными словами, сохранение невероятного количества информации было бесполезным, если к ней не обращаться.

Люк окрестил этот этап «Рестор» — кодовое слово, которое Джош счел помпезным и смешным.

После проверки контактов Джош уселся перед терминалом и впервые обратился к «Нейролинку» вслух.

— Добрый вечер, — проговорил он неуверенно, глядя в камеру.

Через несколько мгновений на экране появились слова «добрый вечер».

— Как ты думаешь, он мне отвечает или просто повторяет мои слова?

— Понятия не имею, — фыркнул Люк.

«Нейролинк» написал в ответ:

[Мои слова = мои слова]

253

— Это еще что такое? — спросил Джош.

— Да не знаю я! — повысил голос Люк.

— Сними с меня шлем.

— Не сниму, а то ты отсоединишься от сервера.

— Пускай, мне надо понять, пишет ли мне компьютер или я вижу просто эхо своего голоса.

— Сомневаюсь, чтобы компьютер думал, — сказал Люк.

Джош расстегнул ремешок, Люк подхватил шлем.

— Осторожно! Ты с ума сошел? Тут столько контактов! Сказать, что это хрупкая вещь, — ничего не сказать! Пусти!

Люк осторожно опустил шлем на подставку и опять сел на свой табурет. Джош понял, что друг волнуется так же сильно, как он сам. Оба надеялись, что этот эксперимент станет поворотным моментом в их работе, знаменательным моментом, как сказал бы Флинч, если бы знал, что творится в одной из его лабораторий. Но вероятность риска, что он обо всем проведает, стремилась к нулю, потому что сообщники заперли сервер паролем, известным только им двоим.

— Что теперь? — спросил Люк.

— Делай как я: задержи дыхание, — посоветовал Джош. — Повернувшись к камере, он тихо спросил: — Ты меня слышишь?

[Четко и ясно]

От этих слов лицо Джоша словно окаменело.

Потом на экране появилось странное уравнение:

[1+1=1]

— Неверно, — произнес Джош.

[1+1=1]

— При каких обстоятельствах? — спросил Джош.

[1+2=2]

— Опять неверно, 1 и 2 равняется трем!

[1+2+3=3]

— Что значат эти подсчеты?

— Может, «Нейролинк» проверяет собственные математические познания? Он впервые вышел на связь, он еще совсем юный, — предположил Люк.

Компьютер стер все, что было на экране, и написал:

[1=Джош]

— Наверное, он хочет тебе сказать, что ты уникален в его глазах, вернее, в его глазу, — насмешливо проговорил Люк.

[Неверно]

— Ты отвечал Люку? — спросил Джош.

[Ты отвечал Люку]

255

Джош задумчиво уставился на экран. «Нейролинк» воспроизвел его вопрос без вопросительного знака. Это могло быть просто ошибкой пунктуации, а могло быть сделано намеренно, для превращения вопроса в утверждение. У Джоша возникла мысль, удивившая его самого.

— Кто ты?

На экране появилось:

[Кто ты?]

В этот раз вопросительный знак был на месте.

— Либо он бессвязно лепечет, либо просто повторяет твои слова, — сказал со вздохом Люк. — Малоубедительный результат... Надо было послушаться меня и не снимать шлем.

[2=Хоуп]

— Ты знаешь Хоуп? — спросил пораженный Джош.

[1+2=2]

— Не понимаю.

[3=Люк]…[1+2+3=3]

— Определи 4.

[Четко и ясно]

Джош обдумал написанное «Нейролинком».
— Мой отец — это 4?

[Правильно]

Джош и Люк ошеломленно переглянулись. Обоих охватило возбуждение ученых,
чувствующих близость крупного открытия,
о значении которого им трудно даже гадать.
— Как ты придумал эту нумерацию?

[Как ты придумал эту нумерацию?]

— Какая цифра у тебя?

[1]

Джош смотрел в глазок камеры, силясь
угадать, что хочет до него донести «Нейролинк». Внезапно все, о чем Люк не осмеливался мечтать даже в моменты наивысшего
воодушевления, все, ради чего он столько

рисковал, ради чего просидел столько ночей в лабораториях, жертвовал свободным временем, был готов существовать в тени своего лучшего друга, все его надежды и разочарования — все окупилось одним ответом «Нейролинка»:

[Я — это ты, Джош]

Обоим сразу стал ясен смысл уравнений компьютера. Составлявшие уравнения цифры обозначали людей в зависимости от их важности в глазах Джоша.

Джош + Джош всегда было равно Джошу, Джош и Хоуп представляли собой два отдельных существа. Смысл этого разговора вызывал еще большее изумление. На серверах «Нейролинка» ожил не искусственный интеллект, вступивший в беседу с Джошем: Джош только что общался с кусочком своего собственного разума.

Экран опять очистился.

— Докажи! — крикнул Джош.

«Нейролинк» какое-то время безмолвствовал, потом экран зажегся.

Появилось отчаянно крутящееся переднее колесо велосипеда. Вдали виднелся человек перед воротами гаража, который Джош сразу узнал. Колесо укатилось, изображение перевернулось. Человек куда-то заторопился, его мускулистая рука сжала другую, маленькую и тощую. Его лицо приблизилось, на нем появилось расстроенное выражение. Внезапно картинка покраснела и пропала.

— Дело было летом, мне было пять лет... — забормотал Джош. — Я совсем забыл об этом падении, а ведь оно памятное. Отец поднял меня и в ужасе осмотрел мою ногу. От боли я потерял сознание. Мне наложили десять швов. — В подтверждение своих слов он закатал правую штанину и провел пальцем по чуть заметному шраму.

259

Люк видел, как он взволнован.

— На сегодня, думаю, довольно, — сказал Джош и выключил экран.

— Никому не рассказывай о том, что произошло. «Никому» включает и Хоуп. Слышишь, Джош?

— Четко и ясно, — ответил Джош рассеянно.

На обратном пути Люк и Джош были не в силах разговаривать. Люк давил на акселератор, Джош глазел на предместья, пролетавшие мимо так же стремительно, как сменялись мысли у него в голове.

— Я давно забыл это лицо, — выдавил он наконец. — Я давно не помню его таким молодым. Теперь вот ломаю голову, происходит ли запись в хронологическом порядке. То, что нам только что продемонстрировал «Нейролинк», — одно из первых моих воспоминаний.

— То, что мы увидели, — невероятный фокус! — пылко воскликнул Люк и от наплыва чувств хлопнул рукой по рулю.

Джош, наоборот, был поразительно спокоен. Покосившись на стрелку спидометра, он сказал:

— Не уверен, что ты полностью отдаешь себе отчет в том, что мы натворили. Не знаю, верно ли я сам оцениваю значение случившегося. Надо хорошенько поразмыслить, прежде чем продолжать.

— Ты шутишь? Это гениальное достижение! «Нейролинк» кинематографически воспроизвел одно из твоих воспоминаний, кусочек твоей памяти, к которому у тебя никогда не появилось бы доступа, если бы не наша работа.

— То-то я впал в черную меланхолию! Знаешь, какое тревожное чувство я испытал?

— Ты увидел своего папашу, с которым находишься в неважных отношениях, чтобы не сказать — в никаких. У тебя испортилось настроение, и это нормально.

— Полегче, Люк, не несись так! Когда мы занялись этим проектом, у нас была амбициозная цель: суметь скопировать содержимое памяти одного человека на цифровой носитель. Мы думать не думали о последствиях погружения в бездну своей собственной памяти, а тем более о том, что компьютер вздумает без спроса сам туда залезть.

— Конечно, старина, это вечер грандиозных премьер! Наконец-то я тебе продемонстрирую способность моего интеллекта потеснить твой. Воспроизведение этого воспоминания, так сказать, дело твоих рук. Ты попросил «Нейролинк» нечто тебе доказать, вот он и выполнил твою команду. А когда ты фантазировал о возможности передать машине человеческое сознание, ты не думал, что бессознательное перейдет вместе с ним?

— Черт возьми, Люк, если «Нейролинк» примется думать за меня, это совсем другое дело. Ты отдаешь себе отчет, что из этого следует?

— Не увлекайся, старина. Компьютер не думает, а размышляет. Это совершенно разные вещи.

— По-твоему, в том, как он с нами общался, не было ничего концептуального?

В ветровое стекло упруго ударил ливень, мокрая щебенка заблестела в свете фар. «Камаро» немного повело вбок, и Люку пришлось вцепиться в руль, чтобы машину не занесло.

— Это мы поймем, только когда продолжим эксперименты, — сказал он.

— Ты уж меня извини, Люк, но это будет не сразу. Мне надо подумать. Как-то слишком быстро все понеслось, у меня чувство, будто мы играем с огнем.

— Хочешь остановиться именно тогда, когда мы с тобой прикоснулись к тому, о чем мечтали столько лет? Тебе хватило для этого всего лишь приступа тоски при виде лица твоего папочки? Тоже мне научный подход! Какой ученый, достойный так называться, не испытывает тревоги, приближаясь к цели? Как будто генетическая медицина, клонирование, искусственный интеллект не вызывали опасений!

— Может, и вызывали, но, повторяю, то, что я только что пережил, сильно меня встревожило: я столкнулся с машиной, играющей с моим сознанием, чтобы мною манипулировать.

— Как ты торопишься! Пока что мы всего лишь споткнулись об один эпизод памяти. Говорить о каком-либо сознании слишком рано.

— Тормози, ты нас угробишь!

Люк свернул с автомагистрали. Спустя несколько минут машина подкатила к дому Джоша. Он ушел, не попрощавшись с другом.

Люк задумчиво проводил его взглядом. Джош вывел его из себя, и он решил пока не возвращаться домой.

Оставив машину на парковке кампуса, Люк побежал под дождем к профессорскому корпусу: он получил ключ от его дверей вместе с должностью ассистента.

Он поспешно прошагал по коридору, вошел в кабинет Флинча и сел в его кресло. Потом выдвинул ящик стола, достал лист бумаги, написал маленькую записку и, положив в конверт, оставил на видном месте.

263

Ночь и день, проведенные рядом с Хоуп, помогли Джошу навести порядок в мыслях. Следующим вечером он снова отправился в Центр, чтобы продолжить опыты.

Ему удалось убедить Люка на некоторое время прервать контакты с «Нейролинком».

Люк скрепя сердце согласился и отключил веб-камеру.

Как-то вечером Флинч явился к ним в лабораторию в поздний час, когда остальные исследователи давно разошлись. Джош не успел снять шлем, и Флинч уставился на него с подозрением.

— В этом шлеме вы вылитая обезьяна, дружище, — проговорил он, поморщившись.

Джош расстегнул ремешок, и Люк водрузил шлем на подставку.

— О чем вы думали?! – прогрохотал Флинч.

— Ни о чем мы не думали, сэр, — в замешательстве ответил Джош.

— В этом я вас и упрекаю. Вы догадываетесь, сколько стоит предоставленное вам оборудование? Полагаю, что нет. Уж не вообразили ли вы, что порядочные, но безответственные люди отдали эти игрушки в полное распоряжение еще более безответственных мальчишек?

— Не совсем, — пробормотал Джош.

Люк молча складывал инструменты, как будто это могло спасти их обоих от взбучки, устроенной Флинчем.

— Я запретил использовать «Нейролинк» на человеке, и теперь, когда вы опять приобрели человеческий вид, снова спрашиваю:

вы что, обезьяна? Заприте лабораторию на ключ. Жду вас снаружи. — Отдав эти распоряжения, Флинч вышел.

Люк и Джош, не говоря ни слова, кинулись на стоянку. Они были настороже, и не зря: клаксон заставил их оглянуться.

Флинч ждал их в своей машине, «кадиллаке»-седане, сиявшем хромом, с запахом дорогой кожи в салоне. Он жестом велел им сесть к нему. Люк нырнул на заднее сиденье, предоставив Джошу место смертника.

Профессор молча тронулся с места и проехал пару километров, прежде чем свернуть на обочину пустынной дороги. Открыв бардачок, он запустил в него руку и достал пачку сигарет.

265

— Выйдем, — предложил он. — Никто не знает, что я курю.

Дорога вилась среди полей, уходивших за горизонт.

— Зачем мы сюда приехали? — осмелился спросить Джош.

— Разве не ясно? Подышать воздухом.

Люк незаметно пнул Джоша, призывая его заткнуться. Флинч еще не закончил свое наставление. Раз он решил увезти их из Центра, значит, у него были на то веские причины.

— Вы достигли замечательных и пугающих результатов, — проговорил он, выпуская длинную струю дыма. — Само собой, никто не должен о них знать. Я прошу вас принять все необходимые меры для более эффективной защиты ваших персональных данных. У меня вопрос: можно назвать это клоном вашего мозга? Хотя это не важно. Действуйте так, чтобы никто, кроме нас с вами, не заподозрил, чем вы занимаетесь. Раз мне удалось распутать ваши проделки в наших серверах, то это и другим под силу, а я бы хотел, чтобы никто и дальше ничего не понимал. Сегодня никто не сможет предугадать, как на это прореагировал бы наш Наблюдательный совет. Я сам не разобрался, в восторге я от этого невероятного научного прорыва или, наоборот, не одобряю его.

— Чего конкретно вы от нас ждете? — спросил Люк.

— Ничего не зная о ваших проектах, я не знаю и ответа на этот ваш вопрос. Смею предположить, что вы достаточно безумны, чтобы продолжить ваши опыты. Иное меня сильно опечалило бы. Вы так близко подошли к глубинной сути жизни, возможно, даже ее ухватили, но не воображайте, что вы ее поняли. Одно дело — поймать дикое животное, совсем другое — предвидеть, как оно себя поведет, третье — его приручить. Излишне вам напоминать, какой страх до сих пор внушает искусственный интеллект. А теперь представьте, какая возникла бы паника, если бы просочилась новость, что двое учеников чародея вооружили его человеческим сознанием! Будьте начеку, вы понятия не имеете, как он будет развиваться.

— Как вы нашли наш раздел в сервере? — спросил Джош.

— Лучше озадачьтесь вопросом, как скрыть его от всех остальных.

Флинч пообещал предоставить им независимый блок, предназначенный для хранения незаконченных проектов. Его можно было сравнить с архивным залом, где за долгое время скопилось столько пыли, что никому не пришло бы в голову что-либо там искать. Им предстояло так запрограммировать передачу своих данных, чтобы она осуществлялась между 20 и 23 часами, когда достигает максимума число запросов в сети. Недаром говорят, что лучший способ остаться невидимкой — раствориться в толпе.

Затушив сигарету, Флинч вооружился флаконом дезинфицирующей жидкости, протер руки и вернулся в машину.

— Вас подвезти или предпочитаете прогуляться по полям?

———————

Через две недели все данные перекочевали на сервер, где никто больше не мог их отыскать, кроме тех, кто знал об их существовании и местонахождении. Джош и Люк возобновили свои эксперименты. Раз в неделю они устраивали сеанс коммуникации между Джошем и «Нейролинком». К концу сеанса Джош совершенно терял силы, для восстановления ему требовалось несколько дней.

11

Наступил вечер 4 июля. Город украсился гирляндами и трехцветными огнями. Почти на всех фонарных столбах красовалась реклама — меню ресторанов и музыкальные программы клубов, посвященные национальному празднику. Но ничто не могло соперничать с концертом на большой эспланаде у реки Чарльз. Он традиционно начинался в восемь вечера и завершался спустя два часа грохотом барабанов, оповещавшим о самом захватывающем моменте торжеств — грандиозном фейерверке, который запускали с речной баржи.

С полудня по городу слонялись туристы и горожане, к которым примешивались торговцы и видные люди города, многие в странных одеяниях, общим для которых было горделивое, усыпанное звездами полотнище родины, освободившейся от английского ига.

Джош обещал Хоуп, что они не пропустят ни минуты праздника. К шести часам вечера они присоединились к толпе, начавшей заполнять площадь.

Вечерний ветер подхватил первые аккорды электрогитары. Ударные заглушили рокот толпы, приветствовавшей аплодисментами оркестр.

Четверо друзей устроились впереди, в нескольких метрах от сцены.

Хоуп пригласила Касуко, чтобы Люк не оказался в одиночестве; втайне она надеялась, что между ними пробежит искра. Касуко была такой же прилежной и молчаливой, как он, и отказывалась считать притяжение противоположностей законом природы. Однако Джош шепнул Хоуп, что эти два голубка держатся обособленно даже в плотной толпе.

После часа концерта Джош снова наклонился к Хоуп.

— Умеешь танцевать рок-н-ролл? — прокричал он.

— Так же хорошо, как готовить, — ответила она.

— Не может быть! — гаркнул Джош что было силы.

Он схватил ее за руку, крутанул, притянул к себе.

— Это просто. Слегка отставляешь левую ногу, правая нога не двигается, шассе влево, руки на высоте плеч, левая-правая-левая, шассе вправо, пас — и все сначала. Я веду, ты подчиняешься.

Хоуп расхохоталась и повиновалась. Она не возражала показаться смешной, но в конце концов оказалась способной ученицей. Джош ускорил темп и стал ее крутить — раз, другой, третий, и она светилась улыбкой, от которой он сходил с ума.

— Голова кружится, — сказала она, желая его остановить.

— Это нормально! — проорал он. — Для того мы и танцуем!

— Нет, ненормально, — ответила она и потеряла сознание.

Джош бросился к ней, попытался поднять и увидел, что у нее закатились глаза. Она дрожала всем телом.

Его попытки привести ее в чувство оказались бесполезными. Он обнял ее, приподнял с земли. Танцевавшие рядом с ними не заметили случившегося. Джош попытался

271

вытащить ее из толпы. При этом он вопил, надрывая глотку, чтобы привлечь внимание спасателей, стоявших у защищавшего сцену барьера, но музыку было не перекричать. Люк, стоявший в двух рядах перед ними, внезапно оглянулся и схватил Касуко за руку.

Джош двигался мелкими шажками, с огромным трудом прокладывая себе дорогу. Он нес Хоуп на руках, голова у нее болталась. У Касуко забурлила кровь, она мигом вышла из своего привычного спокойного состояния и стала бесцеремонно расталкивать зрителей, увлекая за собой Люка. Добравшись до Джоша, Люк подхватил ноги Хоуп, освободив друга от части веса.

— Выше! — крикнула Касуко. — Надо поднять ее над толпой, чтобы люди поняли!

Заметивший их спасатель заговорил по своей рации, двое его коллег стали прокладывать четверке путь. Когда все четверо выбрались из толпы, спасатели быстро отвели их к готовой сорваться с места машине «скорой помощи».

Хоуп уложили на носилки, санитар прижал к ее лицу кислородную маску. Ее лицо, только что пугавшее нечеловеческой бледностью, слегка порозовело. Джош залез внутрь машины, дверцы закрылись, включилась сирена.

Касуко узнала у одного из спасателей, что Хоуп доставят в приемное отделение клинической больницы. Схватив Люка за руку, она потащила его к своей машине.

Мигалка на крыше «скорой» озаряла улицу синими и красными бликами. Хоуп медленно приходила в себя. Джош не выпускал ее руку и не сводил с нее глаза. Он был так напряжен, что на лбу вздулась вена.

Хоуп приподняла с лица маску и робко улыбнулась.

— Чертов танцор... — пробормотала она. — Тебя нельзя подпускать к дебютанткам.

Потом она склонилась вперед и ее вырвало.

Санитар поддержал ее за плечи. Когда спазмы прекратились, он помог ее уложить.

— Уже близко, — сказал он. — Все будет хорошо.

273

———————

Через полчаса в приемное отделение ворвались Люк и Касуко. Они увидели Джоша: он сидел на скамейке, закрыв лицо руками.

— Что они сказали? — спросил Люк.

— Пока еще ничего, только у нее что-то с кровью. Я рассказал про ее анамнез, они сделают ей томографию, но пока не знают когда.

К десяти часам приехал Бергер. В полдень Джош, Люк и Касуко узнали диагноз.

Хоуп оставалось жить не больше шести месяцев, вероятно, меньше.

Двигаясь как робот, Джош направился к телефонной кабине, но по пути, роясь в кармане в поисках мелочи, вспомнил про свой мобильный.

И тогда, вцепившись, как в спасательный круг, в одно свое давнее обещание, он позвонил в Калифорнию, Амелии.

Прошло несколько часов, прежде чем за ним пришла медсестра. Ему наконец позволили увидеться с Хоуп. Его посетила неуместная мысль: даже в прихожей, дверь из которой ведет в пустоту, человек умудряется устанавливать регламент.

Он вежливо поблагодарил медсестру: не ее вина, что он всю ночь и все утро только и делал, что расхаживал взад-вперед, отключив мозги.

Он толкнул дверь и вошел с приклеенной к губам улыбкой и с ноющей болью в желудке.

Хоуп улыбнулась ему в ответ. Она вся была оплетена какими-то трубками и проводами, но они не могли закрыть от него Хоуп, его Хоуп, заставившую его натерпеться такого страха.

Она поманила его к себе.

— Попытайся пристроиться на краешке, между зеленым и синим проводками. Только смотри не порви красный проводок, а то я взорвусь.

«Она умудряется шутить. Какая изысканная вежливость!» — подумал Джош.

Она погладила его по щеке, потянула за подбородок, чтобы он ее поцеловал. Даже теперь ее пересохшие губы сохранили чувственный вкус их первого поцелуя.

— Не мучайся, я уже все знаю. Барт тайком вырос в жирного мерзавца.

— К тебе приходил врач? — спросил Джош.

— Я сама у него побывала. Две недели назад у меня возобновились головные боли. Ну, я и пошла сделать для успокоения томографию. Вот какая я смелая! Вообще-то у меня не было выбора, рентгенолог дал ясно понять, что во время обследования станет держать меня за ногу. Я заявила, что мне поддержка ни к чему, но эти рентгенологи такие упрямцы! Знаю, ты возненавидишь меня за

275

скрытность. Мне хотелось хоть немного продлить нормальную жизнь. Я думала, это протянется дольше. Прости, что обманула тебя. Я больше не буду.

— Никогда?

— Никогда.

— Тогда мы квиты, — сказал Джош.

— А вот и нет! — Хоуп надула губы. — Я собиралась сказать то же самое, но когда слышишь это от тебя, да еще при таких обстоятельствах... Что-то я уже не уверена.

— Мне надо научиться помалкивать, когда перевес у меня.

— Напрасные старания, ты никогда не выигрываешь. Ты позвонил моему отцу?

— Да, как только узнал...

— Быстрее запри дверь на ключ, с него станется мигом сюда примчаться и нагрянуть в любой момент.

— Врачи говорят, что ты пробудешь в больнице недолго. Несколько дней — и я увезу тебя домой.

— При моем состоянии «недолго» — понятие, полное поэзии и субъективности. Но так или иначе, я здесь не задержусь. Меня как-то не вдохновляют завтраки методом вливания, и потом, ты же сам сказал, что я не из тех, кто определяется болезнью. К чему мне занимать койку настоящего больного? С моей стороны это было бы совсем нехорошо.

— Согласен.

— Понимаешь, милый Джош, при любом несчастье наступает момент, когда на первое место встает достоинство. Я слишком зла на Барта и не допущу, чтобы ему придавали больше значения, чем мне.

— Я понимаю.

— Прекрати повторять за мной, а то как бы я не решила, что рак мозга — заразная болезнь... Я говорила важные вещи про несчастье и достоинство. Предлагаю обойтись без милой чепухи насчет того, что жить надо каждый день на всю катушку, ведь никогда не знаешь, сколько времени тебе осталось: я-то знаю, с точностью до двух-трех недель. Когда тело сдает позиции, все резко меняется. В гробу я видала всех этих наставников, которые учат примиряться с нашей кармой! Никакого уважения к Барту — ни сейчас, ни тем более потом. Долой помпезность, она ничуть не интересна. Зачем прославлять мертвецов? Жизнь — вот что надо прославлять. На этом я, пожалуй, остановлюсь, но наши краткосрочные планы крайне просты. Ты отвезешь меня к нам домой, и мы станем готовить разные простые

277

блюда — вернее, это будет твоей обязанностью, про мои кулинарные таланты ты все знаешь. Станем гулять, когда я не буду чувствовать себя слишком усталой, а главное — главное! — мы не будем замечать Барта. Это будет моей победой.

— Мы сделаем все, что ты захочешь.

— Об этом я тебе и толкую, милый Джош: конец химиотерапии, облучениям, всему тому, от чего я еще сильнее заболеваю, всему тому, что радует Барта. Если он очень распалится, пусть берет меня стоя, а не лежа. Ясно?

— Нет.

— Как это нет?

— Думала, меня легко заманить в ловушку? Если бы я повторил за тобой, что мне все ясно, ты бы опять сказала, что у меня рак мозга.

Хоуп собрала все силы, обхватила его за голову и страстно поцеловала.

———

Хоуп выписали из больницы в субботу. Сэм, примчавшийся на следующий день после «концерта» (упоминать о приступе разрешалось только такими словами), прибег к своей власти медика и настоял, чтобы его дочь восстанавливала силы на дому. Он сам подписал документ о выписке, после чего Джош увез ее домой в машине «скорой помощи». Через десять дней после «концерта» она стала вставать с постели, через двенадцать начала краситься; на пятнадцатый день она оделась и, так как это было воскресенье, прогулялась в окружении родных по рядам блошиного рынка. День выдался чудесный.

Сэм и Амелия сняли квартирку в городе. Сэм сетовал, что квартира тесная, а соседи шумные. При этом сам этот деликатный человек превратился в настоящего буяна. Правда, каждый раз, когда он выходил из себя, Хоуп как будто становилось лучше.

Как-то вечером она пригласила его поужинать вдвоем — только отец и дочь.

Сэм отвез ее в выбранный ею итальянский ресторан. Интерьер изрядно обветшал, зато можно было вообразить себя в траттории на берегу венецианского канала, такой, где бывают одни венецианцы.

Она выбрала спагетти цветов осени, Сэм — хорошее вино, потому что в такие моменты лучший способ сохранить здравомыслие — это напиться.

Хоуп взяла его за руку, попросила оставить меню и смотреть ей в глаза.

— Ты был прав, — заговорила она. — Врачи-специалисты гораздо опаснее педиатров.

279

— Разумеется! Хотя, если честно, нам, возможно, больше везет со всеми этими ангинами и ветрянками.

— Это ты зря. Я слышала о смертельных случаях ветрянки и о губительных ангинах. Знаю, ты достоин большего, ты и сам это понимаешь. Я всегда восхищалась твоей работой, тем, какой ты прекрасный врач. Так или иначе, величие врача не в том, чтобы лечить: вы столько лет учитесь, что это строгий минимум. Великий эскулап — это тот, кто способен нам внушить, что мы выздоровеем.

— С тобой я на это больше не способен, Хоуп, — ответил Сэм, опустив глаза.

Хоуп подлила вина сначала себе, потом ему.

— В детстве я ревновала тебя к пациентам. Мне казалось, что ты слишком печешься о них и недостаточно — обо мне. Ты в этом не виноват, девочки ни с кем не хотят делить своих отцов. Я должна тебе кое в чем сознаться. Помнишь, в тринадцать лет у меня была пневмония? Кажется, тогда у меня было рыльце в пушку.

— Брось, Хоуп, мы не несем ответственности за свои болезни.

— А если провести ночь у окна, опустив ноги в таз с ледяной водой?

— Ты такое учинила?

Хоуп кивнула.

— Зачем?!

— Чтобы вступить в клуб твоих пациентов, чтобы усадить тебя у моего изголовья. Все получилось удачно, ты на три дня прекратил прием. Говорю тебе, девочки — страшные собственницы и своих отцов не хотят делить ни с кем!

— Я буду сидеть у твоего изголовья, можешь на меня рассчитывать.

— Нет, папа, дело как раз в том, что теперь я выросла. Ты должен вернуться к своим маленьким пациентам, которых ты еще можешь убедить, что их ждет выздоровление, опять изводить персонал больницы, у которых без тебя слишком спокойная жизнь. А главное, ты должен беречь Амелию.

— Не говори глупостей. Ты — моя дочь, ты — на первом месте.

— Глупости говоришь ты. Ты так давно злишься на весь белый свет, с тех самых пор, как тебя покинула мама, что разучился быть счастливым. Что ты пытаешься себе доказать? Что она была женщиной твоей жизни? Была, а потом ее не стало. Докажи мне, что ты сможешь ее пережить, что всегда останешься сильным мужчиной, моим отцом.

281

Позволь Амелии утвердиться в твоей жизни, женись на ней, она хороший человек, она заслуживает тебя, как и ты ее.

Сэм наклонился к Хоуп и надолго припал губами к ее лбу.

— Ты говоришь мне это, потому что умираешь.

— Умоляю, папа, не заставляй меня еще больше походить на маму.

— Ты — вылитая она. Потерять ее дважды выше моих сил.

282

— Как раз поэтому я и захотела, чтобы мы вместе поужинали. Знаешь, кто еще больше, чем девушка моего возраста, боится, что она умрет от рака? Ее отец. Не могу видеть, как ты, находясь рядом со мной, подпитываешь свой страх. Это постоянно напоминает мне, что я больна, а я хочу все сделать, чтобы забыть об этом на оставшееся мне время. Возвращайся в Сан-Франциско. Когда мне станет по-настоящему худо, Джош тебе позвонит.

———————

Назавтра Джош и Хоуп проводили Сэма в аэропорт. Прощаясь с ними, Сэм расплакался. Амелия заверила Хоуп, что в последнее время Сэм пускает слезу даже за телесериалом. Она обещала, что весь полет будет поить его водкой и вообще глаз с него не спустит.

Они обнялись крепко, с любовью. Когда Сэм и Амелия скрылись за дверями зоны безопасности, Хоуп облегченно перевела дух. Обняв Джоша, она пылко прошептала: «Наконец-то мы одни!»

12

Шли недели. Барт вел себя относительно спокойно. У Хоуп случались внезапные приступы головной боли и головокружения, но она не желала придавать им значение. Иногда ей становилось страшно, и она кидалась наводить порядок, переставляла мебель или безделушки с барахолки. По вечерам, дождавшись, когда она уснет, Джош возвращался в Центр. Он делал это по ее требованию: она убедила его, что не может спать, слыша, как он в отчаянии расхаживает по квартире. А сон, как утверждал ее отец, лучшее в мире лекарство.

Для Джоша эти моменты уединения были спасением, он черпал в них силы, которые ему порой изменяли.

Люку хватало такта не задавать ему вопросов, выходящих за рамки простой вежливости. На его «Как дела?» он привычно отвечал: «Более-менее». Этим они и ограничивались — из деликатности, а еще из опасения ненароком разбудить Барта.

Однажды ночью головная боль стала нестерпимой, и Хоуп поехала в больницу. Джошу она не дозвонилась: Центр был отрезан от внешнего мира. Пришлось ей набраться храбрости и самой взять такси.

Если я на это способна, думала она, сидя на заднем сиденье, значит, Барту придется еще потрудиться, чтобы со мной справиться.

Джош, вернувшись, нашел записку на сэндвиче, который она ему оставила в холодильнике. Он немедленно позвонил Люку, только что доставившему его домой. Люк развернулся и отвез его в больницу к Хоуп.

В этот раз ее продержали там недолго: она проспала там две ночи, если это можно было назвать сном. Она сопротивлялась врачам, упорно отвергая длительное лечение, ибо длительность теперь была лишена всякого смысла.

Шли недели. Случались моменты пустоты, а порой их накрывала паника. Джош испы-

285

тывал ужас перед тишиной, потому что в ней прорастали сожаления, похожие на цветы, которые увядают, не успев распуститься. Они подолгу разговаривали, обшаривая чердаки своей жизни, где за пыльными коробками памяти всегда отыскивали сверкающие крупицы счастья.

Хоуп сохраняла улыбку как непременный атрибут достоинства — бесценный раритет в таких обстоятельствах. Даже засыпая, она с ней не расставалась. Улыбка исчезала только глубокой ночью, когда бессонница праздновала победу. И тогда Хоуп казалось, будто она совершенно беззащитна.

Но наутро, стоило ей улыбнуться, жизнь опять входила в свои права.

Сэм прислал Джошу денег, чтобы дочь ни в чем не нуждалась. Джош вернул чек в тот же день, когда получил. Хоуп ни в чем не испытывала недостатка, потому что рядом с ней был он.

Наступил сентябрь, но Хоуп не вернулась к занятиям. Из-за Барта она вынуждена была спать допоздна.

После лекций Джош садился на велосипед и что было сил крутил педали, торопясь к ней. Каждый день они обедали вместе. Если Хоуп чувствовала себя сносно, она садилась боком на багажник велосипеда, и Джош вез ее в город. Они устраивались на террасе какого-нибудь кафе, и Джош передразнивал Флинча, читавшего утром лекцию. Хоуп обожала такие минуты. Обратно они ехали в автобусе, куда Джош втаскивал свой велосипед.

Однажды в октябре Хоуп, у которой все реже появлялся аппетит, захотелось морепродуктов. С некоторых пор ее тянуло на соленое, Барт оказался своеобразным гурманом, об этом следовало помнить и бороться с его капризами.

Джош арендовал машину-универсал. Люк предлагал свой «Камаро», но его салон был маловат, чтобы Хоуп могла по пути прилечь.

Джош собрал небольшой чемодан, не реагируя на просьбы Хоуп сознаться, куда он ее везет, и даже на обещание стриптиза в обмен на согласие все рассказать. Собирая вещи, она не обнаружила на полках некоторых предметов с барахолки и спросила у Джоша, куда они подевались, но тот отвечал уклончиво.

Выехав под конец дня, они взяли курс на юг.

Хоуп поняла, куда они направляются, только в Кейп-Коде, у парома, перевозившего машины на Нантакет.

287

Во время трехчасового плавания Хоуп немного помучилась от морской болезни.

— Меня всегда укачивало! — заверила она Джоша, чтобы он не пугался.

Они вышли из каюты и стали жадно глотать морской воздух. Хоуп провожала взглядом удалявшийся берег и махала рукой, прощаясь с Бартом. Она твердо решила оставить его на берегу, как старый носок.

Вдали над волнами метались чайки, такие маленькие, что их можно было принять за лепестки цветущей вишни, порхающие на ветру над безмятежными водами реки Чарльз.

Нантакет оказался восхитительным островом, его красота превзошла все ожидания Хоуп. Джош снял комнату в коттедже у порта. Хоуп заявила, что уходящие в воду сваи, на которых стоит коттедж, придают ему ленивый вид.

Они тщательно изучили туристический буклет, оставили вещи в комнате и пошли гулять. Хоуп непременно хотела посетить все три маяка острова, поэтому они не тратили время зря. Первым в ее списке был маяк на мысе Брант с узкой деревянной галереей наверху. Деревянным был и весь маяк — приземистый, простой, но впечатляющий.

Он выглядел не таким одиноким, как маяк с красной полосой на мысе Санкат. Третий маяк, на мысе Грейт Пойнт, показался Хоуп менее изящным: он был пузатый, обшитый шершавыми досками.

Ближе к вечеру они устроились в баре, подальше от сцены, на которой играл джаз, чья известность вряд ли могла выйти за эти стены.

Джош заказал пиво. Хоуп засомневалась: вдруг Барт станет возражать, чтобы она последовала примеру Джоша? Когда тот отлучился, она позволила себе заслуженный глоток и осталась довольна.

289

Джаз заиграл «Я так и останусь мертвым» Дэмиена Джурадо, и это заставило Хоуп улыбнуться. При желании, даже совсем небольшом, можно в чем угодно вокруг найти повод для веселья.

— Ты веришь в жизнь после смерти? — спросила она, когда певец дал петуха, переходя к припеву, давшему название песне.

— Бывает, когда я ее по-настоящему боюсь.

— Ты боишься смерти?

— Твоей, — уточнил Джош, верный своему обещанию всегда говорить ей только правду.

— Давай начистоту. Я умру, милый Джош. У меня будет перед тобой по крайней мере одно преимущество: если жизнь после смерти действительно существует, то я начну ее очень молодой, не то что ты — ты войдешь, припадая на ногу, поскольку будешь старым.

— Почему ты думаешь, что я умру стариком?

— Потому что жизнь прекрасна и мой тебе приказ — жить!

— Мы поклялись не врать друг другу, помнишь? С сожалением докладываю, что без тебя жизнь станет мерзкой и у меня не будет ни малейшего желания тебя слушаться.

— Придется, никуда не денешься. Но, пока мы здесь, я запрещаю тебе думать о таких вещах, слышишь?

— Четко и ясно.

Хоуп смело сделала большой глоток пива, молясь про себя, чтобы певца свалил обширный инфаркт и он не допел песню до конца. Впрочем, хватило бы и растяжения голосовых связок.

— Тебе бы съездить его проведать, — проговорила она, переводя взгляд на Джоша. — Скоро твой отец станет единственным близким тебе человеком. Сделай первый, самый трудный, шаг, а остальные будут легче, ты и не заметишь.

— Не ты ли говорила, что, пока мы здесь, такие мысли под запретом?

— Хорошо, — покорно согласилась Хоуп, — дождемся конца этой песни. Если он еще раз затянет свой припев, ты станешь свидетелем небывалого полета пивной кружки. Ты продумал план на сегодняшний вечер?

— Тебе все еще хочется в рыбный ресторан?

— Я готова слопать краба прямо в панцире, лишь бы больше не слышать этого субъекта!

291

Они возвращались к себе в коттедж пешком через весь городок. Другим концом улица упиралась в пляж. Хоуп пожалела, что не оказалась здесь в июне, до возвращения Барта, задолго до заката. Но, опомнившись, она подумала, что пламенеющее над золотым пляжем солнце — всего лишь банальная открытка, а в их путешествии на Нантакет каждая секунда должна быть особенной.

— Да здравствует осень! — торжественно воскликнула Хоуп и поспешила чмокнуть удивленного Джоша в щеку. — Не волнуйся, милый Джош, я найду взаимопонимание сама с собой.

Вернувшись, она сбросила одежду и пошла принимать душ. Высунув из-за занавески голову, она привлекла внимание Джоша к своей вызывающей наготе; иными словами, она дала ему полминуты на то, чтобы к ней присоединиться, разрешив даже остаться в носках на случай, если избавление от джинсов займет слишком много времени.

Перед выходом она заметила про себя, что он мог бы накинуть пиджак, ведя ее на романтический ужин на острове. Она, например, сообразила захватить сюда чудесное черное платье, в котором казалась себе более высокой: черное, говорят, удлиняет силуэт. Она на всякий случай уложила его в дорожную сумку: предусмотрительность не помешает, когда любимый предлагает устроить уик-энд в разгар недели. Поэтому, видя, как он натягивает джинсы и свитер толстой вязки, она погрустнела.

Любуясь ею в прелестном черном платье, Джош заявил, что она очень красива, просто блеск.

— Знаю, — отозвалась она, — если бы ты меня не знал, то поверил бы, что я даже не больна, но все дело в том, что ты меня знаешь, Джош...

— Разве мы не...

— Все правильно, я виновата, это все пиво, я немного под мухой, да и ты тоже, вон как элегантно вырядился!..

— Тогда, может быть... — сконфуженно залепетал Джош. — Может, тебе тоже лучше переодеться во что-то более комфортное.

Слово «комфортный» она ненавидела, оно казалось ей до того скучным, что она начинала грубить, услышав его. Как-то вечером Касуко призналась, что мечтает о комфортной жизни с мужчиной, и у нее сразу возникла идея познакомить ее с Люком.

— Объясни смысл слова «комфортный», пока не разразился наш первый экзистенциональный кризис.

Конечно, она могла списать свою ворчливость на Барта, но отлично знала, что он ни при чем. Просто ей хотелось, чтобы в этот вечер Джош постарался выглядеть элегантно, как она.

— Это одежда, в которой не страшно испачкаться.

— Час от часу не легче!

Стягивая через голову платье, она спросила:

293

— Набедренная повязка из мешковины годится? Если ты решил устроить мне турне по барам, то я, конечно...

— К сожалению, тот, где мы пили пиво, от которого тебя так разобрало, единственный, который открыт в это время года. Можешь хотя бы разок довериться мне и не задавать вопросов?

— Не уточнишь это свое «хотя бы разок»? Я потащилась с тобой на безлюдный остров, и ты еще нахально заявляешь, будто я тебе не доверяю!

— На острове шесть тысяч жителей, необитаемым его точно не назовешь.

Хоуп подумала, что Барт все же сыграл свою подлую роль в этом дурацком споре. Если этот плюгавый хитрюга думает, что может испортить такой чудесный уик-энд, устроенный в разгар недели, то она докажет, что он просчитался. Она мигом успокоилась, порылась в сумке и вспомнила, что ее джинсы и черный свитер валяются в ногах кровати. Она подцепила то и другое большим пальцем ноги, по очереди подбросила в воздух и ловко поймала.

— Наверное, лучше обойтись без косметики?

— Наоборот. Жду тебя внизу. Так будет лучше.

294

Через несколько минут Хоуп спустилась по лестнице, взяла Джоша под руку и как ни в чем не бывало повела его прочь от коттеджа.

— Ну, милый Джош, в какое же престижное место ты поведешь меня ужинать?

Джош промолчал, только улыбнулся уголком рта.

В мертвый сезон мало что было открыто, посреди недели — и того меньше. Но Джош постарался преодолеть эту трудность, и, когда они в своем неряшливом облачении вошли в чопорный зал, где ужинали немногие разодетые клиенты, Хоуп испугалась, что под влиянием морского воздуха он решился на дерзкую провокацию.

Поспешивший им навстречу официант коротко кивнул Джошу, давая понять, что он в курсе дела, и снова исчез в кухне.

Джош терпеливо ждал. Хоуп слишком хорошо его знала, чтобы не заметить, как он радуется. Оставалось понять причину.

Через десять минут официант вынес деревянный ящик и бумажный пакет.

— Ваш заказ, сэр. Рулеты в пакете. Они вегетарианские, как вы просили. Мы взяли на себя смелость добавить две порции нашего чудесного домашнего пирожного, за наш счет, разумеется.

295

Джош вежливо поблагодарил официанта и жестом показал Хоуп, что можно уходить.

На улице она наконец, сгорая от нетерпения, спросила:

— Что в ящике?

— Все, что нужно для чудесного ужина под звездным небом.

Не добавив больше ни слова, он повел ее по узким улочкам к пирсу, уходившему далеко в море.

— Оттуда вид еще лучше, — сказал он, указывая на дальний край пирса.

Там Джош поставил ящик у ног Хоуп, извлек из кармана ножик и, выдвинув лезвие, подал ей.

— Эта честь предоставляется тебе, — сказал он, указывая на бечевку.

Подняв крышку, Хоуп обнаружила внутри шесть внушительного размера омаров.

— До чего же я тебя люблю! — воскликнула она, осыпав Джоша поцелуями.

Ракообразным была дарована свобода. Выпуская каждого, Хоуп давала ему имя.

После завершения церемонии Джош зажег две свечи, водрузил их на салфетки, расстеленные за неимением скатерти на досках, и предложил Хоуп сесть и приступить к долгожданному ужину под звездами.

Рулеты были вкуснейшие, пальчики оближешь. Они запили еду маленькой бутылкой калифорнийского вина, а шоколадные пирожные умяли, не оставив ни крошки.

Хоуп уставилась на воду, туда, где только что исчез в водовороте пузырей последний выпущенный на волю омар. С наслаждением наполняя легкие вечерним воздухом, она взяла Джоша за руку.

— Столкни меня в море, милый Джош. Мне тоже хочется получить второй шанс.

Северный ветер унес ее пожелание в открытое море. Хоуп прижалась к Джошу.

297

Когда Хоуп открыла глаза, был уже почти полдень.

Джош сидел в кресле напротив кровати.

— Охота тебе скучать в одиночестве? — спросила она, потягиваясь.

— Я не скучаю, и я не один, я смотрю на тебя.

— С утра пораньше? Это нечестно с твоей стороны!

— Уже довольно поздно.

— Возможно, но не для меня. Вечер был волшебный. Будут и другие такие, обещаешь?

— Обещаю.

— Мы не лжем друг другу, помнишь?

— Помню, ложь под запретом. Только не пойму, почему монополия на сказку должна принадлежать ночи. Если ты соизволишь вытащить свою очаровательную попку из-под одеяла, то убедишься, что впереди у нас сказочный день.

— Мне нравится, когда ты поддаешься поэтическому порыву, милый Джош.

298

Сюрпризам не было конца. Выходя из коттеджа, Джош попросил дежурную вернуть ему чемоданчик, который он оставлял ей на хранение. Она достала его из-под стойки и подала ему.

— Собрался удрать, бросив меня? — спросила Хоуп.

— С того дня, когда ты позволила мне тебя поцеловать, я не перестаю бояться, что это ты меня бросишь, — ответил Джош.

Ответил — и пожалел об этом. Хоуп не обратила внимания на его слова или из чувства такта сделала вид, что не видит связи между ними и уготованной ей судьбой.

Джош усадил ее в машину и захлопнул за ней дверцу.

Они покатались по острову и остановились перед маяком Брант Пойнт.

— Какой малютка! — покачала головой Хоуп. — Вряд ли он светит далеко.

— Внешность обманчива. В истории полным-полно коротышек, от которых исходил великий свет. Тебе, кажется, понравился именно этот?

— Ты хочешь мне его подарить? Было бы здорово притащить домой настоящий маяк.

— Из всех трех ты выбрала его?

— Ну да. Теперь ты мне скажешь, что лежит в чемоданчике?

— Нет. Иди за мной.

В сотне метров от маяка Брант Пойнт поднимались три холмика, густо поросшие гибискусом. За дальним холмиком обнаружился домишко из беленого песчаника, уже много десятилетий храбро выдерживавший напор приливов и ветров. Джош решительно направился к нему.

— Если честно, я до сих пор не понимаю, что ты задумал, — призналась Хоуп со вздохом.

— Сядь вот здесь, — приказал ей Джош, указывая на уютное местечко, поросшее мягкой травой.

— Что внутри? — снова спросила Хоуп.

— Кое-какие купленные нами вместе безделушки и написанное мною письмо.

— Тебе понадобилось завести меня сюда, чтобы отдать его мне?

— Сейчас ты его читать не будешь.

— Ты уверен, что все в порядке?

— Нет, но мы стараемся изо всех сил, правда?

— Что ты от меня скрываешь?

— Знаю, велика вероятность, что ты сочтешь меня психом. Хочется верить, что ты любишь меня именно за то, что я немножко псих.

— И за это тоже.

— Ты подарила мне столько любви, что смогла кое-что из меня вылепить. На собраниях анонимных разочарованных я скажу, что меня спасла невероятная женщина. Мы были счастливы, а это влечет некие обязанности по отношению к счастью. Компьютер Центра научил меня одной вещи. Каким бы ни было заданное уравнение, быть вдвоем — значит аннулировать вычитание и сложение. Чем меньше останется от одного или от другого, тем больше останется от нас двоих. Ты первой сказала, что Барту не взять верх над твоим разумом. Я с удовольствием швырнул бы его в море, в каком-то смысле я плавал в нем до тебя. Я играл в колдуна и несказанно этому рад.

— Ни слова не понимаю из того, что ты говоришь, милый Джош.

— Все просто. Мы отправимся завоевывать время, необходимое, чтобы найти способ тебя исцелить. В лабораториях всего мира безымянные ученые бьются над тем, как положить конец владычеству Барта и его братии. В один прекрасный день у них получится, как уже получилось придушить оспу, полиомиелит и чуму. Жизнь и смерть — всегда лишь вопрос времени.

И Джош поведал Хоуп о своих экспериментах. Он рассказал о своем необыкновенном шлеме, объяснил подробности проекта «Нейролинк». Хватит несколько месяцев, чтобы записать содержимое ее памяти. Эти месяцы у них есть. Сознание Хоуп сохранится в сервере Центра, а для того, чтобы она когда-нибудь возродилась, нужна криогенизация ее тела.

В будущем — по его представлениям, не таком уж далеком — прогресс науки позволит воскресить ее и соединить тело и сознание. Поскольку смерть — вопрос времени, нет причин не относиться так же и к жизни.

Хоуп задумалась о перспективе превратиться в Спящую красавицу, лежащую в гробу из азота. Он показался ей слишком фантастичным, однако в нем явно было куда больше поэзии, чем в упокоении на кладбище.

— А ты, милый Джош, будешь тем временем жить и стариться?

— Нет, я буду ждать тебя.

— Так что там с чемоданчиком?

— Мы спрячем наши любимые вещи, чтобы ты их потом нашла.

Джош достал из кармана нож и опустился на колени. Сняв верхний слой почвы, он отложил нож и стал рыть землю голыми руками. Получилась довольно глубокая яма, в которой можно было спрятать их воскресные сокровища. Джош опустил в нее чемоданчик, и они с Хоуп стали забрасывать его землей.

Их отчаянные старания завалить эту бездну печали стали пьесой, исполненной в четыре руки в сопровождении рокота моря.

Джош высмотрел неподалеку большой белый камень, с трудом его приподнял и принес, чтобы поставить на то место, где была яма. Им опять понадобился нож: они нацарапали им на камне свои имена.

— Что, если я действительно однажды вернусь, а тебя не найду?

— Найдешь, я уверен, если не меня самого, то воспоминание обо мне в чужом взгляде, в чужом сердце, в чужой молодости, и станешь любить этого человека изо всех сил, которые дам тебе я. Настанет твой черед даровать мне миг вечности. Ты скажешь ему, что мы были первыми безумцами, одурачившими смерть, и будешь радоваться нашей изобретательности. Ты расскажешь ему обо мне в первый и в последний раз, потому что должна будешь освободить место для него.

— Ты понимаешь, что говоришь? Твоя история, милый Джош, — это опрокинутый горизонт.

— Может быть, но, поверь, так гораздо красивее.

Хоуп пообещала обдумать его замысел, даже не веря в него. Но умоляющий взгляд Джоша дарил надежду. Мысль, что он еще сильнее не в своем уме, чем она предполагала, ее не отталкивала, но для нее невыносимо было думать, что он потеряет достоинство.

— Вернемся домой, — сказала она, — мне хочется убраться подальше от этой пляжной

303

могилы. Надеюсь, в чемоданчике не было деревянного самолетика, который я тебе подарила: он обошелся мне в целое состояние и я к нему неровно дышу.

———————

Под вечер они опять погрузились на паром. Облака в небе представлялись Хоуп, замершей над водой, то Святым Конем, то Святым Гиппопотамом. Джош незаметно подошел к ней и тоже застыл, запрокинув голову.

Барт поджидал Хоуп на пристани. Он, видимо, долго терпел, потому что с наступлением вечера напомнил о себе с новой силой, заставив ее расплачиваться за попытку бегства.

Глубокой ночью Хоуп села в кровати и, зажав ладонями голову, издала истошный вопль. Джошу пришлось долго с ней бороться, чтобы заставить опустить руки. Потом он схватил телефон, но Хоуп умоляла его не звонить в больницу. Она обещала сама обуздать Барта, это было делом считаных минут.

Приступ продолжался час. Хоуп перестала стонать, она так обессилела, что буквально упала Джошу на руки.

Говорят, жизнь бывает мерзкой, но, по мнению Хоуп, умирать было еще более мерзко.

Немного восстановив силы, она встала и перебралась в гостиную. Джош принес ей стакан воды и сел рядом. Она уронила голову ему на плечо, напомнила про их разговор на пляже и сказала, что согласна.

305

13

Остаток ночи Джош сторожил сон Хоуп. На рассвете он встал и унес свою одежду в гостиную, чтобы не разбудить ее, одеваясь.

Целых полчаса он отчаянно крутил педали велосипеда, прорываясь в центр города. Перед отъездом он отправил Люку сообщение с просьбой как можно скорее встретиться в кафетерии кампуса.

Люк ждал его с двумя чашками кофе и с двумя шоколадными булочками на столе. Джош объяснил ему свой замысел.

Дождавшись конца занятий, Люк отправился в Центр и создал на сервере новую папку «Спящая красавица», не уведомив об этом Джоша.

Тот, вернувшись в лофт, потратил всю вторую половину дня на подготовку отпечатка черепной коробки Хоуп. Для пущей точности он придумал накрыть ей голову несколькими слоями алюминиевой фольги, полностью повторявшей благодаря его стараниям форму головы. Волосы у Хоуп были совсем коротенькие, это упрощало задачу.

Любуясь собой в зеркале в этом головном уборе, Хоуп смеялась над своим отражением и над Джошем, однако он невозмутимо доделал модель и набил ее газетной бумагой, чтобы не повредить при перевозке. Поместив ее в картонную коробку, он поехал на автобусе в Центр.

Люк отсканировал модель. На исходе ночи второй прототип шлема «Нейролинк» сошел с 3D-принтера и был помещен в резервуар с клеточной культурой.

307

———————

Все последующие дни Люк тщательно контролировал процесс установления связей между органическими рецепторами на стенках шлема, уделяя особое внимание тому, чтобы зона опухоли оставалась свободной от нейронов.

Джош опасался, как бы электростимуляция не подстегнула Барта, который, устроив очередной приступ головной боли, как будто взял отпуск. Когда Люк предложил посоветоваться об этом с Флинчем, Джош испугался еще сильнее: вдруг тот запретит им работать над проектом? Люк возражал: если Флинч узнает, чем они занимаются, — а это, по его мнению, все равно рано или поздно случилось бы, — то скорее не простит другого: нового обмана.

Джош спросил Люка, что его больше страшит — участь Хоуп или судьба его карьеры. Люк решил отнести его вопрос на счет нервного переутомления и сделал вид, будто не расслышал.

308

—————

На следующее утро Флинч нашел у себя на столе записку. Вечером они встретились там же, на обочине дороги. Флинч закурил и несколько раз задумчиво затянулся, прежде чем ответить.

— Я в растерянности. Более того, я очень огорчен. Опасаюсь, как бы ваш проект не был чистой утопией.

— Может, и так, но даже в добром здравии приходится быть утопистом, чтобы находить силы жить, — сухо возразил Джош.

— Не спорю. Более того, отчаяние подталкивает к вере невесть во что.

— В таком случае отчаяние — самое полезное состояние для ученого.

— Не надо наглеть.

— Обнаглел не я, а опухоль в мозге женщины, которую я люблю.

— Вы осознаете, на что замахиваетесь?

— Пытаюсь осознать.

— Заметьте, это довольно элегантно — помогать человеку, который попал в положение вашей подруги, когда обречен ты сам.

— Вы больны? — поинтересовался Люк.

— Нет, всего лишь старею, но со временем вы поймете, что начиная с определенного возраста одно уже неотличимо от другого.

— Очень вас прошу, профессор, позвольте нам продолжать.

— Только не надо просьб! В науке нет места мольбам. Помолчите, дайте подумать.

Флинч раздавил подметкой мокасина сигарету и закурил новую.

— Да будет так! Раз таков ее выбор... Я говорю, конечно, о криогенизации. Что до остального, то, поскольку я понятия не имею о вашей возне в лаборатории и рассчитываю и впредь пребывать в неведении, как я могу этому противиться?

— Значит, договорились? — Джош поднял на него глаза, полные надежды.

309

— Сейчас я дам вам ценный совет. Не теряйте времени на вопросы, ответы на которые вам заранее известны.

Флинч повернулся к Люку, как будто тот вдруг заинтересовал его куда больше, чем Джош.

— Теперь о влиянии электроволн на опухоль. Что касается энцефалограмм, то я никогда не слыхал ни о чем подобном. Завтра я осторожно расспрошу об этом одного из моих лучших друзей-нейрологов. Бергеру ничего говорить не стану. А теперь, — продолжал Флинч, — я просил бы вас не превращать — по мере возможности — эти встречи среди полей в правило. Не то чтобы мне было неприятно ваше общество, просто, если так будет продолжаться, я окончательно превращусь в курильщика.

Он зашвырнул сигарету подальше и пригласил друзей в свою машину.

Начались ежедневные сеансы.

Как только Центр покидал последний из их коллег, Джош прыгал в машину Люка и мчался за Хоуп.

В лаборатории ее сразу сажали в кресло с откидывающейся спинкой, позаимствованное в комнате отдыха. Люк надевал ей на голову шлем, и начиналась запись, длившаяся ночь напролет. Хоуп часто засыпала. Тогда Люк записывал ее сновидения, думая, что потом, когда в кресло усядется Джош, все повторится... Он от всей души надеялся, что это произойдет очень нескоро.

В конце месяца Хоуп отказалась от предложенного Джошем контрольного сканирования. От электричества ей полегчало, возникло даже ощущение, будто приступы головной боли повторяются реже. Люк бессильно наблюдал за необратимым развитием опухоли, разраставшейся неделя за неделей; участки мозга Хоуп гасли на экране, как при аварии на электростанции ночью гаснет свет в одном квартале, потом в другом... С Джошем он об этом решил не говорить.

311

Случались дни, когда Хоуп было трудно пошевелиться. Порой она теряла равновесие. Тогда ей казалось, что лофт качается на волнах разъяренного моря. Она хваталась за все, что подворачивалось под руку, и на коленях ждала, пока кончится болтанка, мечтая о спасательной шлюпке.

Потом выдались две спокойные недели, совпавшие с запоздалым бабьим летом. Хоуп снова захотелось наводить порядок, к ней даже отчасти вернулся аппетит. Она сильно исхудала и теперь, поглядев на себя в зеркало, решила заняться собой.

Она купила на воскресном блошином рынке три кулинарные книги и решила, что никогда не поздно избавиться от дефекта, который она считала наследственным: ее мать, насколько она помнила, не имела ни малейшего вкуса к готовке.

Сначала она потчевала Джоша несъедобными ужинами, потом дело пошло на лад, и наступил вечер, когда Джош попросил добавки.

Хоуп отказала. Наслушавшись похвал своим новоявленным кулинарным талантам, она решила оставить немного еды, чтобы порадовать Люка.

В следующий уик-энд, воспользовавшись хорошей погодой, она пригласила Люка и

Касуко на пикник и все утро посвятила готовке. Меню состояло из пирога с оливками, паштета с овощами, запеканки, салата и пирога с айвой. Для успеха своего амбициозного проекта она поминутно заглядывала в свежую книгу рецептов Жюли Андриё. Результаты ее стараний имели ошеломительный успех.

Наступило время целительной сиесты, но тут Люк смутил всех неожиданным вопросом:

— Ты хочешь, чтобы после криогенизации была устроена какая-то религиозная церемония?

313

Касуко что было мочи пнула его в икру носком туфли. Будь у Джоша револьверы вместо глаз, Люк был бы застрелен на месте. Хоуп оглядела всех троих и расхохоталась.

— Если бы понадобилось как-то по-другому назвать деликатность, ей дали бы твое имя, — сказала она Люку. — И все же это хороший вопрос. Я еще не думала об этом.

— Можете обвинять меня в жестокости, но я знаю, что Джош будет неспособен принять решение, а значит, его примет твой отец.

— Ты прав, — согласилась Хоуп, — об этом и речи быть не может, ведь на него повлияет Амелия. По-моему, лучше всего будут нормальные похороны. После похорон моей матери я то и дело сбегала из церкви и понятия не имею, как все это происходит — в реальной жизни, а не в кино.

— Мне отвратителен этот разговор! — не выдержал Джош.

— Как будто смерть сама по себе не отвратительна! — усмехнулась Хоуп. — Креститься мне, что ли?

— С какой стати? Тем более что это не так-то просто.

— Может, объяснить священнику мою ситуацию? Я поделюсь с ним своими духовными сомнениями, и, если церемония окажется радостной и приятной, он приобретет новую прихожанку. Никто не будет внакладе.

— Вряд ли священник будет так же циничен, как ты.

— Тогда месса! На нее не приглашают. Давайте ничего не говорить святому отцу, так лучше, а то с него станется удвоить порцию облаток. Не кривись, терпеть не могу, когда тебе изменяет чувство юмора. Итак, решено: скромная дружеская месса в ближайшее воскресенье. После этого мы побалуем себя славной пиццей.

Джош согласился, но все-таки наградил Люка испепеляющим взглядом, а тот в ответ просто пожал плечами. Он не чувствовал за собой никакой вины.

———————

Вечером Хоуп так мутило, что она не могла даже близко подойти к кухне. Стоило им вернуться домой, пол стал уходить у нее из-под ног и буря не унималась.

Она устроилась в кресле у приоткрытого окна и заставила себя медленно вдыхать и выдыхать, чтобы не поддаваться панике, нараставшей по мере усиления качки.

Джош прикорнул на диване, и Хоуп не хотелось его будить. Она повисла на радиаторе и, как бывалый моряк, бросила вызов разбушевавшейся стихии.

Примерно через час Барт устал от устроенного им сеанса пытки. Хоуп собралась с духом, немного порозовела и нашла силы подняться и прилечь рядом с Джошем. Он открыл глаза и улыбнулся ей.

— У тебя такой вид, как будто ты...

— Совершила в бурю морской переход, — подсказала ему Хоуп.

— Шторм восемь баллов?

— Шесть, но мне и этого хватило.

Гордая Хоуп не желала признавать силу Барта, хотя знала, что шторм разгулялся даже не на восемь, а на все девять баллов.

Джош встал и пошел готовить ей отвар. Хоуп не питала никаких иллюзий относительно достоинств снадобья, прописанного специалистом по иглотерапии, но отвар на основе имбиря придавал хоть какие-то силы и, что самое ценное, укрощал головокружения.

Джош поставил чашку на низкий столик.

— Никак не пойму, как Люк умудрился сегодня позволить себе такую бестактность...

— В том, чтобы караулить смерть, нет ничего бестактного. Это как свирепая бессонница. Ты вдруг оказываешься посреди своей гостиной, не понимая, как ты сюда попал, и у тебя сердце выскакивает из груди; по твоей ноге течет струйка мочи, а ты ничего не можешь с этим поделать — так тебе страшно. Караулить смерть — значит ощутить себя сиротой во всех смыслах, известно же, что в конце концов каждый умирает в одиночку. Иначе это был бы страшный эгоизм, верно? Каждый сражается по-своему, Люк бывает неуклюж, но он очень старается.

— Почему ты всегда за него заступаешься?

— Потому что я думаю о твоем будущем, и ничто меня при этом так не успокаивает, как ваша дружба.

———————

Назавтра сеансы возобновились.

Неделя выдалась терпимой. Во вторник была мелкая рябь, какие-то четыре, ну, может, шесть баллов. В среду и четверг было два приступа головной боли. В пятницу внезапно сузилось поле зрения левого глаза, что повергло ее в панику, но через несколько часов ей значительно полегчало. Барт был горазд на выдумки, и Хоуп все время гадала, какой фокус он выкинет в следующий раз.

317

Сэм звонил ей через день. Разговоры ограничивались обменом банальностями. Стоило отцу заговорить о погоде в Сан-Франциско или о том, что Амелия приготовила накануне на ужин, Хоуп находила какую-нибудь туманную отговорку, намекая на то, что сейчас ей придется повесить трубку. Тогда Сэм вздыхал и наконец спрашивал, что у нее нового. На это она отвечала, что ей лучше и что ему не из-за чего тревожиться.

———————

Как-то утром в разгар учебного дня Джош получил от Хоуп сообщение:

Приезжай за мной, я у Альберто, поторопись.

Альберто был владельцем магазинчика, где Хоуп любила делать покупки. Начав стряпать, она перешла у него из категории «симпатичная вежливая покупательница» в категорию «очень хорошая, симпатичная и вежливая покупательница».

Хоуп не совершала у Альберто крупных закупок, поскольку нередко выходила в штормящее море, но, с тех пор как у нее появилась французская кулинарная книга, она завела привычку заказывать у него пряности, о существовании которых он до сих пор не имел представления. Альберто знал о болезни Хоуп (однажды, когда она укладывала в корзину свои покупки, у нее с головы свалился берет) и считал делом чести выполнять все ее требования, даже если для этого ему приходилось часами просиживать в Интернете.

Почувствовав вибрацию мобильника в кармане, Джош прочел сообщение Хоуп и вскочил. Он протиснулся к проходу, заставив подняться студентов, сидевших в его ряду, и, задержавшись перед Люком, чтобы попросить у него ключи от машины, выскочил из аудитории.

Промчавшись по городу на безумной скорости, он бросил «Камаро» во втором ряду и влетел в магазин.

Сестра Альберто, обслуживавшая покупательницу, указала ему кивком на подсобное помещение.

Хоуп сидела на стуле, правая нога ее была бессильно вытянута. Возле нее с сокрушенным видом стоял Альберто.

— Это ты, Джош? — спросила она, всхлипывая.

Джош сразу все понял.

— Мне так жаль... Я выбирала спаржу и повернулась к Альберто, чтобы спросить про цену, но увидела его только тогда, когда сильно вывернула шею. Левый глаз совсем ослеп. Уже полчаса торчу здесь как дура... — Не договорив, Хоуп зарыдала.

Джош упал перед ней на колени и крепко обнял.

— Не волнуйся, я тебя заберу...

— Только не в больницу! — взмолилась Хоуп.

— Я хотел сразу вызвать «скорую», — стал объяснять Альберто, — но мисс не позволила, поэтому я увел ее к себе в каморку и она продиктовала мне текст сообщения для вас.

Джош поблагодарил его, помог Хоуп встать и повел к машине. Они прошли через магазин следом за Альберто, который на ходу подбросил в корзину с покупками Хоуп пучок спаржи.

Джош усадил Хоуп на переднее сиденье. Он не знал, как быть с корзиной, которую протягивал ему Альберто.

— Все будет хорошо, — сказал тот с грустной улыбкой. — Берите и не волнуйтесь, я запишу это на ее счет и, разумеется, по цене для друзей.

Джош еще раз поблагодарил его, сложил покупки на заднее сиденье и сел за руль.

— Не надо в больницу, Джош, очень тебя прошу.

— С ума сойти! Ты с ним торгуешься? — спросил он, заводя мотор.

— Как же иначе? Это самый дорогой магазин в округе.

―――――――――

Джош позвонил Люку, Люк — Флинчу, Флинч — профессору Бергеру.

Стоило им переступить порог отделения экстренной помощи, как врачи занялись Хоуп. Ей сделали томографию. Джош сидел рядом, пока шло исследование, держа ее за лодыжки. Потом их принял Бергер, велев очередному пациенту подождать.

— Опухоль сдавила участок коры, отвечающей за ваш правый глаз, — объяснил он.

Взяв листок, он стал рисовать мозг. У врачей возникает потребность вцепиться в карандаш, когда им надо сообщить важную информацию; наверное, они думают, что пациенты не понимают смысла слов, и считают своим долгом прибегнуть к рисунку. Когда опухоль хорошо нарисована, она выглядит не так грозно, как на самом деле. Впрочем, это относится и к другим болезням.

— Оптические нервы пересекаются на уровне хиазмы, — продолжил он, указывая на свой рисунок (изображенная профессором Бергером оптическая хиазма смахивала на большую букву Х, напившуюся допьяна). — От этого страдает половина информации, передаваемой оптическим нервом. Ваш левый глаз не пострадал, но...

— Но у меня взрывается мозговая кора.

— Только один ее участок.

— Сколько у меня времени? — спросила Хоуп.

— Ничто не указывает на то, что слепота будет прогрессировать. Есть даже возможность, что выпот поспособствует рассасыванию, тогда ваше поле зрения восстановится.

— Я спросила, сколько времени мне осталось, — проговорила Хоуп так спокойно, что Джош окаменел.

— Этого я не знаю... — пробормотал Бергер, разглядывая свой рисунок.

— Я должна вам объяснить, почему согласилась, чтобы вы меня оперировали, и даже не стала консультироваться с другим специалистом. Потому что вы не пытаетесь быть любезным, не отягощаете себя ложью и ненужной предупредительностью. Если вы отвечаете, что не знаете, значит, вы очень обеспокоены.

Бергер переглянулся с Джошем и понял, что надо говорить правду.

— Опухоль сильно разрослась.

— А хорошая новость? — иронично спросила Хоуп.

— Хорошая?.. — не понял Бергер.

— Так я благодарю вас за правду, даже плохую. Успокойтесь, вы не обязаны придумывать хорошую новость.

— Тем не менее она есть: в других органах метастазов нет.

— Гениально! Им хорошо у меня в мозгу, наверное, это для них самое удобное место.

— Возможно, — сказал Бергер.

— Сколько времени пройдет, прежде чем Барт меня угробит?

— Барт?

— Так мы прозвали опухоль, — подсказал Джош.

Бергер кивнул, как будто их одобряя.

— Если снова прибегнуть к химиотерапии, то, возможно, еще несколько месяцев.

— А если без нее?

— Несколько недель. Поверьте, это все, что мы знаем. Каждый случай, каждый человек индивидуален. Не надо совсем терять надежду.

— Правда? — высокомерно произнесла Хоуп.

— Нет, неправда, — буркнул Бергер, крутя в пальцах ручку.

Поскольку, судя по его виду, не хватало фантазии на новый симпатичный рисунок, Хоуп поблагодарила его, встала и направилась к двери, чуть не врезавшись по пути в стул.

— Оставь меня, я привыкну, — сказала она Джошу, хотевшему ей помочь. — Это тоже дело времени. Возможно, я еще не сказала своего последнего слова.

———————

Вечером она хлопотала на кухне, готовя запеченную спаржу, как будто все было в порядке, хотя ей все время приходилось крутить головой, чтобы что-то увидеть.

Джош накрыл на стол. Поставив блюдо на середину стола, Хоуп попросила его отвезти ее завтра в институт криогенизации. Настал момент готовиться к будущему.

324

———————

Заместитель директора «Криогеникса» принял их в помпезном, как он сам, зале, за отполированным до ослепительного блеска столом, в роскошных кожаных креслах. Пол был мраморный, стены увешаны заключенными в дорогие рамки научными статьями, дипломами и сертификатами. Сказав, что ужасно огорчен, и тут же расхвалив надежды, которые дарит его компания людям в положении Хоуп, он объяснил, что представляет собой процедура нейропрезервации.

Когда наступит момент — Хоуп поймала его на слове и заставила называть вещи своими именами, — то есть когда станет понятно, что смерть Хоуп наступит через несколько минут, нужно будет без промедления с ними связаться. Туда, где будет умирать Хоуп, выедет бригада.

Как только врач подпишет акт о смерти, специалисты «Криогеникса» займутся ее сердцем и легкими, чтобы восстановить кровообращение и питать кислородом мозг. Тело на специальном матрасе изо льда будет переправлено в помещения «Криогеникса».

После этого начнется вторая фаза. Ей в вены введут антикоагулянт, потом раствор для витрификации, сохраняющий целостность клеток. После завершения этого этапа Хоуп поместят в контейнер, где температура ее тела постепенно понизится до минус 196 градусов Цельсия.

325

— Дальнейшее — вопрос оптимизма и времени, — сухо сказала Хоуп. — Я не пойму в ваших рассуждениях одного: как надеются вернуть к жизни умершего? Допустим, все это когда-то заработает, — я говорю «допустим». Тогда меня надо заморозить до кончины, а не после.

— Это запрещено законом, мисс, — возмутился заместитель директора.

Чтобы ее успокоить, он стал рассказывать о многочисленных экспериментах, которые якобы доказали, что нейроны коры головного мозга крысы остаются неповрежденными несколько часов после смерти. И есть все основания полагать, что место в мозге, где гнездится сознание, обладает временной посмертной сопротивляемостью.

— Это плюс. А минусы? — спросила Хоуп.

Заместитель директора, напустив на себя наполовину серьезный, наполовину снисходительный вид, ответил на ее вопрос своим:

— Увы, разве есть альтернатива?

Далее он проинформировал их о стоимости процедуры: 50 тысяч долларов, неподъемная сумма и для Джоша, и для Хоуп.

Тем не менее Хоуп пожелала осмотреть установки: когда выбираешь себе гроб, похоронное бюро обычно позволяет взглянуть на зал, где его установят.

Заместитель директора показал им операционный блок. Они поглазели через стекло на пакгауз с сотней бункеров, утыканных трубками, подающими жидкий азот. В каждом из бункеров покоился умерший, подвергнутый криогенизации.

По всей стране уже две тысячи человек почивали таким образом в ожидании возвращения к жизни, гордо уточнил заместитель директора.

После «Криогеникса» Хоуп предложила Джошу полакомиться мороженым. Ничто на свете не могло лишить ее чувства юмора. Слушая ее, Джош не мог удержаться от улыбки.

— Может, позвонить твоему отцу и попросить у него взаймы необходимую сумму? — предложил он, тормозя перед кафе «Санни Дейз».

— Если уж кому-то его просить, то мне самой, — ответила Хоуп, вылезая из машины.

Они взяли две порции йогуртового мороженого и сели за столик.

— Папа решит, что срок близок, и прилетит первым же рейсом. Приглашая меня работать в Центре, Флинч предлагал назначить мне зарплату, но я отказалась. Теперь я передумала, ведь такие решения имеют обратную силу?

— Речь идет о полусотне тысяч долларов, Хоуп. Студенту столько никогда не заработать.

— Тогда займи у него. Центру это по карману. Что, если предложить «Лонгвью» распоряжаться моим телом? «Нейролинк» и так уже располагает записями моего мозга; остановиться на полпути было бы ненаучно. И потом, согласись, у Флинча вряд ли так уж много замороженных студентов.

Джош пообещал обсудить этот вопрос тем же вечером.

— Знаешь, чего бы мне хотелось? — продолжала Хоуп. — Конечно, ты будешь против, но мне это важно... Я обдумала то, что говорила этому похоронному агенту в белом халате.

— Что ты ему говорила?

— Что нет надежды вернуть к жизни умершего.

— А он нам объяснил, что твое сознание переживет тебя на несколько часов...

— Хватит нести чушь, об этом никто ничего не знает, в том числе он. Я достаточно возилась с молекулами, и тебе стоит ко мне прислушаться.

— Брось, Хоуп, нельзя же криогенизировать тебя заживо!

— Наступит момент, когда от жизни останется одна видимость... Когда все будут решать минуты.

— Закон запрещает начинать процедуру до того, как врач констатирует твою смерть.

— Я знаю, что принять, чтобы решить эту проблему. Хороший коктейль из верапамила и дилтиазема расширит артерии и замедлит сердцебиение так, что оно станет неразличимым. А главное, при моей болезни любой врач удовольствуется малым, чтобы констатировать очевидное.

— Не требуй от меня этого, Хоуп, это выше моих сил.

— Я собиралась обратиться к Люку, просто решила заранее тебя предупредить. Когда я почувствую, что это уже конец, ты позвонишь в «Криогеникс». Перед самым приездом их бригады Люк введет мне коктейль. Только это дает небольшие шансы, что у нас получится. Но не будем заблуждаться: эти шансы почти равны нулю.

———————

329

Флинч ответил категорическим отказом. Он напомнил Джошу, что решил не впутываться в их дела, хотя это было вопиющим лицемерием: он неустанно следил за каждым их шагом. Он искренне сочувствовал Хоуп, но в задачи Центра не входило финансирование хранения тела одного из своих исследователей, не говоря о том, чтобы как-то вмешиваться в его жизнь.

На это Джош ответил, что, давая студентам кредиты, на возмещение которых уходит много лет, «Лонгвью» и так нещадно вмешивается в их жизнь; но Флинч остался непреклонен. На некоторые вещи он соглашался закрывать глаза, но всему есть предел. Он согласился выдать из своих собственных средств чек на пять тысяч долларов за несколько месяцев работы Хоуп.

———————

Компания собралась в лофте в следующий уик-энд. Все вывернули карманы, что позволило собрать еще десятую часть необходимой суммы. Не хватало сорока тысяч долларов.

За чашкой чая Касуко осенило бросить клич в Сети. Вдруг добрые души расщедрятся и помогут их проекту? Молодые исполнители собирают таким способом средства на пробный диск, начинающие киношники — на короткометражный фильм, кто-то — на поездку с учебными целями, кто-то — на сочинение очередного шедевра. Всех проектов не перечислить, объяснила Касуко, почему бы и им не попытаться?

Люк не удержался и спросил Хоуп, когда, как ей кажется, она сможет пробудиться. Вопрос был любопытный, тем не менее Касуко пнула Люка ногой. Он возмутился и добавил, что в сфере воскрешения больше доверяет стратегии «Нейролинка», чем «Криогеникса». К тому же Центр обходился им бесплатно. И получил новый пинок от Касуко.

Джош сумел заткнуть Люку рот, напомнив, что два варианта всегда предпочтительнее одного.

Касуко и Хоуп взялись за составление текста. Хоуп вписала в него несколько забавных словечек, сделала селфи без шлема и вывесила объявление на сайте, занимавшемся краудфандингом.

Невзирая на попытки Джоша воззвать к ее здравомыслию, Хоуп повела свое войско в церковь Святого Сердца на воскресную мессу.

Джош, Люк и Касуко долго пихались, стараясь занять место в заднем ряду. Хоуп, догадываясь об их намерении при первой же возможности смыться, уселась у самой кафедры, с которой читал проповедь брат Себастьян, замещавший кюре, свалившегося с гриппом.

Когда он возвестил, что святой отец прикован к постели жестокой горячкой, Хоуп закусила губу, чтобы не рассмеяться.

Последовали песнопения, присутствующих призвали сплотиться для совместной молитвы, после чего брат Себастьян напомнил собравшимся об их обязанностях «во имя Отца, Сына и Святого Духа». Затем речь

331

зашла о воскрешении и грехах, требующих покаяния.

В разгар вдохновенной тирады брата Себастьяна — чтобы посеять чувство вины в душах изрядного количества людей, ему требовались объемистые легкие, — Хоуп подняла руку, показав, что хочет задать вопрос.

Брат Себастьян изумился: впервые кто-то из добрых христиан осмеливался перебить его во время мессы.

— Да, сестра моя? — молвил он, преисполненный снисхождения.

— Брат мой, простите, что прервала вас, но если вы и вправду поддерживаете связь с Отцом нашим на небесах, то, может быть, предложите Ему снова спуститься к нам и исправить грандиозный бардак, который Он нам оставил? Вот уже два тысячелетия Он живет себе припеваючи, хотя дело Его было далеко до завершения, когда Он ушел на покой. Тут и войны, и голод, и природные катаклизмы, и опасные сумасшедшие, — поверьте, среди верующих их легион. Мило, конечно, клеймить нас и осуждать за грехи, но честнее было бы заглянуть в суть дела. Бог добр? Бог справедлив? Настолько добр и справедлив, что половина Его учеников убивают друг друга во имя Его? Не спросите ли у вашего

Отца небесного, откуда у детей или у девушек моего возраста берется опухоль мозга? Слишком просто твердить, что у Него свои резоны и что нам, убогим, их не понять. Это не важно, говорите? Нет, важно, и даже очень! — Хоуп все сильнее распалялась. — Какие оправдания есть у смерти, когда человек не успел пожить? Ваши боги пьянствуют у себя на Олимпе, утоляя жажду нашей кровью. Так что передайте от меня нашему небесному Отцу, что я поверю в Него тогда, когда Он поверит в меня. Аминь!

Отец Себастьян лишился дара речи, его паства тоже. В глубине церкви раздались робкие аплодисменты: Касуко хлопала в ладоши под укоризненным взглядом Люка. Хоуп встала со скамьи и вышла с гордо поднятой головой.

333

— Ну и задала ты им жару! — воскликнул Джош, распахивая перед ней дверцу «Камаро».

— Я вела себя как дура, но все равно, мне так хорошо! Теперь нам с Бартом обязательно нужна пицца, он изголодался по углеводам.

14

Сеансы в Центре проводились каждый вечер. Люк и Джош замечали, что Хоуп раз от разу становится хуже. Теперь ни одного дня не обходилось без головных болей и головокружения, поле зрения быстро сужалось.

В начале ноября, измученная болями, она согласилась принимать прописанные Бергером медикаменты. В том же месяце она дважды ненадолго ложилась в больницу, откуда выходила совсем обессиленной.

Днем, до поездки в Центр, она по большей части спала.

Джош забросил занятия в университете, чтобы быть рядом с ней. Он ложился наискосок кровати и держал Хоуп за руку.

Когда ей становилось немного лучше, она шла в гостиную, садилась у окна и включала компьютер Джоша, чтобы проверить, сколько набралось денег. Не хватало еще тридцати тысяч, из чего Хоуп заключала, учитывая, сколько, по ее мнению, она еще могла протянуть, что криогенизация ей не светит.

Она уже была готова окончательно закрыть свою страницу на сайте, но сначала попросила Джоша поместить там последнее послание и продиктовала его:

335

Дорогие незнакомые друзья,

спасибо за ваши многочисленные послания с пожеланиями успеха, за теплые слова, осветившие мои дни. Ваша щедрость так трогательна! Вы невероятно добры, мне бы так хотелось со всеми вами познакомиться! Получается, если бы не приближающаяся смерть, я бы даже не знала о вашем существовании. Вот доказательство, что во всем можно найти что-то хорошее даже в самые отвратительные моменты.

Скоро я уже не смогу сообщать вам новости о Барте, как привыкла делать за последние недели. Вот уже несколько дней он не дает мне пользоваться левой рукой и левой ногой.

У меня осталась только правая сторона, но Джош утверждает, что справа мой профиль всегда был лучше. Джош тоже не всегда ясно мыслит, но он любезно согласился напечатать за меня это письмо, так что я не могу на него сердиться.

Нашей цели мы еще не достигли, но, как говорит мой онколог, никогда нельзя отчаиваться. Даже если это – огромная онкологическая ложь.

Я могла бы обрушить на вас кучу банальностей насчет важности каждого мгновения жизни, но лучше я вас от этого избавлю. Единственная истина состоит в том, что человек чувствует себя живым, пока сохраняет способность восхищаться. Со мной это происходит каждый раз, когда я смотрю правым глазом на Джоша. Раньше я восхищалась обоими глазами, но, уверяю вас, достаточно и одного.

Вчера мы рассматривали фотографии, сделанные с момента нашего знакомства. Мы перебирали их в обратном порядке, возвращаясь назад, во времена беззаботности. Всегда можно решить, как противостоять жестоким ударам: цинично, со злостью, смиренно. Мы выбрали юмор.

Я никогда не узнаю вас иначе, чем по этим строкам, которыми мы обмениваемся, но на-

336

всегда сохраню вас в своем сердце, чем бы оно завтра ни стало – пылью или льдинкой.

Вы все прекрасные люди, мне очень повезло с такими виртуальными друзьями.

Пусть ваша жизнь будет чудесной.

Навсегда ваша,

Хоуп.

———————

Назавтра Джош не удержался и заглянул на сайт, как привык делать каждое утро, сразу после пробуждения. Он тут же разбудил Хоуп, и та не поверила своему правому глазу, обнаружив анонимный взнос, покрывший всю недостающую сумму.

Сначала они решили, что произошла ошибка, что благотворитель неверно набрал на клавиатуре сумму и скоро попросит исправить его оплошность. Джош даже позвонил в компанию, переводившую деньги, и провисел на телефоне несколько часов, пока не поговорил с ответственным лицом, подтвердившим, что нашлась-таки невероятно щедрая душа, оплатившая для Хоуп пропуск в вечность.

Джош купил инвалидное кресло и каждый вечер возил Хоуп на прогулку. Когда они проезжали мимо витрины Альберто, бакалейщик махал им рукой.

В воскресенье они доехали до блошиного рынка. Хоуп приглядела там колечко и попросила Джоша подарить его ей.

Вечером они устроили импровизированную церемонию бракосочетания. Люк и Касуко выступили свидетелями. Люк сыграл заодно роль чиновника, перед которым они произнесли все положенные клятвы. Слова «пока смерть не разлучит нас» Хоуп и Джош опустили. Хоуп заметила, что ввиду будущего замораживания это потребовало бы от Джоша слишком долгосрочных обязательств.

После поцелуя, скрепившего их союз, Хоуп прилегла на диван. Друзья пировали рядом с ней.

———

В начале декабря пошел снег. Хоуп пришлось прервать очередной сеанс записи: у нее возникли трудности с дыханием.

Джош увез ее домой. Глядя, как она уезжает, Люк понял, что в кресле «Нейролинка» ей больше не сидеть. После ее отъезда он убрал шлем в шкаф и выключил терминал, надеясь, что уже откартировал большую часть мозга Хоуп. По его прикидкам, копия содержала не менее 80 % оригинала.

―――――

Состояние Хоуп стремительно ухудшалось, ежедневные прогулки были ей уже не под силу. Она выгоняла Джоша на свежий воздух одного ― проветрить мозги. Теперь ей было невыносимо знать, что он сидит с ней рядом и смотрит, как она спит.

Однажды вечером, почувствовав небольшое улучшение, она присоединилась к нему за ужином в гостиной. Она двигалась, хватаясь за мебель и волоча непослушную ногу ― так тянут на поводке упирающуюся собаку. Джош хотел встать, чтобы помочь ей, но она знаком приказала ему сидеть.

Сев напротив, она уставилась на него почти сердито.

― Я сделал что-то дурное? ― спросил он, приподняв бровь.

― Не дурное, а опасное.

― Если ты намекаешь на макаронник, ― он уставился в свою тарелку, ― то я сознаюсь, что в нем больше расплавленного сыра, чем макарон. Просто я еще слишком молод, чтобы думать о холестерине.

339

— Я о твоей мимике, о жизни, которую ты ведешь, о том, что ты целыми днями только и делаешь, что за мной следишь. Вот что опасно! Для тебя и для меня. Так ты преподнесешь Барту на блюдечке двойную победу. Я не позволю, чтобы он получил такой подарок. Только не ты, слышишь? Если у тебя не получится, я пойму. В таком случае собери чемодан — и скатертью дорога.

— При чем здесь Барт? Речь о нас с тобой. Я провожу время так, как хочу, а хочу я одного: быть с тобой каждую секунду, ни одной не потерять, наполниться твоим ароматом, теплом твоей кожи, твоим взглядом, биением твоего сердца. На свете нет места, где бы мне хотелось быть так, как в этой разобранной постели.

— Я не могу тебе этого позволить, милый Джош. Сердце тебе разбила премудрая Бренда, а я хочу навсегда остаться той, кто наполнил тебя любовью. Пусть этой любви будет столько, что лучшим твоим умением в жизни останется именно любить. Знаешь, в конечном счете все сводится к двум чувствам: страху и любви. После моего ухода, когда тебя отпустит страх, у тебя останется одна обязанность — любить изо всех сил, без передышки, каждый подаренный тебе день. Хочу, чтобы ты обещал мне это, потому что это — единственная вечность, в которой я уверена. Когда у тебя вспыхнет спор с той, кто придет мне на смену, ты вспомнишь обо мне, будешь знать, что я за тобой наблюдаю; если примирение не наступит немедленно, я утоплю тебя в струях ливня, потому что это будет в моей власти, берегись! Подведи меня к окну, — попросила она, — и дай мне слово. И да будет нам свидетелем Святой Крокодил.

Джош помог ей и уставился через стекло на небо.

— Больше смахивает на Святого Боа, — пробормотал он хрипло.

— Да ты слепец, милый Джош! С каких пор у змей отросли лапы?

Луну загородило тонкое слоистое облако.

— Завтра, — заговорила она, — тебе придется позвонить Амелии. Мне хочется увидеть отца.

341

Сэм выбрал ночной рейс, пересекавший континент с запада на восток. Когда он позвонил в дверь лофта, Хоуп попросила Джоша оставить их одних, но не уходить надолго.

Джош деревянной походкой отправился в магазин. Альберто впустил его в свою каморку и угостил кофе.

Немного погодя Джош ушел и долго слонялся по улицам квартала, пока не задержался перед витриной одного из магазинов. Глядя на небесно-голубой свитер, он представил, как Хоуп примеряет его, как глядится в зеркало, как на лице ее появляется беспокойство и она спрашивает, не слишком ли дорогая эта вещь.

Счастье в конечном счете сводится к мелочам.

———————

Сэм ждал его около дома, такси мигало «аварийкой» во втором ряду.

Они обменялись выразительными взглядами.

— Просить милостыню ради записи диска еще куда ни шло, — заговорил Сэм, — но ради того, что вы двое вбили себе в голову, — настоящее бесстыдство! Я хотел набить тебе морду, но Хоуп не позволила. А то ты не знаешь, что все это — полный вздор! Науке еще предстоит преодолеть не один световой год, прежде чем появятся серьезные компании по криогенизации. Вы лишили меня права скорбеть на могиле моего ребенка, отняли надежду в конце концов навсегда с ним проститься... Знать, что она покоится в каком-то контейнере, будет для меня каждодневной пыткой, потому что это противоестественно. Все мы смертны. Даже если допустить, что в далеком будущем она очнется, то как знать, какая ее часть вернется, а какая нет? Ты задавал себе этот вопрос? Ты ослеплен эгоизмом. Ты понимаешь, что если оставить такие вопросы без ответа, то для отца они будут невыносимыми? Хотя, — уступил он со вздохом, — раз такова ее воля, мне остается только ее уважать, это ведь ее жизнь. Мы растим детей, отдавая им всю нашу любовь и зная, что придет день, когда они нас покинут, и что придется их отпустить и радоваться, что их жизненный выбор не совпадает с нашим. Это сладостное и в то же время горькое подтверждение того, что нам удалось сделать их взрослыми и самостоятельными. При этом я смиренно признаюсь: всю жизнь я считал, что быть взрослым — значит знать, чего ты хочешь и во что веришь, но сейчас я уже ничего не хочу и ни во что не верю.

Сэм помолчал, помялся, чувствуя себя не в своей тарелке, и в конце концов обнял Джоша.

— Спасибо, что ты дал ей то, чего не способен был дать я. У нас останется общая дра-

343

гоценность — любовь к Хоуп, а она ведь безмерна, правда?

И Сэм, не попрощавшись, побрел прочь.

— Вы не останетесь?

— Нет, это она мне тоже запретила, хочет остаться вдвоем с тобой. Наверное, так лучше. Я вернусь, когда все будет кончено.

Отец Хоуп сел в такси. Джош окликнул его в последний раз:

— Сэм, взнос был от вас?

— Нет, от Амелии, — ответил он и отвернулся.

Машина исчезла за углом.

344

———————

Джош поднялся по лестнице. Люк уже ждал его, сидя в кресле.

Хоуп, вытянувшись на кровати, почти не дышала, при каждом вздохе из ее легких вылетал свист.

Джош сел рядом с ней, взял ее руку, стал гладить пальцы. Потом отвернулся к окну.

Его взгляд заскользил по кирпичным фасадам квартала, где они с Хоуп поселились год назад. По пустой улице заметались синие и красные блики, озаряя комнату, перед дверью дома остановился маленький фургон.

— Джош, — прошептала Хоуп еле слышно, — не смотри, не нужно, нам с тобой всегда хватало молчания.

Джош наклонился к Хоуп и поцеловал ее. Она приоткрыла бескровные губы.

— Джош, мне так повезло, что я познакомилась с тобой, — произнесла она с улыбкой.

Это были ее последние слова.

———————

Следующим вечером к Джошу зашел Люк.

Тот сидел у окна в кресле Хоуп. Голые ветки вишневого дерева дотягивались до самого стекла.

Только еле слышно звучавшая песня Саймона и Гарфанкела скрашивала его одиночество.

Ужасно, когда любимый человек по-прежнему рядом, хотя его больше нет в живых.

МЕЛОДИ

15

Зрители толпились на ступеньках Симфони-Холла, зарядивший дождь никого не отпугнул, все билеты были раскуплены.

Они съехались со всей Новой Англии: из Нью-Гемпшира, Нью-Йорка, Мэриленда, Род-Айленда и Коннектикута.

Билеты перепродавались втридорога из-под полы в нескольких метрах от входа.

Вот уже час веренице такси не было конца. Машины останавливались под навесом, выпускали пассажиров и отъезжали, негромко шурша шинами.

Наряды поражали изяществом, роскошью, чувственностью, некоторые — откровенной провокационностью. Дамы из высшего света щеголяли в последних моделях от Ирис Ван

Херпен и Ноа Равив. Джон Твейн, модератор крупнейшего веб-сайта, спешил задать вопросы мэру и его супруге, шествовавшим через вестибюль.

Мелли Барнетт, спрятавшись от всей этой суеты, поправляла перед зеркалом свой скромный макияж. Костюмерша тем временем сооружала пучок из ее длинных волос.

Драгоценные мгновения тишины в артистической уборной помогали ей сосредоточиться. Она зажмурилась, положила пальцы на туалетный столик и беззвучно повторила изысканную увертюру «Молодых танцовщиц в вечернем свете». Исполнение произведения Жюля Маттона требовало виртуозного мастерства и незаурядного чутья. Мелли знала, что публика не простит ей ошибки. Пианистка ее уровня на каждом концерте подвергает себя опасности. Критики в пятом ряду, где сама лучшая акустика, как и истинные ценители, ждут, что она выложится, покажет, на что способна.

В дверь постучали. Джордж Рапопорт, музыкальный директор, застыл в дверном проеме, боясь ее потревожить. Он предупредил, что двери уже закрыты, все места в зале заняты.

Мелли посмотрела на электронные часы в углу зеркала.

— Занавес поднимется через несколько минут, — предупредил директор. — Ваша публика ждет.

Мелли отодвинула кресло и встала.

— Удивим их — начнем вовремя, — ответила она, позволяя костюмерше поправить последние складки на ее платье.

Она пошла впереди директора по коридору, ведущему на арьерсцену, и задержалась за кулисами, чтобы, послушав ропот зала, победить нервозность. Последние следы волнения улетучатся при первых аккордах, когда она окажется отрезана от мира и перестанет чувствовать устремленные на нее взоры. Всякий раз перед выходом на сцену Мелли спрашивала себя, почему выбрала эту профессию. Можно было бы совершенствоваться в фортепьянном искусстве в семейной тиши или ограничиться скромным кругом слушателей, которые не стали бы подкарауливать ее промахи, излишне вдохновенную синкопу, пропуск, а искренне восхищались бы ее мастерством. Но судьба распорядилась иначе, вернее, иначе распорядился ее отец: с самого ее детства он требовал, чтобы она была безупречна. Не совершенствовать даро-

351

ванный жизнью талант было бы недостойно для девочки из семьи Барнетт.

Мелли сделала несколько глубоких вдохов и вышла под лучи прожекторов навстречу шквалу аплодисментов.

Она уселась на табурет, дождалась, пока публика затихнет, — и ее пальцы побежали по клавишам.

Отзвучали последние аккорды. Публика на какое-то мгновение беззвучно застыла, охваченная волнением, а потом устроила ей оглушительную овацию.

Пианистка встала и поклонилась публике. Рапопорт вышел на сцену и вручил ей букет роз, который она положила на рояль, чтобы еще раз поклониться.

Сердце выскакивало из груди, она была счастлива, зрители в пятом ряду отчаянно ей хлопали. Завтра она с удовольствием будет читать газеты. Она проснется в другом гостиничном номере, в другом городе — и так будет продолжаться до конца турне.

Ее вызвали на поклоны в пятый раз, потом она скрылась за занавесом и больше уже не выходила. В зале зажегся свет.

За кулисами она сбросила концертное платье на руки костюмерше, та помогла ей натянуть повседневную одежду.

Перед служебным входом ее ждал автомобиль.

Ее быстро доставили на вертолетный аэродром. Оттуда она всего за десять минут должна была перенестись в муниципальный аэропорт Лоуренс, где ее ждал частный самолет. В Чикаго она прибывала около часу ночи — самое время, чтобы лечь спать.

Винты завертелись, и Мелли, пригнув голову, поднялась на борт. Сев сзади, она надела поданные пилотом наушники.

— Такая пассажирка для меня большая честь, мисс Барнетт. Застегните ремень, сейчас ветрено, возможно, нас немного поболтает, — предупредил он. — Никакой опасности, минут двадцать — и мы на месте. Полет продлится немного дольше, чем предполагалось: после одиннадцати вечера мне положено лететь над заливом, а не над жилыми кварталами. Мы будем держать курс на запад, минуем Салем и приземлимся спустя несколько минут. Ваш самолет уже на летном поле.

Турбины оглушительно ревели, наземный служащий проверил, хорошо ли пристегнулась пассажирка, захлопнул дверцу, отошел в сторону и поднял большой палец.

Вертолет взмыл в воздух. Мелли проводила взглядом городские огни, тянувшиеся узкими

353

нитями к дальним пригородам. Шел мелкий дождь, видимость оставалась хорошей. Если бы не шум лопастей, картина была бы умиротворяющей.

Город исчез из виду, под ними теперь простирался черный океан с белыми точками — гребнями устремлявшихся к берегу пенных волн.

Вертолет содрогался от порывов ветра. Он то и дело норовил ухнуть в воздушную яму, но пилот раз за разом набирал высоту.

Ветер крепчал, в фонарь кабины хлестал ливень, вертолет трясло, линия горизонта опасно кренилась.

— Погода ухудшается. Придется приземлиться и переждать ненастье! — крикнул летчик в микрофон.

Машину раскачивало, она завалилась на правый борт, потом опасно накренилась вперед, но выпрямилась. Снова опасный боковой порыв ветра. На ярмарочных аттракционах трясет не так сильно, как в вертолете, но там поощряется отчаянный ор, хотя известно, что мучение будет недолгим; в кабине же вертолета царило напряженное молчание.

Теперь пилот помалкивал. Правой рукой он твердо держал рычаг, левой действовал не менее уверенно, ноги словно вросли в педали. Мелли опасалась хвататься за петлю, потому что в очередной воздушной яме могла вывихнуть палец.

Вертолет летел змейкой. Пилот пытался выжать из двигателя мощность, которой явно недоставало.

Значит, снижение. До берега было недалеко, иногда внизу белели набегавшие на берег волны.

— Ноябрь Четыре Ноль Семь Лима Гектор, диспетчерский пункт Логана, вертикаль Томпсон Айленд, курс 330, попали в сильный шквал, дальнейший полет невозможен, попытаюсь сесть, — сообщил пилот спокойным голосом.

— Ноябрь Четыре Ноль Семь Лима Гектор, — ответил контрольно-диспетчерский пункт Логана, — сворачивайте к нам, курс 355.

Пилот понял, что находится на недостаточной высоте и при таком напоре ветра не сможет ее набрать. Налетав сотни часов, он не впервые попадал в бурю, но так стремительно события не развивались еще никогда. Шквал обрушился на них со стороны моря, внезапно, и дальше держаться в воздухе стало невозможно. Турбина надрывалась, корпус

355

мелко вибрировал, управление почти отказывало.

На приборной доске замигала красная лампочка: двигатель набрал предельную мощность.

— Не получится, — сообщил пилот. — Приводняюсь на Плежэ-Бей.

— N407LH, повторите, — попросил диспетчер.

Тишина.

— Ноябрь Четыре Ноль Семь Лима Гектор? — повторил диспетчер.

Ничего.

Голос командира экипажа «Аэробуса», подлетавшего к аэропорту Логан, сообщил:

— BA203 — диспетчерскому пункту: он сообщал о намерении сесть на воду у Плежэ-Бей.

Диспетчер немедленно запустил спасательную операцию. Борт N407LH пропал с экранов радаров.

———————

Пожарные машины под завывание сирен мчались по Бродвею.

Две минуты назад сторож катка «Мерфи» набрал 911. На пляж прямо перед катком рухнул вертолет, он все видел — устрашающее зрелище... Сначала он услышал шум мотора:

вертолет летел слишком низко. Сторож, невзирая на погоду, вышел посмотреть, что происходит. Буря швыряла машину из стороны в сторону, луч ее прожектора беспорядочно метался и ослепил сторожа. Вертолет завис над заливом, как будто пилот задумал сесть на воду, а потом вдруг клюнул носом, завалился на бок и камнем упал вниз. Волна тут же вынесла его на песок.

Сторож не рискнул подойти, опасаясь взрыва. Оператор экстренной службы сказал, что он правильно поступил, оставшись на удалении, потому что помощь была уже в пути.

357

———

Что с руками? Они целы?

Было холодно, она ничего не слышала, только испытывала невыносимую боль и старалась не шевелить пальцами.

Вокруг все пылало, она разглядела за красным барьером силуэты и удивилась: что нужно человеку в странном одеянии, приближающемуся к ней? Может, это кто-то из ее поклонников? Но почему тогда он так сурово на нее смотрит? Он спрашивал, как ее зовут, но она не сказала, потому что не знала ответа. Думала только о том, что ее череп будто распирает изнутри. Наверное, обо что-то стукнулась, но как, обо что? Где она, кто эти суетящиеся вокруг нее люди? Красный занавес почернел, она испытала приступ тошноты и рухнула в бездонную пропасть.

———————

Фюзеляж лежал, задрав кверху шасси. Хвостовая балка от удара переломилась, задний винт утонул, но кабина осталась на суше.

Пилот погиб на месте: у него под ногами разлетелся вдребезги посадочный иллюминатор и осколки нанесли ему несовместимые с жизнью ранения.

Теперь пожарные резали обшивку в надежде извлечь наружу пассажирку, сидевшую в задней части кабины. У нее на лбу, у корней волос, алел длинный порез. Лицо было залито кровью, она была без сознания, но жива.

Освободив Мелли из стального плена, пожарные уложили ее на матрас из шариков, принимающий форму тела, затем заключающий тело в защитный корсет.

Мелли погрузили в машину «скорой помощи» и повезли в городскую больницу.

Ее уже вкатывали в операционную, когда медсестра открыла сумочку, найденную спасателями в вертолете, и обнаружила там документы на имя Мелоди Барнетт. Это имя было ей смутно знакомо. Она показала документы коллеге, и та поручила охране не пускать в корпус журналистов и фотографов.

Спустя полчаса Гарольду Барнетту сообщили, что его дочь попала в авиакатастрофу. Прогноз был неутешителен.

359

16

Вот уже шестнадцать недель Мелли оставалась в искусственной коме. Лет тридцать назад из такого глубокого и долгого забытья она бы уже не вышла. Двадцать лет назад она не выжила бы с такими травмами.

Ей заново собрали грудную клетку, берцовые кости срослись благодаря штырям, искусственные почки и селезенка, заменившие ее собственные, разорвавшиеся от удара, работали как часы, о чем свидетельствовали ежедневные анализы крови. К концу недели врачам предстояло наложить на поврежденные ткани последние слои клеток эпителия, культура которых уже созрела. Шрам на лбу почти полностью рассосался.

Последняя электроэнцефалограмма обнадеживала. Трансплантат в теменной доле мозга прижился, от отека в передней доле почти ничего не осталось. При сохранении той же скорости восстановления мозга уже через месяц можно было рассчитывать на возвращение сознания.

Бригада врачей надеется на успех, заверил главный врач.

Гарольд и Бетси Барнетты считали дни до пробуждения дочери и ее возвращения в семейное поместье Уэстон, где ее выздоровление, несомненно, ускорилось бы.

После трагического происшествия они поселились в апартаментах роскошного отеля в центре города. Бетси сновала между Нью-Йорком, где находилась редакция ее архитектурного журнала, и Бостоном. Гарольд перевел своих ближайших сотрудников в бостонский филиал, откуда он теперь управлял своими инвестиционными фондами.

По четвергам в конце дня Гарольд и Бетси встречались в помещении для посетителей больницы «Лонгвью» и вместе ждали разговора с врачом Мелли.

На сей раз он, как всегда, явился с планшетом под мышкой, сел за стол из искусственного палисандра, достал из кармана халата стилус и вывел на экран еженедельное медицинское заключение.

— Опять цифры и заумные термины! — нетерпеливо произнес Гарольд. — Ох уж этот ваш врачебный жаргон! Все это очень мило, но меня интересует одно: я хочу знать, когда нам отдадут нашу дочь!

— Вы задаете мне этот вопрос со дня ее госпитализации, мистер Барнетт, — сказал врач со вздохом.

— С тех пор прошло четыре месяца! Кажется, излишне об этом напоминать.

— Как и мне напоминать вам о серьезности состояния мисс Барнетт при поступлении к нам. То, чего мы достигли, — настоящее волшебство! Ваша дочь чудом выжила, а теперь надо запастись терпением.

— Никакого чуда, моя дочь — человек-таран, как все Барнетты!

— Гарольд, неужели мы должны раз за разом терпеть твои авторитарные замашки? Если бы ты был снисходительнее с Мелли, до этого не дошло бы.

— С ней я никогда не был властным, только требовательным — ради ее же блага! — рассердился Гарольд.

— Если бы ты не заставлял ее столько выступать... — вздохнула Бетси.

— Будет вам. Это несчастный случай, такое могло бы произойти и при других обстоятельствах, — попытался унять их врач. — Я понимаю вашу боль, мадам, и ваше нетерпение, сэр, но вы оба можете быть уверены: ваша дочь получает здесь самый лучший уход. Прогресс очевиден. Не сомневаюсь, что уже через месяц смогу разрешить перевести ее в Центр «Лонгвью».

— Знаю, я уже сто раз вас об этом спрашивала. И все же: она страдает? Что она чувствует в данный момент? — спросила Бетси со слезами на глазах.

— Ваша дочь в глубокой коме, мадам. Она ничего не чувствует.

То и другое было чистой правдой.

В физиологическом смысле Мелли была жива, но ее мозг был полностью лишен сознания.

Спустя месяц «скорая» доставила Мелли, за которой присматривал анестезиолог, в клинику в дальнем пригороде.

———

Небо затянуло тучами. Лужайки брошенных домов заросли сорняками. На вечернем ветру скрипели качели в безлюдном парке. Витрины давно закрытых лавок были крест-накрест заколочены досками.

«Скорая» промчалась по улице, превратившейся в проезд между складами, и остановилась перед воротами.

Внутри клиники ничто не напоминало о запустении, царившем снаружи.

Мелли устроили в палате в углу корпуса, предназначенного для пациентов в ее состоянии. В других палатах того же этажа ждали своей очереди три женщины и один мужчина.

364

К ней пришел врач в сопровождении медсестры. Та проверила приборы, фиксировавшие жизненные показатели организма Мелли, и сняла капельницу, через которую поступал анестезирующий раствор. Врач изучил необходимую ему информацию, постоял немного перед мониторами и составил план дальнейшего лечения.

На следующий день в восемь часов утра он вернулся в палату с техником, подкатившим к койке моторизованную тележку с контейнером и компьютером. Техник открыл контейнер, вынул из него шлем и аккуратно надел его Мелли на голову.

Этот шлем толщиной не больше миллиметра не на один световой год обогнал прототип, родившийся за сорок лет до этого в другом флигеле Центра. Чашеобразный, эластичный, он сразу принял форму голову Мелли.

Техник проверил, все ли в порядке, приподнял пучок оптических волокон, отходивший от макушки шлема, и присоединил его к компьютеру. Потом набрал на клавиатуре цифровой код. Экран зажегся, на нем появилось объемное изображение мозга Мелли, а под изображением надпись: «0 %».

Техник молча удалился.

365

Врач проверил напоследок жизненные показатели пациентки и тоже покинул палату.

Пройдя по коридору, он вошел в комнату контроля, где его ждал у пульта техник.

— Все готово? — спросил он.

— Блок сохранения заряжен, можно начать, когда вы сочтете нужным.

Врач посмотрел на три монитора над пультом. На центральном красовалось объемное изображение мозга. На левом была следующая информация:

Пациент № 102
Мелоди Барнетт (источник)

Возраст 29 (10651 день)
Память 100 %
Передача (вывод) 0 %

На правом значилось:

Пациент № 102
Мелоди Барнетт (назначение)
Возраст 30 (10957 дней)
Память —%
Передача (ввод) 0 %
—
Восстановление 0 %
Электрическая активность 0 %
Бодрствование 0 %

Он поставил электронную подпись на пульте и сказал технику:

— В восемь семнадцать начинайте процедуру восстановления. Когда будет готова ее треть, вызовите меня и доложите, как идет процесс.

Врач ушел. Технику было нечего делать, кроме как следить за экранами. «Нейролинк» все брал на себя.

Он нажал кнопку, и счетчики завертелись.

В 8.20 произошел сбой, которого он не заметил. На правом экране теперь значилось:

Пациент № 102
Мелоди Барнетт (назначение)
Возраст 30 (10957 дней)
Память 0,03 %
Передача (ввод) 0,03 %

—

Восстановление 0,03 %
Электрическая активность 0,03 %
Бодрствование 0,03 %

Экран в центре сообщал:

Пациент № 2
???? (Источник)
Возраст?? (???? дней)
Память 96 %
Передача (вывод) 0,03 %

Через некоторое время техник заметил ошибку и застыл в растерянности, не зная, как быть. Он машинально постучал по экрану, зная, что это бесполезно, и снял телефонную трубку.

Врач не ответил на его звонок: видимо, занимался другим пациентом. Технику пришлось разбираться самому.

Процедура была полностью автоматизированной, и его роль сводилась к ее прерыванию лишь в двух случаях: если процент электрической активности мозга будет отличаться от этого параметра на входе или если «Нейролинк» просигналит о какой-то проблеме. Ни того ни другого не происходило. На экране с зоной восстановления фигурировали нормальные параметры, поэтому техник решил, что дело, вероятно, просто в неисправности самого монитора и что надо всего-навсего поручить ремонтникам его заменить.

Чтобы обезопасить себя, он сделал копию экрана, напечатал докладную записку и отправил ее по внутренней сети главному контролеру.

Главный контролер узнала о неисправности в начале дня, распечатала копию записки, стерла ее с экрана, покинула свой кабинет и направилась к своему непосредственному начальнику.

Касуко вошла в кабинет директора по науке без стука.

— Думаю, тебе стоит это прочесть, — сказала она, сияя.

Люк дважды прочитал докладную записку и уставился на Касуко.

— Надо немедленно остановить процесс! — сказал он.

— С ума сошел? Мы же договорились!

— Сорок лет назад. С тех пор наш договор утратил силу. — Люк наблюдал, как записка исчезает в щели измельчителя, куда он ее отправил.

— Нет, договор есть договор.

— Продолжать было бы безумием. Программа «Нейролинк» получает признание все большего числа научных авторитетов, сейчас не время рисковать и нарываться на судебный процесс.

— Так вот чего ты боишься?

— Чего же еще?

— Что ничего не выйдет, — подсказала Касуко.

369

— Будь у меня полная уверенность, я дал бы «Нейролинку» доделать все до конца.

— Значит, ты изменил себе, а это еще хуже, потому что ты боишься ее.

— Думай, что говоришь! Забыла про семейство Барнеттов? Ее отец — один из самых крупных жертвователей.

— Допустим, процесс будет прерван. Что ты скажешь семейству Барнеттов?

— Правду про неисправность в блоке памяти. Этот риск предусмотрен в подписанном контракте.

— Флинч был верен своему слову, ты тоже должен быть честен.

— Я отдал ему половину своей жизни. Вторая ее половина отдана тебе.

— Ты отлично знаешь, что это неправда, — ответила Касуко, развернулась и ушла.

Люк вскочил, чтобы ее задержать, но она захлопнула дверь перед самым его носом.

Он вернулся в свое кресло, ввел в компьютер пароль и попытался прервать процесс восстановления. «Нейролинк» не позволил ему сделать это.

370

Это был поток света, обвал звуков, калейдоскоп картинок, сменявшихся так быстро, что ни одну не удавалось задержать. Хор искаженных голосов, водопад слов и фраз. Цикл повторялся снова и снова.

Спустя пятьдесят часов после запуска процесса по телу Мелли пробежала мелкая дрожь. Индикатор восстановления памяти перевалил за 30 %. Ее мозг заново приобретал когнитивные функции.

Терминал в ее палате непрерывно фиксировал параметры ее жизнедеятельности. Электрическая активность усиливалась в пределах нормы, перенос был постоянным, степень бодрствования неуклонно нарастала, все происходило штатно, потому что «Нейролинк» ничего не упускал из виду.

На третий день, в 8.17, процент восстановления достиг 43,2 %.

На четвертый день в 12.17 у Мелли дрогнули ресницы. Восстановление составило 60 %.

Назавтра, спустя пять дней, тринадцать часов и двадцать минут после начала операции — часы показывали 21.37, — врач извлек из трахеи зонд. Теперь легкие Мелли могли работать без поддержки, степень восстановления мозга достигла 80 %.

371

В 14.17 в воскресенье Мелли открыла глаза под благодушным взглядом врача. Он подбодрил ее и сделал укол снотворного. Восстановление составило 90 %.

В 6.50 в понедельник в палату вошли Люк, Касуко и врач.

В 6.57 техник доложил о завершении процесса.

Врач разбудил Мелли. Открыв глаза, она молча уставилась на незнакомые лица над ней.

Люк присел на край кровати и улыбнулся ей.

— Вы знаете, что с вами произошло? — спросил он спокойным голосом.

Мелли отрицательно помотала головой.

— Ничего необычного. Вы летели на вертолете, он упал, вы получили сильную черепно-мозговую травму. Все это в прошлом, теперь вы совершенно здоровы.

Мелли посмотрела на свои руки, пошевелила пальцами.

— Скоро они приобретут прежнюю гибкость, мисс Барнетт, — заверил врач, чтобы рассеять ее страхи.

Мелли озадаченно уставилась на него. Выражение ее лица свидетельствовало о том, что она не имеет ни малейшего представления, о чем он толкует. Удивленный врач подошел ближе.

— Вы помните, что были пианисткой?

Мелли вместо ответа с грустным видом перевела взгляд на окно. Врач заглянул в свой планшет, ища объяснение реакции пациентки.

— Вы знаете, почему здесь находитесь?

Мелли молчала, поэтому он наклонился к уху Люка и спросил, можно ли продолжать.

Это сделал за него Люк:

— Десять лет назад ваш отец записал вас в программу «Нейролинк». После этого вы раз в год бывали здесь для записи вашей памяти.

— Той, которую мы восстановили, одиннадцать месяцев, — подхватил врач. — Процедура произведена безупречно, теперь вы должны помнить все, что предшествовало той последней записи. Обычно наши пациенты бодрее при пробуждении, но я не сомневаюсь, что все быстро станет на место.

— Когда произошла катастрофа? — спросила Мелли шепотом.

———————

Оставив врача у изголовья Мелли, Люк и Касуко заперлись в пустой палате по соседству.

— Что ты натворил? — набросилась Касуко на Люка.

— Не смотри на меня, как прокурор, я ни при чем. «Нейролинк» взял контроль за операцией на себя и запретил мне доступ. Чертов искусственный интеллект проявил строптивость!

— Смотри, все как будто в норме, тем не менее пациентка ничего не помнит. Даже первые кандидаты лучше осознавали свое положение при пробуждении.

— Что мне на это сказать? Понятия не имею, в чем дело... А тем более — что нас ждет.

Повторяю, «Нейролинк» действовал самостоятельно.

— Я тебе не верю! А что тебя ждет — скажу. Завтра, когда ее увидит семья, тебе придется объясняться, почему после траты миллиона долларов они получают дочь в амнезии, хотя вкладывали деньги в уверенности, что при несчастном случае ничего подобного не произойдет. В этом весь смысл нашей программы. Боюсь, что твоего кошмара — судебного процесса — теперь не избежать.

— Пока что мы не станем ничего им объяснять, ограничимся предположением, что у их дочери немного ленивая память. Аномалия, которую ты обнаружила, — это, возможно, не то, что ты пожелала увидеть.

— Тебя это устроило бы, правда?

— Ты не имеешь права так говорить, и потом, ты вместе со мной слышала объяснение доктора: все постепенно наладится.

— Не собираешься же ты верить его глупостям?

— Ее доставили к нам с погибшим мозгом. Сегодня она в сознании, моторные функции восстановлены, она видит, слышит, говорит, даже задает вопросы, что доказывает активность ее интеллекта. Дождемся завершения ее функционального переучивания и по-смотрим, какой она станет тогда.

— Это я принимала мистера Барнетта, ко-гда он подписал наше предложение «второго шанса», — напомнила Касуко насмешливым тоном. — Желаю тебе успеха, когда ты будешь все это ему втолковывать. На мою помощь не рассчитывай.

Люк взял Касуко за руку.

— Знаю, как ты расстроена. Не сомневайся, в этом мы с тобой едины, — сказал Люк со вздохом.

— Я слишком долго дожидалась этого мо-мента.

375

С момента появления Гарольда и Бетси Бар-неттов у нее в палате Мелли ломала голову, кто они такие, что здесь делают, почему жен-щина опустилась перед ее креслом на колени со слезами на глазах, почему мужчина, гладя-щий ей руку, так же потрясен и едва не пла-чет. После каждого их вопроса она кивала или мотала головой, а иногда бездумно мям-лила что-то, казавшееся ей самой логичным. Не зная, что сказать, она молчала.

К концу посещения Гарольд был так сильно встревожен ее состоянием, что Бетси пришлось призвать его к спокойствию. Дочь в сознании, говорит с ним — вот и будь благодарен за чудо, в которое сама она отказывалась поверить.

— Это ненормальное состояние. Нам обещали совсем другое, — в сотый раз повторил Гарольд, когда они вернулись к себе в отель. — Объяснения врача меня не слишком убедили.

— Что ты такое говоришь, Гарольд? Мелли провела пять месяцев в коме, дай ей хотя бы несколько дней, пусть придет в себя! — И Бетси глотнула сухого мартини, чтобы успокоиться.

— Завтра я потребую, чтобы меня принял директор Центра. То, что я сегодня увидел, совершенно не соответствует тому, что мне было обещано.

— Перестань! Ты увидел сегодня свою дочь. Ты смог обнять и поцеловать ее. Ты видел, как она сама встает с кресла, сама доходит до кровати, смотрит на нас, улыбается нам, она такая же красавица, как и до страшной катастрофы. Вот и радуйся вместе со мной, бери пример с меня: я не испытываю ни горечи, ни злости. Ты сердит на тех, кто совершил это чудо? Предупреждаю тебя, Гарольд, если ты немедленно не изменишь свое отношение, то тебе лучше будет вернуться в Нью-Йорк.

Оставь меня с ней вдвоем на время ее выздоровления, — сказала Бетси, наливая себе вторую порцию мартини.

Гарольд взволнованно заходил по просторному номеру. Когда Бетси отправилась принимать ванну, он щелкнул пальцами, включая голосовое управление настенным экраном.

— Здравствуй, Скайви, соедини меня с моей ассистенткой! — громко скомандовал он.

— Я к вашим услугам, мистер Барнетт, — отозвалась ассистентка уже через несколько секунд.

Гарольд распорядился без промедления организовать ему встречу с директором «Лонгвью».

377

———————

Касуко приняла его следующим утром. Жалобам Гарольда Барнетта необходимо было уделить первостепенное внимание, проявляя дипломатичность, чтобы не навлечь на себя его гнев. Люк провел в Центре бессонную ночь, к тому же обходительность не принадлежала к его сильным сторонам.

— Когда я подписывался на вашу программу — а я был, кажется, среди первых, кто вам доверился, — вы убеждали меня, что если с моей дочерью когда-нибудь случится несчастье, то при условии, что она выживет, вы сумеете ее исцелить. И вот вчера она едва нас узнавала!

— Мистер Барнетт, до вас нам оказали доверие шестьдесят семей и еще очень много после, и пока что ни одна не разочаровалась. Тогда, если я правильно помню, вы пришли ко мне, потому что Мелли влюбилась в аса авиационной акробатики, который собирался приобщить ее к своему спорту, вы еще назвали его дебилом. Или он был чемпионом кайтсерфинга? Хотя я могу спутать вас с другими родителями...

— Парашютист-акробат, горе-чемпион!

— Вот-вот! Теперь припоминаю... Но дебилом вы его точно назвали, верно? Вы боялись за Мелли, и мы обещали вам, что в случае несчастья «Нейролинк» позволит сохранить и восстановить ее мозг и что «Лонгвью» сможет предоставить вашей дочери самые современные медицинские услуги. Именно это и произошло, даже если тот дебил оказался ни при чем. Ваша дочь возвращается издалека, из невероятной дали, если вспомнить, с какими травмами она к нам поступила. Нынешнему состоянию ее здоровья можно позавидовать, — заключила Касуко, представляя, как улыбается Флинч с портрета, висящего в совещательной комнате. — Итак, мы пообещали вам лучшее, что способна предоставить наука, но не чудо. К Мелли вернется память. Я предоставлю вам отчет о процедуре восстановления, и вы удостоверитесь, что все прошло безупречно. Но очень вас прошу, будьте благоразумны, дайте ей время прийти в себя!

— Время, опять время! Сколько это будет продолжаться?

— Надо отпустить в среднем два месяца на функциональное переобучение, прежде чем пациентка не восстановится полностью — я имею в виду ее организм.

379

— Она сможет продолжить свою карьеру?

— Когда пройдет переобучение — да. Не вижу никаких причин, чтобы было по-другому.

— А ее интеллект, характер, память? Все это тоже было включено в ваши обязательства.

— Ее интеллект не затронут. Что касается памяти, позвольте кое-что вам объяснить. Вы, наверное, понимаете, что память бывает разная. Пять видов памяти связаны с нашими чувствами, еще три различаются в зависимости от времени. Краткосрочная память управляет настоящим, среднесрочная позволяет вспоминать информацию или событие давностью от минуты до нескольких часов. Эти два вида памяти у Мелли уже работают нормально. Она помнит, как очнулась, помнит людей, приходивших к ней, завтра она вспомнит вас. Долгосрочная память имеет более сложный механизм. Не забывайте, что в жизни Мелли навсегда останется провал: между датой последнего сохранения ее памяти и датой авиакатастрофы. Процедурная память — а это она беспокоит вас, когда речь идет о карьере Мелли, — одна из самых эффективных. Уверяю вас, ваша дочь снова станет виртуозкой. Что касается ее эмоциональной памяти, то она тоже восстановится, но ценой некоторых усилий. Моз каждого человека индивидуален и реагирует по-своему. Когда ваша дочь вернется домой и заживет прежней жизнью, она волей-неволей столкнется с разными стимулирующими воздействиями и это разбудит ее память. Короче говоря, чем дальше, тем больше Мелли будет вспоминать. Единственная помеха — стресс, он парализует мозг. Последуйте моему совету: не проявляйте при ней никакого беспокойства.

— Отлично. Два месяца на переобучение и еще два на возврат к нормальной жизни.

Даю эти четыре месяца на то, чтобы вы вернули мне мою дочь такой, какой она была раньше.

Заключив это соглашение, содержавшее плохо скрытую угрозу, Гарольд Барнетт поднялся. Сомнения его не покинули, но кое-какая уверенность вернулась. Он пожал Касуко руку, и его удивила ее сила — как-никак, эта женщина была старше его по меньшей мере на десять лет.

Прежде чем уйти, он захотел увидеться с дочерью.

Палата оказалась пуста. Медсестра сказала, что Гарольд найдет Мелли в классе переобучения на нижнем этаже.

Гарольд не стал дожидаться неторопливого лифта и воспользовался служебной лестницей.

В иллюминатор в распашной двери он увидел дочь: на голове у нее был утыканный электродами шлем, при этом она заново училась ходить, держась за параллельные брусья.

Он постучал в круглое окно, привлекая ее внимание, и помахал рукой. Ей пришлось ответить ему улыбкой — руки были заняты. Такая простая вещь, как эта ее улыбка, переполнила его чувствами. Такого с ним давно не бывало.

А как давно, собственно? Он думал об этом, садясь в машину. Но вспомнить так и не удалось.

———————————

— Вы уверены, что этот человек — мой отец? — спросила Мелли.

— Совершенно уверен, — ответил физиотерапевт любезным тоном. — Как и в том, что женщина, приходившая с ним, — ваша мать.

— А братья и сестры у меня есть?

— Чего не знаю, того не знаю, мисс. Могу навести справки. А теперь сосредоточьтесь на упражнениях.

Увидев в глубине класса пианино, Мелли спросила:

— Можно мне будет попробовать поиграть?

— Да, немного позже.

———————————

Мелли превратила физиотерапевта в своего союзника. На утреннем занятии она пересказывала ему вопросы, заданные ей накануне родителями. Запоминать их для нее не составляло ни малейшего труда.

Физиотерапевт отправлялся на охоту за информацией: рылся в ее истории болезни, расспрашивал лечащего врача, подключал к делу медсестру — той следовало, не вызывая подозрений, задавать вопросы Бетси. В заговоре участвовала Касуко, выуживавшая из Экстернета всевозможные сведения о личной жизни и карьере Мелли, благо в газетах, у блогеров и обычных поклонников можно было без труда найти почти все, что требовалось. Каждый день после занятий Мелли жадно поглощала полученные через физиотерапевта сведения, пряча раздувавшиеся день ото дня папки от регулярно навещавших ее Гарольда и Бетси.

День за днем она все больше узнавала о том, кем была, запоминала лица и имена своих прежних знакомых, любимых, коллег-музыкантов, дирижеров, журналистов, даже дальних родственников. Убедившись, что ее долгосрочная память по-прежнему хромает, Мелли постепенно научилась ломать комедию, все лучше влезая в шкуру Мелоди Барнетт, пианистки с громким именем.

Гарольд был сдержаннее, зато Бетси ничего не стоило убедить, она была счастлива, что опять обрела дочь, тем более когда ту отпустили из Центра, разрешив приходить в себя в домашней обстановке.

Спустя восемь месяцев после авиакатастрофы Мелли уже была готова зажить согласно написанному для нее сценарию. Открывалась новая глава, чтение которой сулило несравненно больше уверенности, чем пустые страницы ее памяти.

Все вот-вот должно было вернуться в нормальное русло.

17

Семейное поместье раскинулось в графстве Уэстон, где обитали столпы высшего бостонского общества. Гарольд Барнетт построил там дом в конце 20-х годов. Добыча сланцевого газа превратила Соединенные Штаты Америки в первую энергетическую державу мира. В 2030 году 80 % транспортных средств, сходивших со сборочных конвейеров, работали на электричестве. Падение цены барреля нефти до 10 долларов и ниже погрузило страны Персидского залива в экономический кризис, вскоре вызвавший крушение тамошних режимов. Овладение солнечной энергией позволило обеспечить электричеством и водой Африканский континент, превратившийся в новое Эльдорадо.

На Востоке и на Западе старые демократии и новые олигархии с легкостью заключали друг с другом союзы, владея миром и держа под наблюдением каждый его квадратный миллиметр. В этом новом мире потребительство превратилось в наркотик, на него подсело все население. Гарольд Барнетт овладел искусством зарабатывать на рынках чистой энергии и сколотил внушительное состояние.

Но ценнее всего на свете была для него дочь, которую он любил слепой любовью. Она была его гордостью, его единственным отпрыском и, следовательно, его пропуском в бессмертие. Со дня рождения Мелоди у Гарольда стало две жизни — собственная и дочери. Чтобы сделать ему приятное, Мелли поспешила усесться за «Бёзендорфер Империал», возвышавшийся в их музыкальной гостиной.

Уже в Центре «Лонгвью» она втайне от всех, кроме друга-физиотерапевта, занималась на старом пианино в классе переобучения. К ее удивлению, пальцы обрели беглость, стоило ей всего лишь прикоснуться к клавишам. Руки запорхали, но читать партитуру пока не очень-то получалось, поэтому пришлось налечь на сольфеджио.

В свободное от музицирования время Мелли тренировала память. Ощущение, что она чужая в огромном доме, вызывало у нее постоянную неловкость.

Работники в поместье оказались неиссякаемым источником информации. Дворецкий, кухарка, техники и прочие служащие, садовники — все помнили, как она росла, и теперь она при любой возможности прибегала к их помощи. Гуляя по поместью, она обязательно заставляла кого-нибудь рассказывать ей истории из ее жизни.

Как-то раз Уолт, водитель ее матери, вспомнил о старой гувернантке, души в ней не чаявшей и помогавшей обходить острые углы в отношениях с отцом. Одна Надя умела настоять при нем на своем, смеясь сообщил водитель. Мелли, притворившись, что помнит Надю, добилась, чтобы Уолт отвез ее в дом престарелых, где Надя Воленберг доживала свой век.

Для этого визита она выбрала утро, когда Бетси уехала в редакцию, а Гарольд улетел по делам на Западное побережье.

Надя Воленберг читала на скамеечке в тени ольхи. Увидев идущую к ней Мелли, она прослезилась и вытерла глаза тыльной стороной руки.

Мелли села рядом с ней и внимательно на нее посмотрела.

— Наконец-то ты приехала к своей старой няне!

— Неужели в первый раз? — удивленно спросила Мелли.

— Насколько я помню — в первый, — ответила Надя, закрывая свою книгу.

— Давно вы здесь живете?

— В твоем возрасте я читала чудесный роман одного писателя родом из Польши, как и я, только наши судьбы сложились по-разному: он стал французом, я — американкой. Можно подумать, у нас, поляков, болезнь такая — менять гражданство... Так о чем я? Ах да, о чудесном романе, он назывался «Дальше ваш билет недействителен»[1]. Я подсунула его тебе втайне от твоего отца, потому что там есть грубые места. Тебе очень понравилось. Я тогда воображала себя бразильянкой, вскружившей голову герою. Ну, сегодня я гожусь ему в бабки. Так отвечаю на твой вопрос: я живу в этой богадельне с тех пор, как срок действия моего билета истек. После того как ты блестяще окончила консерваторию и стала выступать, во мне перестали ну-

---

[1] Писатель, о котором идет речь, — Ромен Гари. (*Прим. пер.*)

ждаться. Но я признательна твоему отцу: он всегда хорошо мне платил, иначе я не могла бы здесь поселиться.

Мелли опустила глаза и немного посидела молча. Она вдруг почувствовала себя самозванкой, вторгшейся в чужое прошлое.

— Я должна была навестить вас раньше, — смущенно пробормотала она.

— Чего ради? У тебя вся жизнь была впереди, карьера, гораздо более увлекательные занятия, чем забота о состарившейся няньке.

— Мне очень стыдно. Знаю, это вы меня вырастили.

— Не я, а твои родители, я всего лишь у них работала.

— Почему вы так немилосердны к самой себе?

— Мне девяносто один год, и из друзей остались только книги. Вот что действительно немилосердно.

— Наверняка у нас с вами были тайны...

— Были, не скрою. Какая тебе дороже всего?

— А вам?

Надя подняла голову и задумалась.

— Все! Мне дороги все до одной. Но я первой тебя спросила.

— То, как вы забирали меня из консерватории и водили на старые фильмы, а отцу говорили, что мы были в музее.

— Тебе напомнил об этом Уолт?

Мелли не ответила, и старая гувернантка вернулась к чтению. Лизнув палец, чтобы перевернуть страницу, она подняла глаза.

— Тебе что-то нужно?

— Просто захотелось вас повидать.

— Ты была замечательной девочкой, тебя все восхищало, ты была такой поэтичной! Я не перестаю гадать, что упустила, где недоглядела, почему ты превратилась в эгоистку и карьеристку... Ты была милой, а стала красавицей, но от красоты часто вянут даже самые прекрасные души.

— После катастрофы я сильно изменилась. Я вам не говорила, но...

— Знаю, — перебила ее Надя, — газеты я тоже читаю. И потом, раз в месяц меня навещает Уолт, он мне про тебя рассказывает.

— Я потеряла память, — призналась Мелли.

— Нет, — возразила гувернантка, глядя ей прямо в глаза, — тут другое... Если бы я не узнала твое лицо, то приняла бы тебя за самозванку, польстившуюся на состояние Барнетта. Но происходящее в имении меня больше не касается. У меня скоро обед, тебе лучше уйти.

Мелли покидала пансион в смятении. Всю дорогу она молчала и, только когда машина въезжала в ворота имения, спросила:

— Уолт, я сильно изменилась после возвращения?

— Не могу сказать, мисс Барнетт, — ответил он.

Но, распахнув дверцу, чтобы выпустить ее из машины, он сказал ей шепотом:

— Настоящая Мелоди Барнетт никогда не села бы рядом со мной.

———

391

Вернувшись домой, Гарольд преподнес дочери сюрприз. Когда они приехали в один из самых шикарных ресторанов города на бранч, Мелли увидела за столом троих гостей отца. Двоих она сразу узнала благодаря папкам, которые вручал ей после каждого занятия в «Лонгвью» ее сообщник. Справа от нее сидел Саймон Болье, первая скрипка Бостонского филармонического оркестра, слева — Джордж Рапопорт с женой. Мелли много раз выступала в сопровождении одного и под управлением другого. Разговор был полностью посвящен музыке, начавшись со светской болтовни и упоминания наиболее удачных их совместных выступлений.

Рапопорт, повернувшись к Мелоди (он никогда не позволял себе называть ее по-другому), спросил, чувствует ли она себя готовой вернуться на сцену. Замешательство Мелли было таким очевидным, что Саймон поспешил ей на помощь.

— Не на публике, конечно. Джордж предлагает тебе вернуться к работе с нами, пока что только ради нашего собственного удовольствия. Сначала мы могли бы репетировать втроем, а если бы ты набралась уверенности, то, не сомневаюсь, к нам с радостью присоединились бы другие музыканты. Но сначала ты сама должна высказать такое желание.

Гарольд и Джордж не ожидали такого вмешательства и с досадой переглянулись. Их огорчение усилилось, когда Саймона поддержала Бетси. Мелли должна делать только то, что сама захочет, независимо от того, понравится ли это ее отцу. Кому, как не ей, знать, как важен каждый день!

Мелли попросила гостей извинить ее: ей понадобилось привести себя в порядок. Стоило ей отойти от стола, как Бетси гневно наставила на мужа палец; слова были излишни. Гарольд знал: этот жест жены предвещал бурю.

Саймон отложил салфетку и тоже попросил извинения. Решив отыскать Мелли, он прошел через зал, осторожно приоткрыл дверь дамской комнаты и увидел ее перед зеркалом, мертвенно бледную.

— Я думала, это комната для дам, — проговорила она еле слышно.

— Все зависит от обстоятельств, — ответил Саймон, приближаясь.

Он закрутил кран и уселся на столик у раковины.

— Здесь больше никого нет? — спросил он шепотом.

— Как будто никого, — ответила Мелли с улыбкой. — Хотите убедиться? Можете заглянуть под двери.

— Нет, лучше рискнуть. Я очень огорчен. Не знал, что этот бранч — западня. Если бы знал, то...

— Я признательна вам за чуткость, — прервала она его. — И за то, что пришли мне на выручку.

— Какое приятное слово! Никогда еще не слышал его от тебя.

— Какое слово?

— «Чуткость».

— Это первое, что пришло мне на ум.

— Как ты себя чувствуешь? — спросил Саймон.

— Потерянной, — ответила Мелли не раздумывая.

— Я редко бываю... чутким, когда возникает необходимость высказаться, но хочу, чтобы ты знала: я счастлив, что ты выздоровела. Я навестил тебя в больнице в самом начале, но ты этого не помнишь, ты была в коме.

— Если это единственное, чего я не помню, то все обойдется.

Мелли не знала, почему ей вдруг захотелось откровенничать с Саймоном. Может, ее подкупила прямота, которую он проявил, поспорив за столом с ее отцом, а может, просто возникла потребность кому-то рассказать о той лжи, в которой она жила и которая уже душила ее до тошноты, как случилось сейчас. Как выйти на сцену, когда боишься публики? В снах о своих концертах она даже не узнавала саму себя!

— Ты чудом выжила, теперь запасись терпением. Вращайся среди людей, проветрись, начни жить заново — остальное придет само.

— Как проветриться, если я никого не помню?

— Даже нас? — спросил Саймон.

— Вас?..

— Нас! — повторил Саймон с загадочным видом.

— Неужели мы...

— Конечно!

— Вы хотите сказать, что мы?..

— На каждых гастролях. О, что это были за ночи!

— Серьезно?!

— Увы, нет. Прости, я пошутил, — признался Саймон. — Я питаю пылкую любовь к женщинам, но не в постели. Пусть это останется нашей тайной, ты всегда была единственной в нашей труппе, кто был в курсе дела, не считая гримера Сэми. В общем, ты поняла: у меня не хватило духу сделать такое признание.

— Мой отец не рассказывал вам про мои... временные проблемы, как он это называет?

— Ни слова, клянусь! Только предупреждал, что ты еще не совсем поправилась.

— Тогда тайна за тайну. Я признаюсь тебе в своей, о которой тоже никто не знает, за исключением тех, кто меня лечил. Я ничего не помню: ни свою жизнь, ни концерты, ни Джорджа. Родителей — и тех не помню! Интеллект уцелел, я не впала в детство — так мне, по крайней мере, кажется, слов мне хватает, я не задумываясь делаю все необходимое для жизни, я виртуозно исполняю фортепьянные пьесы, сама не зная, как это у меня выходит, но все существовавшее до авиакатастрофы стерлось, вместо воспоминаний — одно огромное белое пятно. Мне захотелось всем сделать хорошо, вот я и жульничаю. Все, что я знаю, попросту заучено. Когда слоняюсь по дому, у меня иногда возникает чувство дежавю, и тогда всплывают обрывки детских воспоминаний. Но подлинны ли они, или я сама их придумала? В общем, перед тобой самозванка — так меня назвала бывшая моя нянька.

396

— Не будь слишком сурова к себе и не позволяй отцу изводить тебя чрезмерными требованиями. Эта амнезия вполне может оказаться временной. Если тебе нужно ломать комедию, чтобы чувствовать себя собой, не стесняйся. Я знаю что говорю. Я изображаю другого человека с четырнадцати лет. Некоторые любовники обвиняли меня в том, что я не желаю признавать самого себя, но они ошибались. Дело не в том, кем тебя считают, а в том, кто ты такая на самом деле... Что ж, после этих глубоких речей, о которых я непременно пожалею, предлагаю вернуться к остальным, иначе они решат, что мы затеваем что-то некатолическое...

— Подумаешь! Гарольд протестант, а Бетси вообще буддистка, — ответила она ему в тон.

Покосившись на нее, Саймон расхохотался.

— Ну вот, только что мы выяснили насчет тебя кое-что, чего даже я не знал, — проговорил Саймон, выходя из туалета. — У тебя есть чувство юмора.

———————

Гарольд ошибался, опасаясь бури. На него обрушился настоящий ураган. Бетси никак не могла уняться. Мелли и Саймон после обеда отправились прогуляться вдоль реки Чарльз, и Гарольд оказался в машине нос к носу с женой. Спасало его разве что присутствие Уолта, мчавшегося на этот раз гораздо быстрее обычного.

397

Дома Бетси взяла мужа за плечо — он сознательно женился на женщине крупнее его и с тех пор пожинал последствия — и бесцеремонно поволокла в гостиную.

Горничная поостереглась предложить им кофе и вместе с лакеем скрылась за дверью. Прижиматься к ней ухом в этот раз не было необходимости — крик был слышен даже на кухне.

Сначала «Как ты додумался такое учинить?», потом «Ты ни перед чем не остановишься», «Она не твоя вещь», «Ты маньяк», «Постыдился бы» и, наконец, «Требую, чтобы ты перед ней извинился!».

Гарольд сохранял спокойствие, зная, что в такие моменты сопротивление бесполезно и способно только усугубить положение. Помалкивая, он привычно изображал раскаяние и наблюдал, как у жены близится приступ рыданий. Это обычно знаменовало прекращение военных действий.

Когда Бетси потянулась к серебряной шкатулке с бумажными платками, стоявшей на изящном столике, Гарольд понял, что опасность миновала, тяжело вздохнул и стал просить прощения.

— Я не хотел ее задевать, мне в голову не приходило, что щедрое предложение Джорджа так ее смутит.

— Смутит? Ей пришлось выбежать из-за стола, так ей стало плохо! Ты собираешься меня убеждать, что эта дурацкая идея принадлежит Джорджу?

— Согласен, я, наверное, повел себя неловко и опередил события, просто я думал, что ее обрадует его предложение вернуться в филармонию...

— Ты не просто неловок, бедный мой Гарольд, ты — сама неловкость! Только ты, один ты был бы на седьмом небе, если бы она снова стала гастролировать.

— Опомнись, Бетси! Сколько еще Мелоди будет неприкаянно бродить по дому? Долго еще это будет продолжаться?

— Пока она не будет готова.

— Она уже не та, какой была, даже люди, работающие у нас, это замечают, до меня доносятся их пересуды.

— Какие еще пересуды? Что отец, не довольствуясь тем, что дочь выжила в катастрофе вертолета, требует большего? Пойми, единственное, на что я всегда рассчитывала, — что эта законченная эгоистка, для которой единственная отрада — блистать, добьется признания публики. Не надо пафоса!

399

На смену первому смерчу мчался второй, еще более сокрушительный. Чувствуя его стремительное приближение, Гарольд сменил тактику.

— Мелоди всегда жила музыкой, поэтому я надеялся, что возвращение на сцену принесет ей пользу. Что ж, я ошибся и почувствовал за столом, что поторопился. Когда она вернется, я попрошу у нее прощения.

— Ты должен быть ей любящим отцом, вот что принесет ей настоящую пользу!

— Как это понимать? — возмущенно осведомился Гарольд.

— Что с ее одиннадцати лет отца сменил наставник, упрямый и фанатичный учитель музыки. Когда ты последний раз просто с ней разговаривал, а не сажал ее на табурет и не слушал ее игру? Нужно всего-то несколько часов нормального общения отца и дочери, обед вдвоем, прогулка, в конце которой она смогла бы рассказать тебе о себе, поход по магазинам, когда ты выбрал бы ей платье или еще что-то, что ей бы понравилось. Не напрягай память, Гарольд, такого никогда не было. Общие у вас только ноты, для нее это печально, а у тебя вызывает растерянность. Как ты умудрился лишить себя настоящих отношений с дочерью?

Гарольд пропустил бросок, и мяч ударил его прямо в грудь. Он рухнул в кресло с совершенно потерянным видом, в кои-то веки не ломая комедию.

— Что верно, то верно... — пробормотал он.

— Ты о чем?

— Где-то я оплошал.

— «Где-то» здесь явно лишнее.

— Как мне теперь быть? — пролепетал он.

— Я уже тебе сказала.

— Ну да: обед, прогулка, платье?

— Об этом надо спрашивать ее!

18

Гарольд подождал несколько дней, не позволяя себе появляться в гостиной, где музицировала Мелли.

Лишь однажды он осмелился приоткрыть дверь и убедился, что все в порядке. В следующий раз он предложил дочери пройтись.

Бетси тем временем приняла приглашение посетить салон современной архитектуры, открывшийся в Центре Джекобса в Нью-Йорке. Гарольду был предоставлен последний шанс, и она надеялась, что он воспользуется ее отсутствием, чтобы за него ухватиться.

Гарольд решил устроить Мелли шопинг. По пути к машине он спросил, доставит ли ей это удовольствие. Новой жизни — новый гардероб, ласково добавил он, опередив ее ответ.

Вернувшись домой, Мелли часто задумывалась о выборе одежды. Та, что висела и лежала в ее шкафах, удивляла ее, казалась неудобной и банальной. Предложение Гарольда сулило и другую радость — провести время с ним вдвоем.

Он велел своей ассистентке составить список модных магазинов. Экземпляр этого списка был вручен Уолту, который привез их на Бойлстон-стрит, торговую улицу, где располагались самые элегантные магазины для тех, кому был по карману их товар.

От моделей Ирис Ван Херпен перехватывало дыхание, платья из растительных волокон Ноа Равив были божественны.

— Может, что-нибудь возьмешь? — не выдержал Гарольд. — Ты примеряешь уже пятнадцатую вещь.

— Сама не знаю, жду озарения. Я искала что-то особенное, — отозвалась Мелли, не умея объяснить, что имеет в виду.

Чтобы найти применение всем платьям, юбкам и блузкам ее гардероба, заметила она отцу, пришлось бы по меньшей мере удвоить количество времен года. Если подумать, то в одежде она не нуждается, в тысячу раз приятнее было бы найти ресторанчик с симпатичной террасой и просто поболтать.

— О чем поболтать? — насторожился Гарольд.

Пока Мелли переодевалась в кабинке, он позвонил Уолту и попросил немедленно заказать им столик на террасе ресторана «Мими».

———

— О моем детстве, — ответила Мелли, изучая меню.

— Странная мысль! — Гарольд хмыкнул. — Ты знаешь его лучше, чем я, это же ты его прожила.

— Это как посмотреть. Какой я была в раннем детстве?

Гарольд попросил у официанта винную карту. Он редко пил вино, но сейчас ему надо было выиграть время.

— Скромной, — бросил он, выбрав «Шато Грюо Лароз» и радуясь, что нашел ответ.

— И все?

— Сдержанной.

— Это не одно и то же?

— Наверное. Разве этого мало?

Внимание Мелли привлекла молодая женщина, переходившая по «зебре» улицу.

— Вот какое «особенное» я хотела найти, — проговорила она невпопад.

403

— Ты о чем?

— Видишь, как она одета? — Мелли указала на женщину пальцем.

— Шутишь? Всего-то джинсы и старый пуловер!

— По-моему, очаровательно!

— Как-то вульгарно... Что с тобой, ты никогда не носила таких ужасных вещей!

— А теперь мне хочется!

— В твоем возрасте?

— Теперь мне кажется, что шутишь ты.

Гарольд нахмурил густые брови.

— Ты надо мной издеваешься?

— Ты хотел доставить мне удовольствие? Раз у меня такой плохой вкус, лучше забудем об этом.

Над столиком реяла тень Бетси. Официант уже направлялся к ним за заказом, когда Гарольд не вытерпел и вскочил.

— Пошли, не будем медлить!

Он потянул дочь за руку и торопливо повел ее к машине.

— Быстрее, как бы не потерять ее из виду!

— Что на тебя нашло?

— Ты хочешь, чтобы я одел тебя в старинные вещи, значит, надо выяснить, где их искать. Кто в наше время носит джинсы, кроме этой девушки, одевшейся как хиппи?

Они нырнули в машину, и Гарольд указал Уолту на силуэт вдалеке, поднимавшийся в пневматический трамвай.

Уолт обогнал трамвай, доехал до квартала СоВа южнее Вашингтон-стрит и остановился перед антикварным рынком.

Гуляя между развалами, Мелли поймала себя на блаженном чувстве, какого у нее не бывало с момента пробуждения в Центре.

— Вот то, чего я хотела! — сказала она, указывая на пуловер цвета морской волны на развале старьевщика.

Гарольд закатил глаза. Ну и воспитание дал он дочери, если в тридцать ей захотелось нарядиться в лохмотья! Но сейчас на Гарольда Барнетта была возложена важная миссия, так что о том, чтобы разочаровать Мелли, не говоря о ее матушке, не могло быть и речи.

На этом его огорчения не кончились... Мелли вышла из СоВа с четырьмя объемистыми пакетами покупок. Мало того, она категорически отказалась отдать их Уолту, чтобы тот донес ее сокровища до машины вместо нее.

Бетси вернулась на следующий день. Удивившись, что не слышно рояля, она постучалась в комнату Мелли. На дочери была длинная кисейная юбка, блузка без рукавов и золотисто-коричневая пашмина.

— Как я тебе?

— Блестяще! — ответила Бетси.

— У меня вызывает сомнения этот платок...

Бетси обошла ее и сняла с ее плеч пашмину.

— По-моему, блузка не подходит к цыганской юбке. Где-то у меня есть одна вещица, она тебе пойдет.

Бетси повела дочь к себе, порылась в платяном шкафу и достала кардиган с индейской вышивкой.

— Вот! Это будет еще лучше. Отлично пойдет!

— Ты действительно это носила?

— В двадцать лет.

— Мне уже тридцать.

— Дополнительная причина одеваться сообразно возрасту.

Мелли сняла блузку и натянула поданные матерью футболку и кардиган. Поглядевшись в зеркало, она пришла в восторг.

— Куда ты так нарядилась? — спросила мать.

— У меня встреча с Саймоном.

— Он за тобой волочится?

406

— Вряд ли! — весело ответила Мелли.

— Я в этом не уверена. Он очень хорош собой! Куда он тебя пригласил?

— Мы встречаемся в концертном зале.

— Очередная идея твоего отца? — спросила Бетси.

— Нет, на этот раз он ни при чем. Я позвонила Саймону сама. Я ничем не рискую, если снова туда приду. К тому же там никого не будет, кроме нас.

— В жизни есть другие вещи, кроме фортепьяно, Мелли.

— Почему ты это мне говоришь?

— Чему ты посвятила целых двадцать лет, кроме разъездов по стране? Ни разу не видела, чтобы у тебя завязались настоящие отношения с мужчиной. Не сомневаюсь, что у тебя были мимолетные отношения, но это не то. Незадолго до несчастья я услышала от тебя слова, приведшие меня в ужас.

— Какие слова?

— Что у тебя никогда не было любовных переживаний.

— Это так важно?

— Если это правда, значит, ты ни разу не влюблялась.

— А у тебя бывали любовные переживания?

— Конечно, и какие! Когда кажется, что перестала вращаться Земля. Я месяцами задыхалась от одиночества, все ждала телефонного звонка, как будто от него зависела моя жизнь, а все мое существование превращалось в бесконечную зиму. А потом возвращалась весна, потому что весна всегда возвращается. Достаточно одного взгляда, чтобы снова полюбить. Это был твой отец.

— Как вы с Сэмом познакомились?

— С Сэмом?

Бетси увидела во взгляде дочери тревогу.

— В чем дело, Мелли? Ты так побледнела!

— Ничего страшного. Просто вспомнился странный сон. Он все утро не давал мне покоя.

— Что тебе приснилось?

— Это походило на детское воспоминание. Я встала у себя в спальне среди ночи, подошла к окну и, дрожа от холода, стала звать на помощь Сэма.

— Кто же этот Сэм?

— Я не знаю.

— Ты уверена, что репетиция вдвоем с Саймоном — хорошая идея?

— Хорошо все, что позволяет удрать из этого дома.

Бетси поправила плечи кардигана, слегка одернула футболку и залюбовалась дочерью.

— Не верится, что ты сумела уговорить Гарольда подарить тебе эту одежду.

— Я не оставила ему выбора.

— Твой отец — неплохой человек, просто он — мужчина. Под его непомерной гордыней прячется хрупкое, встревоженное существо. Он властный, требовательный, но, в сущности, очень щедрый. Он терпеть меня не может так же сильно, как я его люблю. Когда мы с ним познакомились... Хотя нет, я сто раз рассказывала тебе эту историю. Как бы ты не опоздала.

Бетси обняла и нежно поцеловала дочь.

— Поторопись! Как-нибудь мы с тобой пообедаем вдвоем, и я расскажу тебе об этом в сто первый раз.

409

Мелли взяла такси, но по дороге увидела трамвай, шедший в ту же сторону, и решила пересесть на него — так было забавнее. Сошла она перед впечатляющим зданием Симфони-Холла, возведенным в начале века архитектором из числа учеников Юй Мин Пэя.

На сцене был только Саймон, настраивавший свою скрипку. При появлении Мелли он опустил инструмент. Посреди сцены красовался рояль с поднятой крышкой.

Поздоровавшись, она с решительным видом уселась на табурет.

Саймон предложил начать со второй части последнего концерта, который они исполняли вместе, и, видя недоумение Мелли, уточнил, что партитура уже на подставке рояля.

Сначала он позволил ей поиграть одной и присоединился при первых тактах «Молодых танцовщиц в вечернем свете».

Джордж Рапопорт вышел из своего кабинета и теперь прятался за кулисами. Спустя полчаса он пожал плечами и удалился по своим делам.

К вечеру Саймон решил, что для первого раза они хорошо поработали, и предложил поужинать в ресторане неподалеку.

После их ухода Рапопорт позвонил Гарольду.

———

Мелли предложила Саймону пойти в «Мими». Зал был полон, пришлось сесть у стойки. Саймон заказал два бокала шампанского.

— Интересно для первого раза, — проговорил он, предлагая ей чокнуться.

— То есть совершенно неудовлетворительно, — расшифровала она.

— Надо будет порепетировать еще раз, чтобы ты обрела свою игру, но, уверяю тебя, ты справилась очень прилично. Мы начали не с самого легкого произведения.

— Ты плохо врешь, что прискорбно, ведь я могу положиться только на твое суждение.

— А ты не преувеличиваешь? — поддразнил ее Саймон.

— Нет, я читаю партитуру, а руки делают остальное, мне ничего не приходится решать — это странное, даже смущающее чувство.

— Я знаю многих пианистов, которые обрадовались бы такому смущению. Твоя виртуозность осталась при тебе.

— Что тогда не так?

Саймон протянул ей меню:

— Я страшно проголодался. Ты что будешь есть? Я угощаю.

Не найдя Гарольда в столовой, Бетси удивилась: он всегда был образцово-пунктуальным по части времени трапезы. Она высунулась в коридор, заглянула к нему в кабинет, поднялась в спальню, потом позвонила Уолту уточнить, вернулся ли муж. Водитель подтвердил, что вернулся, но не знал, где он находится.

Заволновавшись, Бетси поискала его в обоих флигелях. Потом ее осенило, и она толкнула дверь музыкальной гостиной. Гарольд, низко опустив голову, полулежал в кресле, в котором всегда слушал игру дочери. Он даже не услышал, как вошла жена.

— Что-то не так, Гарольд?

Он выпрямился, на его лице читалась тревога. Теперь Бетси испугалась.

— Что-то с Мелли?

— Нет, — ответил он чуть слышно.

— Честно?

— С ней все хорошо, она ужинает в городе.

Бетси смотрела на него, гадая, в чем дело.

— У тебя любовница? Она тебя бросила?

— Не болтай ерунду!

— Тогда что, Гарольд?

— Рапопорт!

— Джордж заболел?

— Разве что ясновидением. Еще я обнаружил в нем ранее не замеченную склонность к жестокости.

— Он изменяет Нине?

— Хватит фантазировать про адюльтер, надоело! Только что он мне звонил с новостью, что моя дочь лишилась своего таланта. «Играет мастерски, здесь ее не за что критиковать, дорогой Гарольд. После стольких лет это минимум. Но куда делось чувство, Гарольд? Мелоди утратила свою творческую чувствительность, Гарольд». Этот болван

считал необходимым то и дело повторять
мое имя, как будто забивал молотком гвоздь.
Я уже вошел по шляпку в стену, а он продолжал колотить... «Мы не сможем принять ее
в филармонию, поймите меня правильно, дорогой Гарольд, я без малейшей радости сооб-
щаю вам о том, что...»

— О чем?

— Не знаю, я бросил трубку.

— Правильно сделал.

— Придется перекупить филармонию,
а его выставить за дверь.

— Лучше подумай о том, как сообщить об
этом дочери.

— Что-то пошло не так, Мелли сама не своя.
Как тебе ее новые вкусы по части одежды?

— Гарольд...

— Ты-то хоть не начинай, я знаю, как меня
зовут, черт возьми!

— Успокойся, прошу тебя, и послушай. Мы
чуть ее не потеряли, ее вернули нам чудеса современной медицины. Теперь пришло время
оплакать того человека, каким она была до
авиакатастрофы. Верно, она изменилась. Она
стала беззаботнее, не так предана музыке,
иногда витает в облаках, иначе говоря, у нее
теперь другие интересы. Например, ей теперь
небезразличны другие люди, чего раньше не

бывало. Ее вкусы тоже поменялись. Но даже если ей придется прекратить карьеру, одно несомненно: она — Мелли, наша дочь.

— А вот я вообще ее не узнаю! Не надо смотреть на меня как на чудовище. Я не о ее рассеянности, неудачных или неуклюжих ответах, когда заходит речь о прошлом, не о ее наивном вранье, попытках убедить нас, что она помнит все, о чем мы ей говорим. Дело даже не в этом. Такое впечатление, что она никогда не жила в этом доме и, кстати, не имела ничего общего с нами. Молчи, вижу по твоим глазам твои мысли. Ладно, пускай я чудовище, а ты святая, но я здравомыслящее чудовище, а ты отказываешься признать очевидное.

Гарольд встал, прошел мимо жены и заперся у себя в кабинете.

414

———————

Бетси всю ночь не смыкала глаз. Буря нарастала, дождь колотил по окнам, молнии озаряли комнату белыми сполохами. Грома Бетси не боялась, но вой ветра, стучавшего ветвями столетних дубов, вызывал у нее дрожь, напоминая о ночи, перекроившей всю ее жизнь. Без конца ворочаясь и по-всякому перекладывая подушку, она думала о кошмаре Мелли. Это произошло не в первый раз: недавно, проходя мимо двери дочери, она слышала, как та стонет во сне.

В половине шестого утра Бетси побрела в кухню. Работников еще не было видно, что ее только порадовало: хотелось побыть одной. Необходимо было поразмыслить.

В шесть часов, собравшись с духом, она надиктовала звуковое письмо врачу Мелли: это была просьба как можно быстрее перезвонить и днем принять ее.

Встреча состоялась в разгар дня. Но прежде Бетси пришлось полчаса томиться под дверью кабинета. Врач извинился и объяснил, что постарался выкроить для нее немного времени между двумя пациентами. Она вежливо напомнила, что не принадлежит к числу его пациентов, а врач сделал упор на том, что не может обсуждать здоровье Мелли без нее самой — не позволяет врачебная тайна.

Бетси, в свою очередь, вспомнила о щедрых пожертвованиях своего мужа в пользу «Лонгвью». После этого она высказала свои, вернее, Гарольда жалобы.

Врач взял свой планшет и нарисовал на экране пальцем овал, изображавший мозг.

Среди врачей редко встречаются хорошие рисовальщики. Он пометил крестиком поврежденный участок затылочной доли и еще раз объяснил, что хирурги заменили его трансплантатом. Следовало радоваться, что он прижился.

Прежде чем выписать Мелли из Центра, ей сделали кучу анализов и обследований, добавил он. При обычных обстоятельствах все эти дорогостоящие действия сочли бы излишними, но о них из осторожности распорядился сам директор по науке.

Оказалось, что без них можно было бы обойтись: атомарная и биологическая съемка лишний раз подтвердила целостность мозга Мелли. О том же свидетельствовали когнитивные тесты.

Ее проблемы с памятью были загадкой, однако врач не сомневался, что они вызваны каким-то временным воздействием.

Тогда Бетси набралась храбрости и задала вопрос, не дававший ей спать всю ночь. Возможно ли, чтобы у дочери было поведенческое расстройство? Врач попросил уточнить, что она имеет в виду, и Бетси долго мялась, прежде чем заставить себя произнести слово «шизофрения».

Врач с сочувственным видом похлопал ее по руке, чтобы ободрить. У Мелли не наблюдалось никаких симптомов, которые наводили бы на подобное подозрение.

Но как тогда объяснить ее тревогу, выражение смятения на ее лице, растерянность, мучающие ее по ночам кошмары?

Врач ответил, что кошмары — хороший признак. Эмоциональная память нуждается в стимулировании, чтобы очнуться. Сам этот процесс был слишком сложен, чтобы объяснять Бетси его подробности, и врач сказал только, что со временем с Мелли обязательно произойдут всевозможные мелкие события, благодаря которым в ее мозгу включатся электрические сети. Этим он ограничился, уж очень смутной была вся эта тема, и напомнил о знаменитой булочке Фруста. Бетси поправила его: фамилия французского писателя была Пруст, а «булочкой» на самом деле было печенье «Мадлен». Врач поблагодарил ее за уточнение; он-то всегда думал, что Мадлен — имя его жены.

417

Внезапно он, не переставая размышлять, поднял голову, и Бетси заметила у него в глазах искорку, как будто его посетила мысль, от которой у этого разговора появлялся смысл.

Учитывая пережитый Мелли травматический стресс — он тут же оговорился, что это только предположение, — у нее могло произойти диссоциативное нарушение личности. Симптомы бывают разные, но в целом сводятся к неспособности воспринимать пережитое. Еще это называют диссоциативной амнезией или деперсонализацией. Человек не знает, верить ли своим воспоминаниям, а порой не ведает, кто он такой.

Этот гипотетический диагноз немедленно устроил Бетси, врач вызвал у нее уважение, коего она только что совершенно к нему не испытывала: ведь он уверял ее, будто все нормально, хотя она знала, что это не так.

Деперсонализация была тем самым понятием, о котором пытался толковать Гарольд. Выяснялось, что при всей вздорности ему все-таки было присуще здравомыслие.

Выходило, что у Мелли пропала личность, но бояться этого не стоило, потому что личность непременно появится — куда же без нее? Особенно личность ее дочери, приковывавшей к себе столько внимания.

Миссис Барнетт как будто успокоилась, и врач почувствовал, что случайно нащупал рациональное объяснение, которое устроит также Гарольда Барнетта. Гора проблем, напугавшая было врача, узнавшего о желании миссис Барнетт без промедления с ним увидеться, осыпалась, как куча песка. Возникала, правда, другая — со следующим пациентом, прождавшим уже лишний час, но врач был полон решимости справиться и с ней так же играючи.

Бетси интересовало, как действовать теперь, когда ситуация прояснилась.

В нормальных условиях врач порекомендовал бы провести дополнительные обследования для подтверждения своего диагноза, но не теперь. Он выписал в планшете назначение и прописал медикаменты. Миссис Барнетт следовало приобрести их в аптеке Центра, после чего он брался дать разъяснения по дозировке.

После волнующего рукопожатия Бетси покинула Центр, вся сияя. Когда Уолт распахнул перед ней дверцу машины, она подумала, что если бы судьбами мира управляли такие женщины, как она, решений стало бы больше, а проблем меньше.

В тот вечер ужин велели подавать на полчаса раньше. Бетси не сиделось на месте, поэтому в половине седьмого она созвала семейство в столовой. Дождавшись, пока все усядутся, она сообщила, что сейчас сделает важное заявление.

Заинтригованная Мелли и пораженный Гарольд молча выслушали ее рассказ о беседе с обворожительным профессионалом — врачом в Центре «Лонгвью».

— Итак, милая, ты будешь принимать по таблетке утром и вечером, и через две-три недели твоя память вернется. Ты дашь волю своим чувствам, в тебе опять проснется исполнительское чутье.

— Я не знала, что больна, — удивленно сказала Мелли, вертя в руках коробочку с лекарствами.

Гарольд дважды кашлянул, потому что по неизвестной причине, остававшейся загадкой для науки даже во второй половине XXI века, от трусости мужчины обычно покашливают. Бетси пришла ему на помощь:

— Мы с твоим отцом не слепые. Мы знаем, что все идет не так, как тебе хотелось бы, мы ведь твои родители. Я просто прошу тебя регулярно, не забывая, принимать это средство на протяжении нескольких месяцев. Доктор настаивает, что это очень важно.

В одном Бетси ошибалась: Мелли знать не знала, чего ей хочется, разве что любой ценой выйти из этой столовой. Но, стараясь успокоить людей, проявлявших к ней столько любви, она проглотила две таблетки и запила их большим количеством воды, чувствуя на себе восторженный взгляд матери.

———————

В это время врача Центра вызвали в кабинет директора по науке для подробного отчета о разговоре с миссис Барнетт. Врач похвастался заключением, к которому пришел, добавив, что опасность судебного процесса миновала.

Перед уходом он не удержался и спросил своего начальника, зачем тому понадобилось, чтобы пациентка принимала такой сильный антидепрессант, особенно учитывая ее патологию. Побочные воздействия этого медикамента были давно известны, среди них выделялась как раз потеря памяти.

Вместо ответа Люк напомнил ему, что давно сделался из молодого врача директором по науке, посвятившим сорок лет жизни разработке и усовершенствованию программы

«Нейролинк». Смысл его слов был ясен, тем не менее он счел нужным добавить, что отлично понимает, что делает. Восстановление памяти могло вызвать состояние скрытой депрессии, а оно, в свою очередь, было чревато блокировкой памяти. Выражение «клин клином вышибают» имело глубокий смысл. До открытия вакцины для борьбы с раком применяли канцерогенные рентгеновские лучи.

Поразмыслив, врач обнаружил в этом рассуждении некоторую логику. Он попрощался с Люком и поблагодарил его за помощь в этом нелегком деле.

422

Немного погодя, возвращаясь к себе, врач Центра все же не мог не задуматься над тем, как это его патрон сумел придумать правильное лечение, тем более что он продиктовал врачу название препарата еще до визита миссис Барнетт.

Единственное логическое объяснение сводилось к тому, что должность директора по науке одной из самых продвинутых лабораторий предполагает обладание непостижимым для подчиненных умом.

Лечение не замедлило принести плоды.

Мелли перестали мучить ночные кошмары.

Она поздно просыпалась.

Днем чувствовала удивительную легкость.

К вечеру делалась почти невесомой.

Без устали упражнялась на рояле, приводя в восторг своего отца.

И уже не старалась ничего вспомнить.

423

19

Мелли разучивала фортепьянный концерт, когда в дверь музыкальной гостиной постучалась кухарка, доложившая, что ее спрашивают.

— Отец не хочет, чтобы меня тревожили во время занятий, — откликнулась Мелли, не отрывая глаз от партитуры.

— Мистер Барнетт — хозяин в доме, а я — хозяйка на кухне.

Долорес стояла в двери, давая понять, что пришла не просто так.

— Тогда переведите звонок сюда, — попросила Мелли.

— Кто говорит про телефон? Идите и не задавайте вопросов.

Кухарка повела ее через левый флигель, чтобы не идти мимо кабинета Гарольда.

— Сюда, — сказала она, указывая на одну из дверей.

В комнате Мелли ждал Саймон, сидевший на подоконнике.

— Что ты здесь делаешь?

— Ты перестала отвечать на мои звонки, вот я и пожаловал сам.

— Мне не говорили, что ты хотел со мной поговорить.

— Ты никогда не проверяешь сообщения?

— Какие еще сообщения?

— Господи, Мелли, в какой эпохе ты живешь? Служба сообщений доступна повсеместно, достаточно просто к ней обратиться.

— Как?

— Я тебе объясню. Но я здесь не для того, чтобы учить тебя пользоваться голосовыми командами.

— А для чего?

— Хочу повезти тебя на уик-энд в Барнстейбл, меня пригласили друзья, а я не хочу ехать один. Ты в курсе, что я не волшебный принц, мечта женщины, но я все равно тебя увезу, захочешь ты или нет.

— Если я соглашусь, то это не будет похищением.

— Тогда не соглашайся, — ответил Саймон и потянул ее за руку.

— Подожди, мне надо взять кое-что с собой.

— Нет, мы рискуем столкнуться с твоим папашей. Я оставил машину за кухней именно для того, чтобы этого избежать. Он найдет тысячу причин, лишь бы не выпускать тебя из дому.

Времени на размышления у Мелли не было. Саймон уже тащил ее наружу на глазах у своей сообщницы-кухарки, радовавшейся, что обставила хозяина. Мелли при ней выросла, и происходившее в последние недели было ей совершенно не по вкусу. Она даже жаловалась Уолту, сетуя, что отец буквально запер малышку в четырех стенах, и Уолт, разделявший ее недовольство, двумя днями раньше надумал, отвезя мадам на вокзал, к нью-йоркскому поезду, перед возвращением заехать в Симфони-Холл.

Теперь кабриолет Саймона мчался на юг по трассе MA-3S. До Барнстейбла было полтора часа езды. Волосы хлестали Мелли по лицу и лезли в рот, поэтому Саймон предложил ей свой шарф.

В небе не было ни облачка, над пляжем высился деревянный дом. Его внутреннее убранство оказалось нехитрым, но полным очарования. Овальная гостиная купалась в свете, лившемся в огромное окно, из которого открывался захватывающий вид на залив Кейп-Код.

Пиа и ее муж встретили их с распростертыми объятиями. Мелли эта молодая женщина сразу приглянулась. Она казалась очень естественной, с лица у нее не сходила улыбка.

Саймон представил Мелли обоим супругам, но предоставил им гадать, в каких отношениях он с ней находится.

— Только не говори мне, что привез меня сюда в качестве прикрытия! — шепнула ему Мелли, пока хозяйка дома вела их вверх по лестнице.

Саймону не пришлось отвечать: Пиа привела их в комнату с двуспальной кроватью и большим окном, выходившим на океан.

— Увидите, как хорошо здесь спится, особенно сейчас. Ночью будет прилив. Не знаю ничего более умиротворяющего, чем шум прибоя. Хотите — отдыхайте, хотите — прогуляйтесь по песочку. В шесть часов ждем вас на террасе на аперитив. Ужинать будем в доме. С наступлением вечера становится зябко.

427

После ухода Пиа Мелли посмотрела на Саймона и на кровать.

— Я отлично высплюсь на полу, — поспешно сказал он. — И я не храплю.

— Сколько народу ожидается на уик-энд?

— Мы с тобой и хозяева.

— Послушай, Саймон, раз они твои друзья, почему не сказать им правду?

— Потому что муж Пиа не умеет держать язык за зубами, а его родители состоят в дружеских отношениях с моими.

— Понятно. Что мне надеть вечером?

— Твоя кухарка любезно набила полный саквояж, он в багажнике машины. Пойдем полюбуемся пляжем, вещи заберем на обратном пути.

———————

Пляж — рыжий полумесяц в окаймлении прибоя — протянулся до южной оконечности залива.

Как только они ступили на песок, Мелли разулась, приподняла край юбки и побежала навстречу волнам.

Саймон наблюдал за ней, сидя у подножия дюны. Мелли гонялась за чайкой, голосила так же пронзительно, как озорная птица, и наслаждалась теплом завершающегося дня.

При ее приближении чайка с ворчливым криком взмывала в воздух, описывала небольшой круг и упрямо опускалась на песок в считаных метрах от того места, где взлетела. Так повторялось снова и снова. Казалось, игра забавляет не только Мелли.

Запыхавшись, она побрела к Саймону. Они стали вместе наблюдать за медленно клонящимся к западу солнцем.

— Знаешь, Саймон, — проговорила она, кладя голову ему на плечо, — мгновения жизни стоят того, чтобы их запоминать.

В комнате Мелли стала рыться в дорожном саквояже. Там обнаружилась широкая длинная юбка, блузка из хлопка, джинсы, нижнее белье, мягкие туфли, ночная рубашка, туалетный набор. Она подумала, что надо будет поблагодарить за заботу Долорес, не забывшую ничего, кроме ее лекарств. О них она и подумать не могла, так как Гарольд и Бетси никому не рассказывали, что дочь проходит лечение.

429

Пиа наготовила много всего вкусного. Перед десертом она вдруг засыпала гостью вопросами: как она познакомилась с Саймоном, чем занимается, что у нее за семья, каким было ее детство... Саймон пытался то ответить вместо Мелли, то поменять тему разговора.

Мелли предложила помочь убрать со стола. Когда она принесла в кухню тарелки, Пиа поманила ее за собой. Они вышли из кухни через заднюю дверь и встали в углу деревянной террасы, опоясывавшей дом.

— Куришь? — спросила Пиа.

— Нет.

— А я курю. — Пиа привстала на цыпочки и достала из-за светильника пачку сигарет. — Курение смертельно опасно, еще вреднее оно, когда куришь в одиночестве. Давно вы с Саймоном играете вместе?

— Давненько, —лаконично ответила Мелли.

Молчание тянулось, пока не кончилась сигарета.

— Диванчик в вашей комнате раскладной, — сказал она. — На нем Саймону будет лучше спать, чем на полу.

Подмигнув и далеко отбросив окурок, она вернулась в кухню.

Мелли ушла спать первой. Саймон появился в спальне немного погодя. Диван стоял не разложенный, Мелли приветливо хлопала по подушке рядом с собой.

— Можешь лечь здесь, только, чур, не раздевайся догола.

— Правда? Я тебе не помешаю?

— Честно говоря, хочется вспомнить, что чувствуешь, засыпая рядом с мужчиной.

— Так неважно с памятью? — спросил Саймон, растягиваясь рядом с ней.

— В последнее время все хуже.

Они потушили свет, и в темноте Мелли поведала Саймону обо всем происшедшим с ней после падения вертолета: восстановительная хирургия, трансплантаты, кома, пребывание в Центре «Лонгвью», пробуждение...

Больше всего Саймона поразил ее рассказ про «Нейролинк». Он вспомнил, что читал о нем статью, но тогда он решил, что восстановление памяти находится еще на стадии эксперимента. Мелли заверила его, что, напротив, до нее уже сотне пациентов провели «восстановление» и что список людей, желающих сохранить свою память, постоянно растет.

Саймон сообщил, что бывший знакомый как-то похвастался ему за ужином, что один его друг подвергся подобной операции после мотоциклетной аварии. Тогда он не поверил, решив, что знакомый просто пускает пыль в глаза.

— Этот твой бывший знакомый, какой он был? — спросила Мелли, зевая.

— Красивый и неверный.

———————

Наутро, открыв глаза, они увидели в окне такое же ясное небо, как накануне.

Мелли сильно удивили вещи Саймона, оставленные на стуле.

— Тебе не нравятся эти брюки? — в свою очередь, удивился Саймон.

Мелли промолчала. Она была готова поклясться, что на мгновение разглядела на футболке Саймона рисунок: повешенная на дереве колдунья. Теперь на футболке ничего подобного не было.

После плотного завтрака Пиа сообщила им, что до вечера они предоставлены сами себе. Если в полдень у них разыграется аппетит, то к их услугам весь Барнстейбл, где нет недостатка в очаровательных кафе и ресторанах. Лучший совет заключался в том, чтобы осмотреть городок, кишевший картинными и прочими галереями.

Мелли и Саймон так и сделали. Улочки городка их очаровали, но не все галереи, на их взгляд, отвечали высоким требованиям вкуса.

В порту Саймон предложил Мелли прогуляться по пирсу, до тележки одинокого торговца, чтобы подкрепиться его булочками и кофе.

— Вчера вечером я оценил твою смелость, — сказал Саймон.

Молодой гитарист радовал гуляющих, наигрывая старинные мелодии. Когда с ним поравнялась Мелли, он напевал: «And here's to you, Mrs. Robinson...»

— Я с удовольствием ломала комедию, — заговорила она, опомнившись после короткого оцепенения. — Вечер удался, от Пиа я в восторге.

— Я про наш разговор в спальне. Я был очень тронут твоей откровенностью. Нужна смелость, чтобы все это мне рассказать. Ты бросилась в воду не раздумывая.

Мелли ступила на пирс, и у нее возникли странные ощущения. Резко повернувшись к Саймону, она пристально посмотрела ему в глаза.

— Поцелуй меня! Знаю, ты не любитель женщин, но все равно, пожалуйста, поцелуй! — настойчиво прошептала она.

Поцелуй состоялся — очень деликатный. Внезапно Мелли привиделось — лишь на мгновение, так, что она не успела его узнать, — дру-

433

гое лицо, и она вспомнила другие губы, мужской парфюм, аромат кожи...

Что еще важнее, Мелли вспомнила, что любила. Теперь в этом не было сомнения.

Когда поцелуй завершился, Саймон удивленно уставился на нее.

— Я смущена, не знаю, что на меня нашло, — скороговоркой произнесла она.

— Странно... — удивленно проговорил Саймон. — Но неплохо, совсем неплохо. Ты первая женщина в моей жизни...

Мелли было очень неловко, она прикоснулась пальцем к его губам, чтобы он умолк, но Саймон осторожно убрал ее руку.

— ...и последняя! — закончил он, рассмеявшись.

И они отправились пить кофе на край пирса.

———————

Вечером, после ужина, уже в спальне, Мелли, терпеливо дожидавшаяся этого момента, спросила у Саймона:

— У меня были с кем-нибудь серьезные отношения?

— Насколько я знаю, нет.

— Я никогда ни о ком не рассказывала?

— При мне — нет, хотя ты никогда не распространялась о своей личной жизни.

Музыканты даже сомневались, что она у тебя была. Тебе приписывали одного-единственного любовника — рояль, не имея в виду, конечно, ничего дурного.

— Даже так? На гастролях со мной никогда не бывало мужчин?

— Нет. Разве что он тоже обладал замечательной скрытностью. Я сказал что-то не то?

— Ничего, просто у меня возникло странное чувство, когда ты произнес слово «замечательной».

— Наверное, это хороший признак, волшебное слово, которое разбудит твою память.

Сам Саймон забавы ради несколько раз повторил про себя слово «замечательный», но ничего особенного не заметил.

435

В ту ночь Мелли опять стали сниться сны.

Она находилась в маленьком номере приморского отеля. Постель была смята, на стуле под окном, у которого она стояла, лежали джинсы. Морской воздух обдувал ей лицо, ноги у нее были в песке, на нее накатывалась волна, но она не собиралась ни убегать, ни сопротивляться. Все было очень странно, как и полагается во сне. Но было и нечто совершенно невероятное: увидев свое отражение в зеркале над кроватью, она его не узнала.

Она проснулась вся в поту. Еще только начинало светать, но она больше не смогла уснуть.

———————

Саймон привез ее домой ближе к вечеру. Он стремился любой ценой избежать воскресных пробок, потому что тем же вечером уезжал на гастроли.

Он стеснялся говорить об этом Мелли, но она его успокоила: она не скучала по концертам и вообще ни по чему. У амнезии были не только недостатки.

Подъехав к крыльцу дома Барнеттов, Саймон пообещал регулярно ей писать, раз она не умеет пользоваться звуковой системой общения.

— Ты хотя бы усвоила, что электронная почта не доставляется почтальоном? — не удержался он от вопроса.

— А ты усвоил, что рискуешь схлопотать звонкую пощечину?

Мелли притворилась, что хочет поцеловать его в губы, но в последний момент чмокнула в щеку.

— Я тебя напугала?

— Нет, с тобой я мог бы войти во вкус.

— Ни капельки тебе не верю, но твоя галантность мне по душе. Спасибо за этот уик-энд, мне все понравилось, даже не хочется возвращаться, лучше повеситься на рояльной струне!

— Знаешь, в твоем возрасте необязательно жить под родительской крышей.

— Со вчерашнего дня я только об этом и думаю. Не надо было отказываться от квартиры, которую я снимала в начале турне... Но целый год на колесах — это слишком! Кажется, мне хотелось поселиться в Тоскане. Все это я узнала из своего интервью итальянскому журналисту.

— Окажись он немцем, ты бы наверняка призналась ему в горячем желании осесть в Берлине. Меня не будет несколько недель. Станет душно в этом огромном доме — мои шестьдесят квадратных метров в твоем распоряжении. Я предупрежу портье, тебе достаточно будет взять у него дубликат ключей. Можешь располагаться, как у себя дома.

Мелли поблагодарила Саймона, огорченная, что он уезжает так надолго.

Когда машина уехала, она нехотя поднялась по ступенькам и вошла в дом.

437

Бетси, ждавшая дочь в холле, заключила ее в объятия.

— Ну, кто был прав? — спросила она ее на ухо, вся сияя.

— Ты, конечно, — ответила со вздохом Мелли.

Она заглянула в кухню, чтобы обнять Долорес, но тут вспомнила, что еще не кончилось воскресенье.

Бетси не терпелось узнать, как прошел уик-энд. Идя за дочерью по пятам, она спросила:

— Ты хочешь чаю? В машине с откинутым верхом наверняка не жарко.

Она стала заваривать чай, Мелли наблюдала за ней, сидя за столом. Сейчас было самое время пооткровенничать.

— Кажется, у меня просыпается память, — начала она. — Я кое-что увидела и почувствовала. Опознать пока всего этого не могу, это как вспышки. Такого еще не бывало.

Бетси поставила чайник и нежно обняла ее.

— Как я рада за тебя! Никогда не устану благодарить этого врача. Смотри и дальше не забывай принимать лекарства.

20

Пока Мелли была в «Лонгвью», физиотерапевт предложил ей разобрать почту и поискать там ее друзей. Они наверняка удивлялись, почему от нее нет новостей.

Вспомнив, как он ее учил, она, сидя перед планшетом, трижды моргнула, и программа узнавания лиц мгновенно соединила ее с почтовой службой.

Настоящих дружеских посланий она не нашла, только сочувственные пожелания и подбадривающие слова от коллег-музыкантов и поклонников, направленные в основном в первые дни после катастрофы. Дальше — ничего, не считая приглашений от пиар-агентств, не знавших о происшедшем с ней.

Мелли была вынуждена сделать вывод, что ее жизнь, полностью посвященная музыке, представляла собой тоскливую пустыню одиночества. Но физиотерапевт запретил ей так думать. Настоящие друзья не бывают виртуальными. Приободренная его словами, Мелли спросила, приходил ли кто-то ее навестить. Ответа она не получила.

Понятно, что, вернувшись домой, она уже не интересовалась своей почтой. Но Саймон обещал ей писать, поэтому вечерами, уже в постели, она читала его сообщения из всех городов гастрольного маршрута.

Саймон описывал, как проходят концерты, как его принимает публика, с кем ему доводится встречаться в ресторанах за ужином, какая там обстановка и меню. Он часто обещал ей, что они приедут туда вместе.

Перед сном Мелли неизменно отвечала ему, даже если его рассказ не содержал ничего захватывающего.

Как-то вечером, включив планшет, она прочла странное анонимное послание:

Не принимай эти лекарства.
Доброжелатель.

Она сообщила о послании Саймону, который поклялся, что это писал не он.

Кто же этот «доброжелатель», почему он ей написал?

Саймон вошел в азарт, и обмен посланиями занял всю ночь. Находясь в тысяче миль друг от друга, они провели ее вместе.

*Кто-нибудь знает, что ты
проходишь лечение?*

Никто, кроме моих родителей.

441

*Может, кто-то наткнулся
на упаковку в твоих вещах?*

*Разве что Долорес, собирая их,
но зачем ей мне писать?*

Понятия не имею, спроси ее!

*Гениально! Долорес, у меня к вам три
пустяковых вопроса. Это вы рылись
в моих вещах? Вы написали анонимное
письмо? Вы приготовили что-нибудь
вкусное мне сегодня на ужин?*

☺

Как тебе Торонто? Номер хороший?

*Похож на вчерашний, на позавчерашний,
на позапоза…*

Ты заедешь в Бостон до конца гастролей?

Возможно, в конце месяца.

Пригласишь меня поужинать?

Если приеду, то чтобы увидеться с тобой.

442

*Приятно это читать.
Но ты не ответил:
как тебе Торонто?*

*Не хочу вмешиваться не в свое дело,
но каково назначение этих лекарств?*

Они для улучшения памяти.

*Она улучшается с тех пор,
как ты стала их принимать?*

Что принимать? ☺

☺ ☺ ☺

*Никогда не чувствовала себя
так хорошо, как в те два дня
у Пиа, но тогда их при мне
не было.*

*Все потому, что лучшее твое лекарство —
это я... Может быть, уик-энд
и вправду удался.*

*Мы это повторим, даю слово.
Где ты играешь завтра?*

Перечитай мои вчерашние письма.

443

А-а, знаю: в Сент-Луисе.

Тогда зачем спрашиваешь?

Чтобы ты не спешил вешать трубку.

Сейчас так уже не говорят.

*А вот и говорят, мистер Словарь, если я так
говорю. Ладно, уже поздно, я прощаюсь. Завтра
тебе надо быть в форме.*

*Я свяжусь с тобой ближе к полуночи, как только
вернусь в номер.*

Кстати, где это будет? ☺
Спокойной ночи, Саймон, до завтра.
Целую.

Мелли положила планшет на ночной столик и погасила свет.

Через десять минут экран снова засветился.

Из-за природного тщеславия я в восторге оттого, что в этот уик-энд обеспечил тебе хорошее настроение, пускай в этом отчасти виновата кухня Пиа… (только не говори об этом Долорес). Если подумать, то тебе стоило бы прервать лечение на несколько дней и посмотреть, как это повлияет на самочувствие. После этих добрых советов мистер Словарь отходит ко сну.

444

Назавтра, сидя за роялем, Мелли услышала какое-то шуршание у себя за спиной. Старания сосредоточиться на партитуре ни к чему не привели: вскоре она не выдержала и оглянулась.

Кто-то подсунул под дверь конверт.

Она встала, подняла конверт и открыла его.

Мисс, вас ждут у меня в кухне.

Ваша преданная Долорес,
у которой есть другие дела
помимо этого.

Перечитав записку, Мелли поспешила на кухню, выбрав по известной причине путь через левый флигель.

Долорес, занятая у плиты, молча указала на дверь в сад.

Саймон стоял, подпирая спиной дверцу такси.

— Умоляю, обойдись без «Так ты не в Сент-Луисе!» — попросил он, шагнув к ней.

— Так ты не в Сент-Луисе?

— Представь, концерт отменили! Здание оперы вчера пожрал пожар. К счастью, нас предупредили заранее, до посадки на рейс.

— И ты примчался ко мне?

— У тебя было право на два дурацких вопроса. Лимит исчерпан. Ты едешь?

Мелли посмотрела на стеклянную дверь кухни, за которой Долорес махала тряпкой, требуя, чтобы она не медлила.

Мелли села в такси, и оно тронулось с места.

— Куда мы едем?

— Хочу тебя кое с кем познакомить, — ответил Саймон. — У меня всего несколько часов.

Труппа уже улетела в Атланту, завтра мы выступаем там.

— «Они», а не «мы».

— Учти, если ты останешься «капитаншей Очевидность», то медикаменты выброшу я. Я приехал, потому что у меня есть новости. Представь, я долго не мог уснуть после нашего обмена сообщениями. Дошло до того, что я пренебрег самолюбием и позвонил своему бывшему.

— Среди ночи?

— Мне хотелось доставить себе небольшое удовольствие, вот я его и разбудил. И хватит меня перебивать! Я расспросил его насчет приятеля, разбившегося на мотоцикле. Готов поспорить на мой смычок, что у них роман, но давай не будем на этом останавливаться. Элвин Джонсон живет в Бостоне, и мой бывший соизволил дать мне его координаты. Сегодня утром, едва проснувшись, я помчался к нему, чтобы рассказать о тебе. Он согласился с нами встретиться. Сначала я думал просто направить тебя к нему, но, узнав, что сегодня вечером выступления не будет, решил сделать небольшой крюк, чтобы тебя сопровождать.

— Я не знаю, как тебя благодарить, Саймон!

— Просто скажи спасибо, обычно делают так. Знаю, я отличный парень. Помни об этом, и пусть крепнет наша дружба. Если ты думаешь, что карьера выдающейся пианистки превратила твою жизнь в океан одиночества, то учти: в жизни первой скрипки людей не больше, не считая нескольких кашалотов, которых я поймал за время выступлений. Пафосу нет предела, как и моему любопытству. Вот так.

— Странно это от тебя слышать.

— Что именно странно?

— Про океан.

— Это странно? Все, давай сюда таблетки!

— Там, на пляже перед домом Пиа, я смотрела на океан, и у меня было чувство, что я на него похожа.

— Тебе почудилось, что вы с океаном похожи?

— Ты перестанешь надо мной издеваться?

— Не перестану, ты на это буквально напрашиваешься!

Такси остановилось перед кафе. Глядя на сидящих на террасе клиентов, Мелли гадала, с кем из них у нее встреча.

— Ты идешь? Времени у меня в обрез, — поторопил ее Саймон.

447

У Элвина Джонсона была голова Стива Маккуина, насаженная на туловище Элвина Эйли. Женщины за соседними столиками не сводили с него глаз.

Саймон еле-еле выжал из себя несколько звуков, которые, будь они расставлены в правильном порядке, могли бы означать: «Добрый вечер, вы свободны сегодня вечером?»

Элвин поздоровался и предложил им сесть. Он подозвал официанта, заказал три кофе и улыбнулся Мелли. Саймон, справившись с охватившей его волной жара, теперь удивлялся способности температуры его тела падать так стремительно.

— Ну, как твои дела? — обратился Элвин к Мелли.

— Какие дела? — спросила она.

— Катастрофа, пробуждение. Мы же здесь для того, чтобы поговорить об этом?

— Вертолет, потеря памяти. А у тебя?

— Мотоцикл и странность.

— Что за странность?

— Я чувствую себя другим человеком. Они говорят, что это нормально, ведь я «рестор», «человек 4.0» с восстановленным сознанием. Шикарно, да?

— Я не смотрела на это под таким углом. Кто эти «они»?

— Врачи из «Лонгвью».

— Как это «другим человеком»? — спросила Мелли.

— Я очнулся с жаждой читать, которой у меня раньше не было. Не то чтобы я раньше совсем не читал, но теперь у меня потребность пожирать любые книги, попадающие мне в руки. А еще я раньше был вегетарианцем, а теперь обожаю мясо. Разве не чудно?

— Несомненно, — робко ответила Мелли.

Немного помолчав, Элвин спросил:

— А ты что-нибудь помнишь?

— Так, редкими малоубедительными вспышками.

Элвин украдкой ввел слово «малоубедительный» в свой планшет.

— Кажется, я понимаю, что ты имеешь в виду... — сказал он со вздохом. — Ты хоть вернулась в свое тело?

— Как это «в свое тело»?

— Мое погибло в аварии, на мне не было шлема, поэтому...

— Давайте без подробностей! — взмолился Саймон.

— Твою память восстановили в чужом теле? — удивилась Мелли.

— Об этом я и толкую! Подвернулось тело человека, чей мозг погиб. К тому же он не сохранял свою память. По крайней мере, с внешностью мне повезло!

Элвин пересказал им то, что узнал от своих врачей. Его память три года хранилась в серверах «Нейролинка», пока не нашлось совместимое тело.

В случаях, подобных этому, «Нейролинк» производил полное форматирование донорского мозга серией мощных электрических разрядов, а потом вводил туда сохраненное сознание реципиента.

Мелли спросила, какое тело считается совместимым.

450

— Того же пола, естественно, того же возраста, с теми же физическими характеристиками. Это необязательно, но желательно. Тогда не будет «поствосстановительных» осложнений, особенно по части эмоций и личности, из-за «памяти тела». Так мне, во всяком случае, объяснили. Если ты спортсмен, станут дожидаться тела другого спортсмена. Мой донор был танцором, как я. Странно ходить на пуантах, иногда я чувствую себя самозванцем. Но я, кажется, понял, что самое главное — совместимость кое-каких корти... кортикальных клеток, да, так это называется. — Он показал на свою голову. — В общем, это определяющий элемент, чтобы «Нейролинк» решился сделать перенос.

Саймон и Мелли были ошарашены услышанным.

— Есть хотите? Я бы чего-нибудь пожевал. — Элвин не подозревал, как для них ценна каждая минута разговора с ним.

Не сводя с него взгляда, Саймон пододвинул ему меню.

— Но есть одна загвоздка. Без нее никуда, когда вам предлагают второй шанс, верно? Видели старый фильм, где герой проводит несколько лет на необитаемом острове, а потом его забирает корабль? Он возвращается домой, радуется цивилизации и прежней жизни... Вот только его прежняя жизнь осталась в прошлом, потому что жена, сочтя его мертвым, вышла за другого. Я прожил три года на сервере, это почти то же самое, что необитаемый остров, только без песка. Я был по уши влюблен в одну звезду танца, мы с ней были красивой парой, но это осталось в прошлом. Возвращаюсь — а она меня не узнает. Наверное, она привыкла бы к моей новой внешности, но...

— Это зависит от степени ее требовательности, — вставил Саймон.

451

— До этого не дошло, она успела выйти замуж и родить ребенка. Не хвастаюсь, но иногда слежу за ней, когда она забирает дочку из яслей. Каждый раз, видя, как они уходят вместе, я думаю о том, что это счастье могло бы быть и моим. Но я не жалуюсь, а живу. В подавленном состоянии, но все равно... Психотерапевт из Центра убеждает меня, что непрекращающаяся подавленность — это нормально. Смешные эти психотерапевты: ты им говоришь, что дела хуже некуда, а они в ответ объясняют, что все в порядке!

— И почему же? — спросила Мелли.

— Мой говорит, что эмоциональная память — самая сложная и упрямая. Мне очень жаль, не уверен, что сумел тебе помочь рассказом о своей жизни, но поговорить всегда полезно. Может, и тебе полегчает. Хочешь телефон моего психотерапевта? Я над ним немного подтрунивал, но он пользуется авторитетом.

— Им за это платят, — напомнил Саймон.

Но Элвину было не до шуток.

— Это для всех нас нелегко, но ясно одно: мы выжили.

Сильный электрический разряд ударил Мелли в затылок. Голова закружилась, зрение затуманилось. Она схватилась за стол, чтобы не упасть. Саймон успел ее подхватить. Он умолял ее не закрывать глаза, хлопал по щекам.

Она видела уходящий в море пирс, свой силуэт, мужчину рядом с собой. Она повернула голову, чтобы разглядеть его лицо, но пришла в себя, прежде чем его увидела.

— Как ты? — спросил Элвин.

— Она розовеет, — сообщил Саймон.

— Ты тоже, — сказал Элвин.

— Сейчас все пройдет, — пробормотала Мелли, стараясь выпрямиться.

— Ну и напугала ты меня!

— Наверное, это просто приступ гипогликемии. Я ничего не ела с самого утра.

Элвин взял три пакетика сахарного песка, надорвал их и высыпал сахар в чашку Мелли.

— Пей! — приказал он.

Саймон поблагодарил Элвина за потраченное на них время и остановил такси. Мелли клялась, что ее не надо провожать, но он настоял.

Пока Саймон расплачивался, Элвин записал ему на клочке бумаги координаты своего психотерапевта.

— Позвони ему, скажи, что от меня.

453

— Что, если я отложу свой отъезд? — предложил Саймон по дороге.

— Не надо. Подумаешь, закружилась голова, ерунда какая!

— Ты страшно побледнела, закатила глаза...

— Было так странно! — перебила его Мелли, погружаясь в воспоминания.

Она поведала ему о своем кратком видении.

— Я должна найти способ разузнать о своем прошлом.

Когда такси въезжало в ворота дома, Саймон отдал ей полученную от Элвина записку.

— Сегодня вечером никакой почты, я буду в самолете. Ты должна лежать на диване у этого психотерапевта. Вдруг, разговорившись, ты что-то вспомнишь? Подумай, в этом цель всякой психотерапии.

Мелли взяла у Саймона бумажку и обняла его на прощание.

— Не волнуйся. Но если завтра, играя, ты будешь думать обо мне, это доставит мне удовольствие. Я долго не буду ложиться, может, придет твоя почта. Ты расскажешь, как прошел концерт, я хочу знать все в мельчайших подробностях.

Саймон поцеловал Мелли и попросил водителя подождать, пока она войдет в дом. Она задержалась и оперлась о дверцу.

— Спасибо, Саймон, за твою дружбу.

Мелли ужинала с родителями. Она почти не разговаривала с ними, о том, чтобы рассказать о встрече с Элвином, не было речи. О своем приступе недомогания она тоже не обмолвилась. Она поклялась матери, что принимает лекарства, хотя это было неправдой, и, сославшись на утомление, вышла из-за стола еще до десерта.

За столом она не могла избавиться от тревожного ощущения, что сидит с двумя чужими людьми. Чем больше мать улыбалась ей, тем сильнее становилось это ощущение.

Оказавшись у себя в комнате, она открыла планшет и с радостью обнаружила там послание.

Высота три тысячи футов, внизу облака. Когда ты проснешься, будет отвратительная погода. Из-за головокружения я не смотрю в иллюминатор. Жуткая кормежка, но это еще ничего. Тесно так, что колени под самым носом. Моя соседка храпит. Зачем было лететь ночью? Надеюсь, ты будешь спать лучше, чем я. До завтра, напишу тебе из Атланты. Саймон.

Мелли не отрывала глаз от экрана. Она вспоминала прошедший день, свой приступ, недомогание за ужином. Что-то шло не так, более того, неуклонно ухудшалось.

Она достала из кармана брюк полученную от Саймона бумажку и отправила письмо психотерапевту Элвина с просьбой принять ее.

456

MAKC ЛEВИ • Доктор Шнейдер

21

457

Доктору Шнейдеру было лет шестьдесят, каштановая бородка придавала ему элегантность, аккуратно зачесанные волосы с трудом прикрывали лысину. Он был улыбчив и любезен, комната, в которую он пригласил Мелли, ничуть не походила на кабинет психоаналитика. Он объяснил, что не кладет пациентов на диван. К нему приходят для разговора, а не для сиесты.

В отличие от большинства собратьев по ремеслу он любил смотреть пациенту в лицо, а не прятаться за его спиной. Успех анализа зависел от доверия к аналитику, а оно, утверждал он, требовало разговора лицом к лицу.

— Согласен, — оговорился он, — сидя за этим большим столом, вы можете испытать замешательство, но мне надо наблюдать за вашей реакцией, а не только вас слушать.

Доктор Шнейдер оказался оригиналом, но Мелли поняла, что его метод не лишен здравомыслия.

На первом сеансе он по большей части слушал. Мелли рассказала ему о своей амнезии и призналась, что иногда ей кажется, что внутри у нее сидит другой человек. Шнейдер качал головой и записывал.

458

На следующем сеансе он попросил точнее описать этого «другого». У Мелли ничего не получилось. Зато она созналась, что уверена, что страстно любила одного мужчину, хотя все ее исследования собственного прошлого приводили к заключению, что такового не существовало.

Шнейдер предположил, что она персонифицирует свое искусство в мужских чертах. Она посвятила жизнь музыке и тем заполнила ее, но одновременно создала пустоту, а природа не терпит пустоты. Мелли в ответ усомнилась, что ей доводилось прогуливаться по пирсу в обществе рояля...

Помощница постучала в дверь, вошла, наклонилась к уху доктора Шнйедера и что-то ему прошептала. Он извинился перед Мелли:

ему необходимо отлучиться, одному из его пациентов стало плохо, и он должен провести с ним видеоконсультацию. Пообещав, что это ненадолго, он оставил ее в кабинете одну.

После его ухода Мелли оглядела кабинет и увидела в углу компьютерный терминал. Ее посетила мысль оставить сообщение Саймону. Она подъехала в кресле к терминалу и трижды моргнула экрану, чтобы получить доступ к системе общения. Тщетно.

Она повторила попытку, но опять безрезультатно и решила, что компьютер неисправен.

459

Внезапно экран загорелся, на нем появилась надпись:

$$[1 + 1 = 1]$$

Мелли уставилась на диковинное уравнение, потом напечатала:

$$[1 + 1 = 2]$$

Ее строчка пропала, вместо нее появилась прежняя нелепость:

$$[1 + 1 = 1]$$

Не иначе, компьютер сломан! Мелли пожала плечами, и тут на экране появилось:

[Hello!]

— Привет! — ответила Мелли, как ни удивительно для нее самой, вслух.

[1 + 2 = 1]

— Для компьютера ты неважно считаешь.

Экран почернел, а потом на нем появилась надпись:

[Не принимай лекарства]

У Мелли затрепетало сердце.
— Кто ты? — спросила она.

[Хоуп]

В коридоре раздались шаги, и экран погас.

Мелли опять подъехала к столу. Вошедшая ассистентка сообщила, что пациент доктора Шнейдера требует больше внимания, чем предполагалось. Чтобы не заставлять ее ждать, он предлагает, если она не против, продолжить сеанс завтра.

Мелли попросила разрешения посидеть еще немного, сказав, что ей нужно обдумать свою беседу с доктором Шнейдером.

Ассистентка не возражала, так как следующий пациент ожидался еще через двадцать минут. Пока что Мелли могла располагать кабинетом.

Оставшись одна, она вернулась к экрану и напечатала:

— Кто такая Хоуп?

[Ты]

— Меня зовут не Хоуп.

[1 = Хоуп]

— Не понимаю.

[1 + 2 = 1]

— Все равно не понимаю!

[2 = Джош]

— Кто бы ты ни была, прекрати эти идиотские уравнения! Объясни внятно!

Экран опустел, осталась только мигающая точка, позволявшая предположить, что программа погрузилась в размышления.

Отвечая на запрос Мелли, «Нейролинк» наконец написал:

[Хоуп была надеждой на будущее,
Ты – настоящее.
Я не могу научить тебя ничему, чего бы ты уже
не знала]

— Ничего я не знаю! — возмутилась Мелли. — К чему эти загадки?

[Найди ее. Я все тебе отдала. Прощай. Хоуп]

Когда вошла с просьбой освободить помещение ассистентка, Мелли испуганно вздрогнула. Когда она повернулась к экрану, чтобы ответить, он уже погас.

———————

Первое, что пришло ей в голову после ухода из Центра, — позвонить Саймону. Но он в это время должен был находиться на репетиции и не смог бы ответить.

За воротами ее ждал Уолт. Она села в машину и попросила отвезти ее в центр города.

— Что-то не так, мисс? У вас озабоченный вид, — сказал шофер, глядя в зеркало заднего вида.

Мелли была не озабочена, а растеряна и обеспокоена. Кто устроил игру с ней при помощи экрана? Кто такая Хоуп? Как цифра 2 могла соответствовать мужскому имени? А главное, что она уже знала? На все эти вопросы не было ответов, причем к ним добавлялся еще один: почему инстинкт подсказывал ей сохранить все это в тайне?

Потому, наверное, что если она расскажет о происшедшем, то ее примут за сумасшедшую.

Поскольку она помалкивала, Уолт открыл бардачок, достал серебряную фляжку, отвинтил крышку и подал фляжку Мелли.

— Только осторожно, это серьезная микстура.

Мелли отпила глоток и сильно закашлялась. Уолт с улыбкой забрал у нее фляжку.

— Мне хватит, — просипела она, продолжая кашлять.

— Похоже, что так, вон как вы покраснели! Ну, куда хотите ехать? Что-то мне подсказывает, что вам не хочется сразу возвращаться.

Уолт был прав: домой ей не хотелось — ни сейчас, ни тем более вечером. Она обдумала предложение Саймона и попросила Уолта высадить ее у дома № 65 на Коммонвелс-Драйв.

Портье открыл ей дверь и вручил ключи. Мелли бегло осмотрела квартиру на третьем этаже: спальня, маленькая ванная, гостиная с кухонным уголком, окна выходили на сквер. Окружающие фасады из красного кирпича и эркерные окна были точь в точь как в лондонском Мейфэре.

Немного погодя Мелли спустилась и попросила Уолта о последней услуге.

464

Водитель вернулся в поместье, явился в кухню, убедился, что поблизости нет дворецкого, и объяснил Долорес просьбу Мелли.

Обратно на Коммонвелс-Драйв он повез собранный Долорес чемодан. Отдав его портье, он уехал.

В семь часов вечера, подавая ужин, Долорес сообщила Барнетту, что его дочь отсутствует уже несколько часов. Гарольд удивился и даже оскорбился, что Мелли не предупредила его сама, после чего Долорес жестом позвала его в кабинет. Гарольд недоумевал, что на нее нашло, но хватило одного ее укоризненного взгляда, чтобы он присмирел.

Доверительным тоном, взяв с него клятву не выдавать ее, Долорес объяснила, что мисс

Мелли готовит ему сюрприз. Она отправилась к друзьям-музыкантам в надежде возобновить филармонические турне.

Гарольд закрыл обеими ладонями широко разинутый рот, давая понять, что будет нем как рыба. После этого он почти вприпрыжку вернулся в столовую, и Долорес увидела со спины его восторженно поднятый большой палец. Глядя, как он удаляется по коридору, она удивлялась, как человек, создавший финансовую империю, может оставаться таким глупцом.

465

Сначала Мелли стеснялась воспользоваться постельным бельем Саймона, но потом вспомнила, что в доме Пиа они спали в одной постели.

Всю вторую половину дня она бродила по улицам, чтобы прочистить мозги, но в конечном счете отупела от усталости.

Купив в магазинчике по пути немного еды, она поужинала, включив старый фильм. До полуночи — к этому времени Саймон должен был поселиться в отеле — Мелли боролась со сном. С интервалом в десять минут она отправила ему два послания в надежде на ответ и, не получив его, предположила, что он весело проводит время. Прежде чем уснуть, она предупредила его, что разместилась в его квартире, и поблагодарила за то, что больше не должна чувствовать себя затворницей в огромном чужом доме. У нее слипались глаза, и она боялась отключиться на полуслове. Написав, что целует его, и отправив письмо, Мелли погрузилась в глубокий сон.

22

Пробудившись, Мелли почувствовала себя еще более свободной, чем накануне. Перед ней открывалась новая жизнь. Квартира Саймона была немногим больше, чем ее комната в родительском доме, но ее устраивали именно эти человеческие масштабы. Убранство квартиры свидетельствовало о тонком вкусе хозяина.

По обеим сторонам от каминной полки из светлой древесины прогибались под тяжестью книг многочисленные полки. Старый паркет, скрипевший даже под легкими шагами Мелли, был почти полностью скрыт тростниковым ковром. Диван и два кресла под белыми льняными покрывалами стояли напротив низкого столика, заваленного книгами по искусству. Платаны дотягивались ветвями почти до самых окон квартиры, но не делали ее сумрачной. Изящные афиши на белых стенах создавали желанную пестроту. Мелли не знала о любви Саймона к чтению; она подумала, что, окажись перед этим книжным богатством не она, а Элвин, он почувствовал бы себя счастливейшим человеком на свете. Множество изданий с прекрасными фотографиями свидетельствовали о маршрутах путешествий хозяина дома: Нью-Йорк, Сан-Франциско, Москва, Шанхай, Берлин, Рим, Париж, Лондон; наверное, во всех этих городах она поднималась на сцену вместе с ним!

Выбрав книгу о Гонконге, она уселась по-турецки на ковер. Листая ее, она обратила внимание на издание из той же серии, лежавшее на столике. На обложке книги красовался маяк.

Мелли впилась в него глазами, и по ее щекам почему-то побежали слезы. Чем больше она старалась их унять, тем обильнее они лились.

Зазвонил телефон, и, услышав голос Саймона, Мелли разрыдалась.

— Ты плачешь?

— Нет, это насморк.

— Я слышу всхлипы. У меня так плохо?

— Наоборот... — пролепетала Мелли.

— Тогда что с тобой случилось?

— Сама не знаю. Это из-за книги.

— Мы с тобой похожи: некоторые романы выжимают у меня слезу.

— Это не роман! — Мелли икнула. — Я даже открыть ее не успела!

— Вот как? Что за книга?

— Альбом с видовыми фото, на обложке маяк.

— Брант Пойнт!

— Что?

— Это маяк Брант Пойнт, один из самых известных в стране. Летом туристы плывут на Нантакет на него поглазеть. Можно мне узнать, чем этот маяк так тебя огорчил?

— Вот уж не знаю! Смотрю на него — и реву, как последняя дура!

— Обычно, когда люди плачут без причины, им советуют меньше к себе прислушиваться. Но я попрошу тебя, наоборот, лучше прислушаться к себе. Если фотография маяка приводит тебя в такое состояние, то это не просто так. Остается разобраться в причинах.

— Согласна. Но как?

— Лучший способ — как следует в себя вглядеться, так?

469

— Наверное... — прошептала Мелли.

— В следующее воскресенье у нас будет перерыв. Я прилечу и отправлюсь с тобой туда.

— Где ты играешь в субботу?

— В Ванкувере.

— И речи быть не может, чтобы из-за меня ты ночевал в самолете. И потом, ты прав: мне надо попасть туда одной.

— Я не могу быть прав, потому что только что предложил тебе прямо противоположное.

— Саймон, в один прекрасный день я пойму, что со мной. Почему я не могу быть как все?

— Потому что нормальность — это смертельно скучно.

— Ты кого-то встретил!

— С чего ты взяла?

— У тебя голос человека, встретившего кого-то и звонящего лучшей подруге с сообщением, что он счастлив. А она — эгоистка и болтает только о себе, вместо того чтобы выслушать его и разделить его радость. Как его зовут?

— Дело не терпит отлагательств.

— Разве это имя?

— Нет, но я бы мог влюбиться. Упасть, чтобы подняться.

— Зачем падать? Речь-то о любви.

— Потому что когда больно, ничего не остается, кроме как выпрямиться.

— А когда не больно, а хорошо?

— Тогда, наверное, больше не падаешь, а любишь, вот и все.

— Вот этого я тебе и желаю. Не забывай о себе! Нет, лучше забудь, что я сказала, живи полной жизнью и ни в чем себе не отказывай...

— А если я все-таки упаду?

— У тебя есть подруга, которая тебя поддержит.

— Мелли, все будет хорошо, наберись терпения, все придет в норму.

471

— Я думала, норма — это постылое занудство.

— Тут ты попала в точку.

— Поторопись к своему «делу, не терпящему отлагательств», а за меня не беспокойся. Я навещу этот маяк. Буду держать тебя в курсе событий. Ты сказал «Нантакет»?

— Ключи от моей машины на столике у двери. Она в гараже дома, там всего один подземный этаж, ты легко ее найдешь. Поедешь до Кейп-Кода, там переправишься на пароме. Обязательно позвони мне оттуда! Если решишь там переночевать, я порекомендую тебе один гостевой дом в порту, старейший на острове. Внешне он невзрачный, но стоит войти — и ты окажешься в одном из самых симпатичных мест, какие я только знаю.

— Договорились, я тебе позвоню, как только туда доберусь.

— Буду ждать. Смотри, поосторожнее с моей машиной, она у меня пожилая дама и, как все бабушки, красива и хрупка. Целую тебя, Мелли.

Мелли повесила трубку и опять взялась за книгу. Она долго разглядывала фотографию маяка Брант Пойнт. Если бы ей не было страшно признаться себе, что у нее помутилось в голове, она поклялась бы, что маяк ей улыбается.

Она подошла к двери, отыскала ключи от машины Саймона и спустилась в гараж.

―――――

Мелли ехала на юг. Вести машину ей было так же просто, как играть на фортепьяно. Но это занятие было гораздо веселее, поскольку волосы развевались на ветру. Она примчалась в Кейп-Код как раз к отплытию парома.

Как только он покинул порт, ее затошнило и она вышла на палубу.

На море было легкое волнение. Мелли опьянил морской воздух, она загляделась на стаи чаек, кувыркавшихся над прибрежным прибоем.

Остров Нантакет оказался еще красивее, чем представляла его себе Мелли.

Она нашла рекомендованный Саймоном гостевой дом. Он стоял на уходивших в воду сваях и выглядел одновременно томно и весело. Мелли сразу догадалась, почему Саймону приглянулся этот домик.

Торговец сувенирами указал ей дорогу к маяку Брант Пойнт.

Наяву он оказался еще меньше, чем на фотографии, но выглядел представительно. Мелли все время спрашивала себя, что она здесь делает и не напрасно ли понадеялась, что это путешествие подскажет ей долгожданные ответы.

Опираясь о перила дощатой галереи, опоясывавшей маяк, она набрала в легкие побольше воздуха и уставилась в морскую даль.

В шуме ветра ей послышалось:

— *Столкни меня в море, милый Джош. Мне тоже хочется получить второй шанс.*

Она поискала, откуда мог доноситься этот голос.

473

— *Ты веришь в жизнь после смерти?*

— *Да, в те дни, когда мне становится по-на-стоящему страшно.*

Наверное, на другой стороне маяка беседовала незнакомая пара. Она пошла по круговой галерее и вернулась туда, откуда пришла, никого не встретив.

— *Ты боишься смерти?*

— *Твоей.*

— *Давай начистоту. Я умру, милый Джош. У меня будет перед тобой по крайней мере одно преимущество: если жизнь после смерти действительно существует, то я начну ее очень молодой, не то что ты: ты войдешь, припадая на ногу, поскольку будешь старым.*

— *Почему ты думаешь, что я умру стариком?*

— *Потому что жизнь прекрасна и мой тебе приказ – жить!*

Мелли решила, что обрывки чужого разговора донес ветер, и обернулась, чтобы оглядеть пляж.

В сотне метрах от маяка виднелись три холмика с кустиками гибискуса. Чуть дальше белели остатки известняковой лачуги.

Для очистки совести Мелли направилась туда.

Голоса приближались.

— *Чем меньше останется от одного или от другого, тем больше останется от нас.*

Вокруг никого не было, не считая трех мальчишек, игравших на дюне. Мелли поняла, что голоса звучат у нее в голове.

С замиранием сердца она ускорила шаг и резко остановилась перед белым камнем, выглядывавшим из мягкой травы рядом с лачугой. Опустившись на колени, она разгребла мягкий песок и прочла два имени, нацарапанных на камне.

Опять электрический разряд в макушке. У нее закатились глаза, и она лишилась чувств.

———————

— Мэм? Мэм?

Мальчик тряс ее за плечи, двое его приятелей стояли рядом.

— Хватит, Фред. Может, лучше сходить за взрослыми?

— Подожди, Момо, кажется, она открывает глаза.

— Мэм? Ты спишь или умерла?

Мелли села, держась за затылок. У нее было ощущение, что в нее попала молния. Она сидела на песке, оглушенная, не силах подняться.

— Взяла и упала?

— Похоже на то, — ответила она ребенку со слабой улыбкой.

Шепчущие голоса не унимались.

— Что, если я действительно однажды вернусь, а тебя не найду?

— Найдешь, я уверен, если не меня самого, то воспоминание обо мне в чужом взгляде, в чужом сердце, в чужой молодости, и станешь любить этого человека изо всех сил, которые дам тебе я. Настанет твой черед даровать мне миг вечности. Ты скажешь ему, что мы были первыми безумцами, одурачившими смерть, и будешь радоваться нашей изобретательности. Ты расскажешь ему обо мне в первый и в последний раз, потому что должна будешь освободить место для него.

— Ты понимаешь, что говоришь? Твоя история, милый Джош, — это опрокинутый горизонт.

— Меня зовут Фред, его — Момо, мой дружок в кепке — Сэмми, а тебя как звать, мэм?

— Хоуп. Меня зовут Хоуп, — ответила она.

23

— Это твое имя на камне? — спросил Момо. — А кто такой Джош?

— Мой опрокинутый горизонт.

Момо пожал плечами, не уверенный, что понял.

— Почему здесь лежит этот камень?

— Он обозначает место, где зарыто сокровище. Поможете мне его откопать?

Мальчишек не пришлось просить дважды. Скоро в их испачканных песком руках оказался черный чемоданчик.

Хоуп дала им денег на мороженое, и они радостно ускакали, соревнуясь, кто первым добежит до мороженщика.

Оставшись одна, Хоуп расстегнула замки и откинула крышку.

В чемоданчике лежало письмо и знакомые ей предметы, приобретенные на воскресной барахолке, в том числе деревянный самолетик, при виде которого она прослезилась.

Набрав в легкие побольше воздуху, она развернула письмо.

Хоуп, любимая,

если ты открыла этот чемоданчик, значит, мы совершили невозможное.

Что за странный парадокс: я пишу эти слова с тяжелым сердцем и при этом с надеждой, что ты когда-нибудь их прочтешь.

Мы считаем неважным то, как мы любим, хотя это и делает нас теми, кто мы есть. Я думал, что взрослые любят так же, как в детстве, но это не так, настоящая любовь – это отдавать то, чего тебе недостает, без оглядки и без страха, этому я научился у тебя.

Когда наступят последние вечера, я буду рядом, буду следить за твоим дыханием, внимать звукам твоей жизни, чтобы никогда их не забыть. Я положу на тебя голову, чтобы пропитаться ароматом твоей кожи и вспоминать потом, как в те дни, когда ты смеялась, когда мы любили другу друга, я прили-

пал к твоей влажной груди, я был алхимиком жизни.

Смерть – кощунство, вторгшееся в наши жизни и уносящие их – обе.

После тебя я стану скитаться в поисках крупиц любви и человечности, всякая пара незнакомцев, держащаяся за руки, будет напоминать мне о тебе. Пойду на воскресный блошиный рынок и там найду наши следы, наши сомнения и желания.

Знаю, ты больше боишься за меня остающегося, чем за себя уходящую. Ты попросишь, чтобы я жил дальше, чтобы снова полюбил. Я видел, что ты боролась ради этого, что напрягала последние силы, чтобы у меня было время научиться, но как глядеть на мир, когда рядом не будет тебя, какой ясности ждать от жизни без твоего смеха, что толку читать книги, если нельзя пересказывать их тебе? Кажется, смысл жизни соткан из многих смыслов, даруемых нам жизнью. Как обонять, если не будет твоего запаха, как слышать, ели не будет твоего голоса, как видеть без твоего взгляда, как осязать без твоих рук, как чувствовать вкус, не имея возможности приникнуть к твоей коже? Как жить без тебя?

Знаю, ты потребуешь от меня обещания ничего не уступать смерти, ничего не жерт-

вовать ей от любви, которую ты мне дарила. Когда окажешься в ее лапах, попроси, чтобы время пролетело быстро, чтобы я смог пройти старческим шагом по улицам, где мы бегали вместе, улыбаясь при мысли о нашей скорой встрече.

Скажи ей, что наша любовь сильнее ее, потому что переживет нас.

Ты – женщина, о которой я не смел грезить в самых смелых моих мечтах. Видишь, это ты оказалась алхимиком моей жизни.

Не знаю, сколько пройдет лет после того, как мы покинем этот остров рука об руку. Но знай, что не будет утра, когда я, открыв глаза, не приветствовал бы тебя, не будет вечера, когда я, закрывая глаза, не увидел бы твое лицо.

И если ты читаешь эти строки, то настала моя очередь попросить у тебя обещания. Люби от всего сердца, не сдерживаясь и ни о чем не жалея. Мы были счастливы, а это налагает кое-какие обязательства перед счастьем.

Да будет твоя жизнь прекрасной, любовь моя, такой же прекрасной, как та, которую даровала мне ты.

Мне так повезло, что я познакомился с тобой.

Люблю тебя.

Твой Джош

Хоуп пробыла на пляже до вечера, с письмом в одной руке и с деревянным самолетиком — в другой.

Потом она спрятала то и другое в чемоданчик, который забрала с собой.

Говорят, умирающие видят всю свою жизнь задом наперед. Хоуп, воскрешая, увидела свою в правильном порядке.

На пароме, возвращаясь в Кейп-Код, Хоуп подставляла лицо ветру, провожала глазами Нантакет и вспоминала последние слова, которыми они обменялись на острове с Джошем, прежде чем зарыть чемоданчик, который она теперь прижимала к себе.

481

— *А ты, милый Джош, будешь тем временем жить и стариться?*

— *Нет, я буду ждать тебя.*

24

В два часа ночи Хоуп вошла в квартиру Саймона. Поставив чемоданчик у кровати, она позвонила ему.

— Я тебя разбудила?

— Либо ты не смотришь на часы, либо это самый лицемерный вопрос за целый день! Я оставил тебе десяток посланий, ты не ответила, а потому я страшно волновался. Нет, мне было не до сна.

— Прости, я никогда не слушаю эту дурацкую переговорную службу.

— Ладно. Теперь отвечай: да или нет? Никогда еще я не играл так плохо, как в этот вечер. Все из-за тебя! Видела бы ты, как на меня смотрел наш дирижер!

— Сначала ты должен сесть.

— Я валяюсь в постели и не намерен ее покидать.

Хоуп рассказала ему все. Никакая она не подружка, мотавшаяся с ним по миру, столько лет сопровождавшая его с концерта на концерт. Женщина, которую он знал, погибла в авиакатастрофе, вместо нее к жизни вернулась совсем другая.

Она попросила прощения за обман и поклялась, что истина открылась ей только у подножия маяка, свет которого озарил ее память.

Саймон молчал, поэтому Хоуп снова стала извиняться. Завтра она уедет, и он больше никогда о ней не услышит.

— Умоляю, Саймон, скажи хоть что-нибудь, ты единственный во всем мире, с кем я хоть капельку знакома, единственный не совсем чужой мне человек!

— Это в некоторой степени свинство по отношению к Уолту и Долорес. Что ты хочешь от меня услышать? Что у меня нет выбора, остается либо поверить тебе, либо посоветовать попроситься в психушку? Я тебе верю, а еще я думаю, что воскресившие тебя врачи обязаны дать тебе серьезные объяснения. Правда за правду: Мелли стала моей лучшей подругой только после катастрофы. То есть я хотел сказать — Хоуп, буду учиться называть тебя так. Бывает любовь с первого взгляда, наверное, такой бывает и дружба. Живи у меня сколько понадобится. Догадываюсь, что теперь это тебе еще нужнее, чем вчера. Я скоро вернусь, и мы отпразднуем это безумие вместе, ибо отказать подобному безумию в достойном чествовании значило бы оскорбить жизнь. Но сейчас важнее всего другое: что ты будешь делать?

— Знаю, я должна объясниться с родителями Мелли.

— Желаю удачи! Но я о другом: о мужчине твоей жизни.

484

— Я отыщу Джоша, где бы он ни был, хотя пока что ума не приложу, как это сделать.

— Вернись на место преступления, так всегда поступают умелые ищейки.

— Саймон, завтра, поднявшись на сцену, сыграй для нас. Обещаешь?

— Дорогая моя, если бы в соседнем номере не дрыхнул дирижер, я бы прямо сейчас схватил скрипку и разбудил весь отель. Больше никогда не заставляй меня так за тебя волноваться! А теперь дай поспать.

Сказав, что целует ее, Саймон бросил трубку.

Назавтра ближе к полудню Хоуп подошла к двери дома Барнеттов. Гарольд удивился, что дочь вернулась так быстро, еще больше его удивил торжественный тон, которым она попросила позвать Бетси в музыкальную гостиную, где состоится их беседа.

Она поведала свою историю и сообщила о печальной участи их дочери. Настоящая Мелли, знаменитая пианистка, погибла при крушении вертолета, а она — всего лишь Хоуп, студентка, изучавшая нейрологию, вернувшаяся из прошлого.

Бетси назвала ее сумасшедшей, болтающей невесть что. Наверное, она прервала лечение? Они опять отвезут ее в Центр, к тому самому потрясающему доктору, и все снова будет в порядке. Как можно поверить такой нелепице, что на нее нашло, зачем она убеждает их, что их дочь мертва, когда сама стоит перед ними?

В первый раз за сорок лет брака Гарольд велел жене заткнуться.

— Она говорит правду, о которой мы всегда знали. Она пришла в себя уже другой, у нее был взгляд чужого человека. Я столько раз пытался с тобой поговорить, но ты не желала мне верить, а мне не хватало храбрости, чтобы тебя убедить. В Центре что-то про-

485

изошло: то ли они повредили разум Мелли, то ли случайно вообще его стерли и подсунули нам вместо него другой. Я с самого начала подозревал, что этот директор по науке что-то от нас прячет под своей бородой и очками. Да и манеры у него слишком сдержанные для честного человека. Будь твоя воля, он живым попал бы в рай, но я-то видел, что этот лицемер нам врет. А вы, мисс, с какого момента морочили нам голову?

Хоуп достала из кармана записку, которую написала утром. В ней она признавалась в отсутствии какого-либо родства с семейством Барнеттов и отказывалась от всех прав и от всякого наследства.

Она вручила записку Гарольду, сказала, что искренне соболезнует ему и его супруге, и удалилась, не прибавив больше ни слова.

Бетси бросилась за ней, попыталась обнять, но Гарольд удержал жену, крепко ее обняв и не пустив.

Хоуп пробежала через кухню, расцеловала Долорес и Уолтера, поблагодарила их за все, что они для нее сделали, и покинула поместье, чтобы никогда больше туда не возвращаться.

В такси по дороге в квартиру Саймона Хоуп обдумывала одну произнесенную Гарольдом фразу.

Директор по науке скрывал что-то не только от Барнеттов. Она вспоминала лицо, склонившееся над ней в день ее пробуждения. Теперь, когда к ней полностью вернулась память, она узнала человека, скрывавшего свой облик под бородой и очками.

Она велела такси отвезти ее в Центр «Лонгвью».

487

Секретарь была категорична: директор по науке никогда никого не принимает без предварительной записи; к этому она саркастическим тоном прибавила, что он вообще никогда никого не принимает. Даже мало кто из сотрудников имеет право входить в его кабинет.

— Очень вас прошу, позвоните ему и скажите, что его хочет увидеть Хоуп.

Секретарь проработала с директором по науке много лет и была убеждена, что такой психически ригидный и неразговорчивый субъект не может иметь любовницу, тем более моложе его на сорок лет.

— Я не сделаю этого, потому что дорожу своей работой, к тому же это ничего не даст, сегодня его нет на месте.

— Мне надо его увидеть, это важно, — не унималась Хоуп.

— Поступите в Массачусетский технологический институт, на отделение нейрологии, он там преподает.

Хоуп, не тратя время на прощание, бросилась к своему такси.

———————

488 Профессор уже час читал лекцию, когда Хоуп прошмыгнула в дверь главной аудитории. Заметив в заднем ряду свободное местечко, она заставила сидевшую с краю студентку поджать колени, иначе было не протиснуться.

— Я что-нибудь пропустила? — спросила она.

— Вообще-то нет, — ответила соседка.

— Сколько времени до конца лекции? — осведомилась Хоуп шепотом.

— Десять минут, но они покажутся вечностью. Ты не представляешь, как он наслаждается собственным голосом.

Профессор повернулся к студентам лицом, и у Хоуп пропали последние сомнения.

— Как вы должны были понять из моего изложения, программа «Нейролинк» достигла стадии развертывания, но остается, увы, ограниченной, мы не можем удовлетворить все заявки, — вещал он с каменным лицом. — Остается вопрос: на какое количество записей имеет право человек за свою жизнь? Ограничивая это количество, мы сможем сохранять память большего числа людей. Согласен, это не вполне удовлетворительное решение. Предстоит пройти еще немалый путь, прежде чем интеллект «Нейролинк» сможет осуществлять простую актуализацию между двумя сессиями записи, а не записывать каждый раз всю память, как мы делаем сейчас. Тогда ежегодное уточнение будет занимать всего несколько часов.

— Где гарантия, что «Нейролинк» не ошибется в момент восстановления? — громко спросила Хоуп.

По аудитории пробежал ропот. Профессор пытался разглядеть в тусклом свете аудитории ту, которая осмелилась его перебить.

— В чем не ошибется, мисс, чьего лица я не вижу? Извольте хотя бы привстать.

— Например телами.

— Этим вопросом мы занимались в начале года. Но, поскольку у вас, очевидно, имеются основания прогуливать мои лекции, запоминайте: мы не оставляем «Нейролинку» свободы начать соответствующую процедуру без контролера-оператора. Это исключает ошибку.

— У меня уважительная причина не посещать ваши лекции, профессор. Я проспала сорок лет в серверах «Нейролинка». Я — первая, чью память ты записал.

Ропот усилился, все студенты оглянулись на Хоуп. Она встала и зашагала к двери.

Профессор попросил его извинить и бросился вдогонку за ней.

Он нагнал ее на лестнице. Она ждала его, прислонившись к стене.

— Морщины и борода сильно меняют внешность, но взгляд под очками остался прежним.

— Так это ты?! Ты вернулась... — Люк вздохнул. — Боже, как ты молода! И ты совсем другая.

— Не беспокой Бога без нужды. Ты ничего не знал, когда пришел в мою палату в Центре?

— Конечно нет, как ты можешь сомневаться? Почему ты не пришла ко мне раньше?

— Потому что все это время я прожила с отбитой памятью. Этого ты тоже не знал?

— Послушай, Хоуп, в чем ты меня обвиняешь?

— Где он? Где Джош?

— Понятия не имею, клянусь! После твоей... твоего ухода он стал другим человеком. Покинул Центр, забросил нашу работу, заперся в вашем лофте. Я старался его оттуда вытащить, вразумить, но он ничего не желал слышать. Через некоторое время он даже перестал открывать мне дверь. Единственный, с кем он еще перебрасывался словечком, — старик итальянец, владелец магазинчика в вашем квартале. У него я и узнавал о Джоше. Он выходил купить еды — и сразу обратно. А потом продал вдруг все ваши вещи, купил машину и уехал к отцу. На меня он совершенно махнул рукой. С тех пор я ничего о нем не слышал.

— И ты успокоился? Не пытался его отыскать?

— Пытался, писал ему, звал обратно в Бостон, но мои письма возвращались с отметкой «по этому адресу не проживает». Я даже звонил в мэрию городка, где мы выросли. Там мне ответили, что отец Джоша давно переехал. Ну и где, по-твоему, мне было его искать?

— После его отъезда ты сделался большим начальником в Центре, браво.

— Всего лишь директором по науке, причем гораздо позже, когда умер Флинч. Что ты теперь собираешься делать? Если останешься в Бостоне, мы сможем видеться.

— Я собираюсь его отыскать.

— Ты понимаешь, что он мой ровесник? В этом году мне стукнуло шестьдесят.

— Плевать мне на то, сколько времени прошло, наша любовь не состарилась, потому что он меня ждал.

— Подумай хорошенько, Хоуп, у тебя вся жизнь впереди.

Хоуп ничего не ответила. Она попятилась, отвернулась и ушла.

———————

Вернувшись в квартиру Саймона, Хоуп нашла силы на звонок, которого боялась с момента возвращения с Нантакета. Набрав калифорнийский номер, она услышала женский голос, спрашивавший, кто звонит, и затаила дыхание.

— Можно поговорить с доктором Сэмом?..

— Увы, мисс, мой муж уже десять лет как скончался.

Усилием воли Хоуп сохранила спокойствие. Она была готова к такому ответу, но от этого боль, которую она испытала, не стала менее острой.

— Не скажете, где он похоронен? Я хочу побывать на его могиле.

— Сэм покоится на кладбище в Тибероне. Кто вы?

— Я его знала и очень любила.

— Одна из его пациенток?

— Нет, хотя бывало и такое. Как-нибудь я вас навещу и все объясню. До свидания, Амелия.

И Хоуп повесила трубку. Весь день после этого вдова педиатра ломала голову, кто эта женщина, не знавшая, что ее муж умер, зато знавшая ее имя.

493

25

Саймон вернулся с гастролей. Хоуп штудировала объявления в поисках квартиры себе по средствам. Сэм положил на счет «Лонгвью» небольшую сумму денег на случай, если... За сорок лет эта сумма изрядно подросла.

Люк постарался, чтобы Хоуп выплатили эти средства. Кроме того, он воспользовался своими связями, чтобы она получила работу в библиотеке кампуса и могла спокойно поразмыслить, как ей жить дальше.

Саймон уговорил ее не съезжать от него. Всетаки она приносила ему пользу, сторожа квартиру во время его длительных отъездов. При ней его комнатные растения обрели новую жизнь. Портье ухаживал за ними не в пример хуже.

Неделю между гастролями он помогал Хоуп в ее поисках: часами просиживал в Экстернете и прочесывал социальные сети, отыскивая мужчину по имени Джош, который соответствовал бы любимому Хоуп.

Несколько раз у них вспыхивала надежда, сердца начинали отчаянно биться, но дальше следовало разочарование.

Потом Саймон улетел, и они продолжили общение посредством электронных посланий.

После путешествия на Нантакет прошло три месяца. Хоуп посвящала все время поиску Джоша. Она разместила объявления во всех газетах страны и в научных журналах, вешала записки в кафе их квартала, помня слова Саймона о важности места преступления.

Как-то вечером портье позвонил и сообщил, что к ней гостья.

— Кто такая? — спросила Хоуп.

— Пожилая женщина, — прошептал портье в трубку. — По-моему, по происхождению она японка.

Стоило портье произнести эти слова, как Хоуп пулей вылетела за дверь.

495

Выйдя из лифта, Касуко испытала шок. Она долго разглядывала Хоуп, не веря своим глазам.

— Какая несправедливость! — И она со смехом заключила Хоуп в объятия.

Хоуп стала поить ее чаем. Касуко, сидя на диване, не могла оторвать взгляд от ее нового лица.

— Неудивительно, что я с таким трудом тебя разыскала, — проговорила она наконец.

— Это я должна была тебя отыскать. Я не догадывалась, что ты осталась в Бостоне. Мне трудно во всем этом разобраться, за три месяца столько всего произошло...

— Знаю.

— Как ты меня нашла?

— Люк не удержался и все мне рассказал. После твоего пробуждения в Центре дня не проходило, чтобы я не засыпала его вопросами о тебе. В последнее время я видела, что он меня обманывает, и пригрозила, что уйду, если он продолжит врать, поэтому он признался, что к пациентке № 102 вернулась память — твоя. Рассказал про деньги, оставленные твоим отцом, и про то, что нашел тебе место в библиотеке. Я пошла туда и выяснила твой адрес. Серьезно, Хоуп, куда это годится?

Библиотека кампуса — при твоем-то уровне знаний и научной компетенции!

— Я боюсь, что мои знания несколько устарели. Иметь доступ ко всем научным трудам, читать, узнавать да еще получать за это деньги совсем неплохо. Хотя я еще не открыла ни одной книги, все свободное время уходит на поиски Джоша. Значит, ты тоже знала?

— Нет, единственное, что я знала, — что «Нейролинк» взял под свой контроль перенос сознания пациентке № 102. Оператор заметил аномалию, и у меня появилась надежда...

— На что?

— На твое возвращение. Люк попытался прервать процесс, но я поменяла коды доступа до его прихода. Так или иначе, «Нейролинк» вряд ли это допустил бы. Флинч закрепил пакт в условиях своей исходной программы.

— Зачем Люк пытался прервать процесс? Какой пакт?

— Это долгая история, Хоуп. Я для того и пришла, чтобы рассказать ее тебе. Она касается только тебя. И еще Джоша.

— Ты знаешь, где он?

— Да и нет. Все сложно.

— Он устроил свою жизнь? Если он счастлив...

497

— Помолчи, дай рассказать, это нелегко, не знаю даже, с чего начать.

— С него, меня интересует только это.

— Джош не мог свыкнуться с мыслью, что останется без тебя, — ни после твоей смерти, ни даже раньше. Он придумал опасный, совершенно безумный план и вбил его себе в голову задолго до твоей смерти. Он стал его осуществлять втайне от всех, включая нас с Люком и тебя. Помнишь, когда вы вернулись с Нантакета с намерением картировать твой мозг, он уступил тебе свое кресло, в котором сидел месяцами? Аккумулирование его памяти было почти завершено. На следующий день после твоей кончины он вернулся в Центр. Мы с Люком были удивлены его силой духа. Раньше он был раздавлен горем, а тут переменился, и мы восхищались его отвагой. На самом деле он нас обманул. Когда сохранение его памяти закончилось, он явился к Флинчу, старому добряку Флинчу. В те недели, когда Джош от тебя не отходил, он подвергал свой научный гений суровому испытанию. Все знали, что в паре «Джош и Люк» идеи генерировал Джош. Люк ему завидовал, и все его старания стать любимчиком у Флинча ничего в этом не меняли. Способ кодировки памяти они нашли

498

вместе, но технология ее последующего восстановления — заслуга Джоша. Его открытие находилось еще на зачаточной стадии, потребовалось целых тридцать лет, чтобы довести его до ума, но Джош разработал главную архитектуру. Ее единственный изобретатель — он.

— При чем тут Флинч?

— Очень даже при чем, скоро ты поймешь почему. Джош заключил с Флинчем пакт. Он уступал ему свое изобретение — не только то, что уже было сделано, но и все то, что сможет сделать на протяжении всей последующей жизни. Заключив этот пакт, Джош буквально запродал «Лонгвью» свою душу.

— В обмен на что?

— На два обещания. По оценке Джоша, «Нейролинк» должен был стать действующей программой, не сопряженной ни с каким риском, начиная с пятого «восстановленного» пациента. С этого момента «Лонгвью» брался передать твое сознание первому же совместимому телу. В криогенизацию Джош не верил. В эту игру он ввязался только из любви к тебе. Зато в свою программу он верил непоколебимо. Как всякий уважающий себя обманщик, Джош никому не доверял. Поэтому Флинч должен был предоставить ему доступ

499

к сердцу «Нейролинка», то есть к кодам программирования, источнику этого искусственного интеллекта. Это и было сутью пакта, что-то вроде «услуги за услугу». Флинч согласился, и Джош вписал в «Нейролинк» нестираемую программу. После пятого пациента «Нейролинк» должен был восстановить твое сознание в первом же совместимом теле. Это оказался № 102.

— Ты сказала, что в пакте было два условия. Каким было второе?

— Что следующим станет сам Джош...

— Это невозможно, у двух разных тел не может быть одинакового сознания.

— Никак не может, «Нейролинк» этому помешал бы.

— Тогда я ничего не понимаю.

— Флинч дал себя провести, подписав пакт. Джош одиннадцать месяцев переписывал программу-источник «Нейролинка». Сохранение его собственной памяти завершилось, она осталась на серверах. Он добился того, к чему стремился с самого начала.

— А к чему он стремился?

— Думаю, ты уже поняла. Умереть и ожить одновременно с тобой. В первую годовщину твоей смерти Джош покончил с собой.

Хоуп долго молчала, не в силах вымолвить ни слова. Касуко осталась у нее и приготовила ужин. Они сели за низкий столик, и Хоуп задала ей вопрос, который раньше не осмеливалась сформулировать.

— Сколько пройдет времени, прежде чем совместимое тело... вернет его к жизни?

— Процесс завершился сегодня утром, он открыл глаза. Я знаю твой адрес уже несколько недель, но тянула, чтобы у меня был ответ на твой вопрос, когда ты его задашь.

— Джош здесь, в Бостоне? — спросила Хоуп умоляющим голосом.

— Нет, после того как «Нейролинк» перешел в активную фазу, «Лонгвью» открыл свои центры по всей стране. Я сделала все возможное, чтобы узнать, когда и где это произойдет. Память Джоша восстановилась в Сиэтле. Я позволила себе смелость купить тебе билет на самолет и снять квартирку вблизи тамошнего центра.

— Квартиру?..

— Хоуп, ваши случаи идентичны, вы прошли одинаковые процедуры в одно время, и все позволяет надеяться, что Джош очнулся в том же состоянии, что и ты. Тебе придется запастись терпением и дождаться, пока к нему вернется память.

Касуко провела у Хоуп всю ночь. Утром она отвезла ее на машине в аэропорт.

Прощаясь, она попросила ее постараться простить Люка.

— В год твоей смерти он потерял двоих людей, значивших для него все на свете: лучшего друга и женщину, которую он любил с того дня, когда встретился с ней взглядом на лужайке кампуса. Ничего не говори, я хочу, чтобы среди нас четверых остался хотя бы один человек, который никогда не лгал. Ты всегда знала, что Люк любит тебя, и именно чтобы заглушить эту безответную любовь, ты познакомила его со мной. Я тоже это знала, достаточно было посмотреть на него, когда ты была рядом. Но я любила его изо всех сил. Хотя после тебя он не мог меня полюбить, для счастья мне хватало частички от него, и я ни о чем не жалею. Когда ты ожила, он испугался, и я могу его понять, мне тоже стало страшно. А теперь беги, наши жизни постепенно завершаются, а ваши только начинаются, так что постарайся, чтобы все это было не зря. Будьте счастливы!

Касуко обняла Хоуп на прощание и долго смотрела ей вслед, пока она не исчезла в здании терминала.

26

Джош покинул Центр через два месяца после пробуждения.

Хоуп навещала его каждый день, а он не знал, кто эта молодая женщина, улыбавшаяся ему, сидя на скамейке в парке, где он прогуливался в перерывах между сеансами переобучения.

Иногда, преодолевая робость, он подсаживался к ней и тоже ей улыбался.

Люк умудрился устроить его стажером в аптеку рядом со студией, которую он для него снял.

Ежедневно в полдень Джош снимал халат, натягивал свитер, переходил улицу и усаживался в современном кафе с красочным декором.

На обед он неизменно брал сэндвич и кофе маккиато, садился за стойку и разглядывал предметы на лакированных полках вдоль зеркала напротив.

Порой ему казалось, что он узнает лицо молодой женщины, которая пила чай в одиночестве за дальним столиком, но он думал, что обознался.

Как-то утром ему пришла охота изменить своей привычке: уже третью неделю такое происходило все чаще. Он отправился в то же кафе, только на сей раз позавтракать.

Там было почти пусто, хозяин вытирал за стойкой чашки. Джош сел за столик.

Его внимание привлек деревянный самолетик, свисавший на шнурке с потолка. Он ощутил, как в макушку ударил электрический разряд, голова пошла кругом, и, падая навзничь, Джош увидел всю свою жизнь.

Очнулся он от голоса склонившегося над ним мужчины.

— Вам лучше? Ну и напугали вы меня! Вызвать врача?

Джош отказался. Сев, он спросил хозяина кафе, откуда взялся здесь этот самолетик.

— Забавно, что вы задаете мне этот вопрос только сегодня. Он висит здесь уже не меньше двух месяцев. Его принесла молодая женщина. Окажите мне услугу, говорит. Ей захотелось, чтобы я повесил его на виду. Я охотно согласился. Симпатичный самолетик, правда? Еще она дала мне конверт, чтобы я вручил его вам, если вы когда-нибудь спросите про эту вещицу. Объяснила, что это ее подарок вам, сделанный много лет назад, поэтому вам наверняка понадобится много времени, чтобы его вспомнить...

Хозяин вынул из-под стойки конверт.

— Скажите, вы не собираетесь расплакаться, еще не прочитав письмо?

Джош вытер глаза и вскрыл конверт, на котором были надписаны адрес и номер телефона.

Милый Джош,
я тебя нашла.
Люблю тебя.
Хоуп

505

От автора

506

Хочу отдать дань уважения Ким Суоцци и Джошу Шислеру, чьи судьбы вдохновили меня сочинить эту историю.

А поскольку невозможное — только вопрос времени, я всем сердцем уповаю на то, что Ким очнется от глубокого холода, в который она погрузилась мглистым январским утром 2013 года, и что они с Джошем рано или поздно воссоединятся.

Писать — это уметь воображать.

Я благодарен ученым, помогавшим мне своими советами, тем более ценными, что мой уровень в нейрологии, когда я задумывал этот роман, был, мягко говоря, невысок. Правда, и теперь он немногим выше.

Но невероятные научные достижения, описанные на этих страницах, по большей части реальны, а те, что еще не осуществились, когда-нибудь, наверное, тоже станут реальностью, особенно теперь, когда Джош поделился кое-какими своими идеями с такими же, как он, гениями нейрологии.

Флинч просил не забывать о его замечательной роли, и я спешу восполнить это упущение.

Нью-Йорк,
2 января 2016 г.
Марк Леви

507

Спасибо

Полине, Луи, Жоржу и Клеа.
Раймону, Даниэлю и Лоррен.

Сюзанне Леа.
Эмманюэль Ардуэн.
Сесиль Буайе-Рюнж, Антуану Каро.
Элизабет Вильнёв, Каролин Бабюль, Арье Сберро, Сильви Бардо, Лидии Леруа, Жоэлю Ренода, Селин Шифле, Анн-Мари Ланфан,
всей команде издательства «Робер Лаффон».
Полине Норман, Мари-Эв Прово, Жану Бушару.
Леонару Антони, Себастьену Кано, Даниэль Мелконян, Марку Кесслеру, Жюльену Сальте де Сабле д'Эстьер.
Кэтрин Ходдард, Лоре Мэмлок, Керри Гленсорс, Джулии Вагнер.
Брижит и Саре Фориссье.

Литературно-художественное издание

Марк Леви

Опрокинутый горизонт

Редактор Е.Тарусина
Художественный редактор С.Карпухин
Технический редактор Л.Синицына
Корректор Е.Туманова
Компьютерная верстка Т.Коровенковой

ООО «Издательская Группа «Азбука-Аттикус» —
обладатель товарного знака «Издательство Иностранка»
119334, Москва, 5-й Донской проезд, д. 15, стр. 4

Филиал ООО «Издательская Группа «Азбука-Аттикус»
в г. Санкт-Петербурге
191123, Санкт-Петербург, Воскресенская набережная, д. 12, лит. А

ЧП «Издательство «Махаон-Украина»
Тел./факс (044) 490-99-01
e-mail: sale@machaon.kiev.ua

ЧП «Издательство «Махаон»
Тел. (057) 315-15-64, 315-25-81
e-mail: machaon@machaon.kharkov.ua

Знак информационной продукции
(Федеральный закон № 436-ФЗ от 29.12.2010 г.)

Подписано в печать 15.08.2016.
Формат 70×100 $^1/_{32}$. Бумага типографская.
Гарнитура «NewBaskerville». Печать офсетная.
Усл. печ. л. 20,8. Тираж 28 000 экз.
B-LEV-19329-01-R. Заказ № 2705/16.

Отпечатано в соответствии с предоставленными материалами
в ООО «ИПК Парето-Принт». 170546, Тверская область,
Промышленная зона Боровлево-1, комплекс № 3А
www.pareto-print.ru

ПО ВОПРОСАМ РАСПРОСТРАНЕНИЯ ОБРАЩАЙТЕСЬ:

В Москве:
ООО «Издательская Группа «Азбука-Аттикус»
Тел. (495) 933-76-01, факс (495) 933-76-19
E-mail: sales@atticus-group.ru

В Санкт-Петербурге:
Филиал ООО «Издательская Группа «Азбука-Аттикус»
в г. Санкт-Петербурге
Тел. (812) 327-04-55
E-mail: trade@azbooka.spb.ru

В Киеве:
ЧП «Издательство «Махаон-Украина»
Тел./факс (044) 490-99-01
e-mail: sale@machaon.kiev.ua

В Харькове:
ЧП «Издательство «Махаон»
Тел. (057) 315-15-64, 315-25-81
e-mail: machaon@machaon.kharkov.ua

www.azbooka.ru; www.atticus-group.ru